ESTUDO APROFUNDADO DA
DOUTRINA ESPÍRITA

ESTUDO APROFUNDADO DA DOUTRINA ESPÍRITA

Orientações espíritas e sugestões didático-pedagógicas direcionadas ao estudo do aspecto religioso do Espiritismo

Livro II
Ensinos e parábolas de Jesus
Parte I

Organização
Marta Antunes de Oliveira de Moura

Copyright © 2013 *by*
FEDERAÇÃO ESPÍRITA BRASILEIRA – FEB

1ª edição – 13ª impressão – 1,1 mil exemplares – 12/2024

ISBN 978-85-7328-771-4

Todos os direitos reservados. Nenhuma parte desta publicação pode ser reproduzida, armazenada ou transmitida, total ou parcialmente, por quaisquer métodos ou processos, sem autorização do detentor do *copyright*.

FEDERAÇÃO ESPÍRITA BRASILEIRA – FEB
SGAN 603 – Conjunto F – Avenida L2 Norte
70830-106 – Brasília (DF) – Brasil
www.febeditora.com.br
editorial@febnet.org.br
+55 61 2101 6161

Pedidos de livros à FEB
Comercial
Tel.: (61) 2101 6161 – comercial@febnet.org.br

Adquirindo esta obra, você está colaborando com as ações de assistência e promoção social da FEB e com o Movimento Espírita na divulgação do Evangelho de Jesus à luz do Espiritismo.

Dados Internacionais de Catalogação na Publicação (CIP)
(Federação Espírita Brasileira – Biblioteca de Obras Raras)

M929e   Moura, Marta Antunes de Oliveira de (Org.), 1946–

   Estudo aprofundado da doutrina espírita: Ensinos e parábolas de Jesus – Parte I. Orientações espíritas e sugestões didático-pedagógicas direcionadas ao estudo do aspecto religioso do espiritismo / Marta Antunes de Oliveira de Moura (organizadora). – 1. ed. – 13. imp. – Brasília: FEB, 2024.

   V. 2; pt. 1; 312 p.; 25 cm

   Inclui referências

   ISBN 978-85-7328-771-4

   1. Espiritismo. 2. Estudo e ensino. 3. Educação. I. Federação Espírita Brasileira. II. Título.

CDD 133.9
CDU 133.7
CDE 60.04.00

SUMÁRIO

Apresentação 7

Agradecimentos 9

Esclarecimentos 11

Módulo I – Metodologia para o estudo do evangelho à luz da doutrina espírita . 15

    Roteiro 1 – A doutrina espírita e o evangelho 17

    Roteiro 2 – As três revelações divinas: Moisés, Jesus e Kardec 21

    Roteiro 3 – Critérios de estudo e interpretação do evangelho (1) 25

    Roteiro 4 – Critérios de estudo e interpretação do evangelho (2) 29

    Roteiro 5 – Interpretação de textos evangélicos 39

Módulo II – Ensinos diretos de Jesus 47

    Roteiro 1 – As bem-aventuranças 49

    Roteiro 2 – Discípulos: sal da terra e luz do mundo 61

    Roteiro 3 – Não vim trazer paz, mas espada 69

    Roteiro 4 – Nicodemos 77

    Roteiro 5 – Verdade e libertação 87

    Roteiro 6 – A inspiração de Pedro 93

    Roteiro 7 – Instruções aos discípulos 105

Módulo III – Ensinos por parábolas 117

    Roteiro 1 – O semeador 119

    Roteiro 2 – O bom samaritano 129

    Roteiro 3 – A rede 139

Roteiro 4 – O trigo e o joio 147

Roteiro 5 – A candeia..157

Roteiro 6 – O fariseu e o publicano 165

Módulo IV – Aprendendo com as curas......................................177

Roteiro 1 – O paralítico de cafarnaum 179

Roteiro 2 – O cego de Betsaida..193

Roteiro 3 – A cura da sogra de Pedro e dos endemoniados...............207

Roteiro 4 – O homem da mão mirrada 217

Módulo V – Aprendendo com os fatos cotidianos 229

Roteiro 1 – João Batista 231

Roteiro 2 – Zaqueu, o publicano 237

Roteiro 3 – O chamamento de Levi (Mateus), Pedro, André, João e Tiago maior...245

Roteiro 4 – O centurião de Cafarnaum 255

Roteiro 5 – A caminho de Emaús 265

Módulo VI – Aprendendo com fatos extraordinários...................277

Roteiro 1 – A pesca maravilhosa..279

Roteiro 2 – As bodas de caná...285

Roteiro 3 – A tempestade acalmada 295

APRESENTAÇÃO

É com imensa alegria e gratidão a Deus que colocamos à disposição do Movimento Espírita o segundo livro do *Curso Aprofundado da Doutrina Espírita – EADE, Ensinos e parábolas de Jesus*, Livro II.

Estudar o Evangelho de Jesus, procurando acompanhar de perto a riqueza e a excelsitude dos seus ensinos; refletir sobre o seu legado de amor, em nosso benefício, ao longo de sua luminosa trajetória que as dobras do tempo conseguiram ocultar, é uma experiência abençoada e inesquecível que desejamos compartilhar com todos os confrades espíritas.

Dirigimos o nosso pleito de gratidão a todos os companheiros dedicados que não mediram esforços para que esse material viesse a lume.

Brasília (DF), 20 de janeiro de 2013.

AGRADECIMENTOS

Gostaríamos de expressar nossa sincera gratidão a Honório Onofre Abreu (1930–2007), valoroso trabalhador espírita e amigo querido que, no Estudo Aprofundado da Doutrina Espírita, elaborou o programa e os textos dos livros II e III – Ensinos e Parábolas de Jesus, partes 1 e 2, analisados à luz da Doutrina Espírita.

Somos tomados por profundas e felizes emoções quando, voltando ao passado, recordarmos os primeiros contatos com Honório e a sua imediata aceitação em realizar o trabalho. Por dois anos consecutivos, de 2003 a 2005, estabeleceu-se entre nós fraterna convivência, período em que tivemos a oportunidade de aprender estudar o Evangelho de Jesus, ampliando o entendimento do assunto que extrapola interpretações literais ainda comuns, inclusive no meio espírita.

Conviver com Honório foi, efetivamente, uma jornada de luz. Ele não foi apenas um simples interpretador do Evangelho, causa a que se dedicou ao longo da última existência. Realizava a tarefa com simplicidade, conhecimento e sabedoria que encantavam os ouvintes, independentemente do nível sociocultural que apresentassem. Contudo, importa destacar, efetivamente Honório soube vivenciar os ensinamentos de Jesus junto a todos os que foram convocados a compartilhar, direta ou indiretamente, a sua última reencarnação.

Dirigimos também o nosso agradecimento a outro amigo, Haroldo Dutra Dias, dedicado estudioso espírita do Evangelho, que transcreveu os textos gravados por Honório, adequando-os à linguagem escrita.

MARTA ANTUNES MOURA
Brasília(DF), 29 de janeiro de 2013.

ESCLARECIMENTOS

Organização e Objetivos do Curso

O Estudo Aprofundado da Doutrina Espírita (EADE) é um curso que tem como proposta enfatizar o tríplice aspecto da Doutrina Espírita, estudado de forma geral nos cursos de formação básica, usuais na Casa Espírita.

O estudo teórico da Doutrina Espírita desenvolvido no EADE está fundamentado nas obras da Codificação e nas complementares a estas, cujas ideias guardam fidelidade com as diretrizes morais e doutrinárias definidas, respectivamente por Jesus e por Allan Kardec.

Os conteúdos do EADE priorizam o conhecimento espírita e destaca a relevância da formação moral do ser humano. Contudo, sempre que necessário, tais as orientações são comparadas a conhecimentos universais, filosóficos, científicos e tecnológicos, presentes na cultura e na civilização da humanidade, com o intuito de demonstrar a relevância e a atualidade da Doutrina Espírita.

Os objetivos do Curso podem ser resumidos em dois, assim especificados:

» Propiciar o conhecimento aprofundado da Doutrina Espírita no seu tríplice aspecto: religioso, filosófico e científico.

» Favorecer o desenvolvimento da consciência espírita, necessário ao aprimoramento moral do ser humano.

O Estudo Aprofundado da Doutrina Espírita tem como público-alvo todos os espíritas que gostem de estudar, que desejam prosseguir nos seus estudos doutrinários básicos, realizando aprofundamentos de temas que conduzam à reflexão, moral e intelectual.

Neste sentido, o Curso é constituído por uma série de cinco tipos de conteúdos, assim especificados:

» Livro I: Cristianismo e Espiritismo.

» Livro II: Ensinos e Parábolas de Jesus – Parte 1

- » Livro III: Ensinos e Parábolas de Jesus – Parte 2
- » Livro IV: O Consolador prometido por Jesus
- » Livro V: Filosofia e Ciência Espíritas

Fundamentos espíritas do curso

- » A moral que os Espíritos ensinam é a do Cristo, pela razão de que não há outra melhor. [...]
- » O que o ensino dos Espíritos acrescenta à moral do Cristo é o conhecimento dos princípios que regem as relações entre os mortos e os vivos, princípios que completam as noções vagas que se tinham da alma, do seu passado e do seu futuro [...]. Allan Kardec: *A gênese*. Cap. I, item 56.
- » O Espiritismo é forte porque assenta sobre as próprias bases da religião: Deus, a alma, as penas e as recompensas futuras [...]. Allan Kardec: *O livro dos espíritos*. Conclusão V.
- » [...] O mais belo lado do Espiritismo é o lado moral. É por suas consequências morais que triunfará, pois aí está a sua força, pois aí é invulnerável. [...] Allan Kardec: *Revista Espírita*, 1861, novembro, p. 495.
- » [...] Ainda uma vez [o Espiritismo], é uma filosofia que repousa sobre as bases fundamentais de toda religião e na moral do Cristo [...]. Allan Kardec: *Revista Espírita*, 1862, maio, p. 174-175.
- » Não, o Espiritismo não traz moral diferente da de Jesus. [...] Os Espíritos vêm não só confirmá-la, mas também mostrar-nos a sua utilidade prática. Tornam inteligíveis e patentes verdades que haviam sido ensinadas sob forma alegórica. E, justamente com a moral, trazem-nos a definição dos mais abstratos problemas da psicologia. Allan Kardec: *O livro dos espíritos*. Conclusão VIII.
- » Podemos tomar o Espiritismo, simbolizado desse modo, como um triângulo de forças espirituais.
- » A Ciência e a Filosofia vinculam à Terra essa figura simbólica, porém, a Religião é o ângulo divino que a liga ao céu. No seu aspecto científico e filosófico, a Doutrina será sempre um campo de nobres investigações humanas, como outros movimentos coletivos, de natureza intelectual, que visam ao aperfeiçoamento da humanidade. No aspecto religioso, todavia, repousa a sua grandeza divina, por constituir a restauração do Evangelho de Jesus Cristo, estabelecendo a renovação definitiva do

homem, para a grandeza do seu imenso futuro espiritual. Emmanuel: *O consolador*. Definição, p. 13-14.

» A ciência espírita compreende duas partes: experimental uma, relativa às manifestações em geral; filosófica, outra, relativa às manifestações inteligentes. Allan Kardec: *O livro dos espíritos*. Introdução, item 17.

» Falsíssima ideia formaria do Espiritismo quem julgasse que a sua força lhe vem da prática das manifestações materiais [...]. Sua força está na sua filosofia, no apelo que dirige à razão, ao bom senso. [...] Fala uma linguagem clara, sem ambiguidades. Nada há nele de místico, nada de alegorias suscetíveis de falsas interpretações. Quer ser por todos compreendido, porque chegados são os tempos de fazer-se que os homens conheçam a verdade [...]. Não reclama crença cega; quer que o homem saiba por que crê. Apoiando-se na razão, será sempre mais forte do que os que se apoiam no nada. Allan Kardec: *O livro dos espíritos*. Conclusão VI.

» O Espiritismo é, ao mesmo tempo, uma ciência de observação e uma doutrina filosófica. Como ciência prática ele consiste nas relações que se estabelecem entre nós e os Espíritos; como filosofia, compreende todas as consequências morais que dimanam dessas mesmas relações. Allan Kardec: *O que é o espiritismo*. Preâmbulo.

» [...] o Espiritismo não traz moral diferente da de Jesus. [...] Os Espíritos vêm não só confirmá-la, mas também mostrar-nos a sua utilidade prática. Tornam inteligíveis e patentes verdades que haviam sido ensinadas sob a forma alegórica. E, justamente com a moral, trazem-nos a definição dos mais abstratos problemas da Psicologia. Allan Kardec: *O livro dos espíritos*. Conclusão VIII.

» O Espiritismo se apresenta sob três aspectos diferentes: o das manifestações, dos princípios e da filosofia que delas decorrem e o da aplicação desses princípios. Allan Kardec: *O livro dos espíritos*. Conclusão VII.

Sugestão de Funcionamento do Curso

a) Requisitos de admissão: os participantes inscritos devem ter concluído cursos básicos e regulares da Doutrina Espírita, como o Estudo Sistematizado da Doutrina Espírita, ou ter conhecimento das obras codificadas por Allan Kardec.

b) Duração das reuniões de estudo: sugere-se o desenvolvimento de uma reunião semanal, de 1h 30 min a 2 h.

c) Atividade extraclasse: é de fundamental importância que os participantes façam leitura prévia dos temas que serão estudados em cada reunião e, também, realizem pesquisas bibliográficas a fim de que o estudo, as análises, as correlações e reflexões, desenvolvidas no Curso, propiciem melhor entendimento dos conteúdos.

EADE LIVRO II | MÓDULO I

METODOLOGIA PARA O ESTUDO DO EVANGELHO À LUZ DA DOUTRINA ESPÍRITA

EADE – LIVRO II | MÓDULO I

METODOLOGIA PARA O ESTUDO DO EVANGELHO
À LUZ DA DOUTRINA ESPÍRITA

Roteiro 1

A DOUTRINA ESPÍRITA E O EVANGELHO

Objetivos

» Reconhecer os ensinamentos espíritas como um roteiro seguro para o entendimento do Evangelho de Jesus.

Ideias principais

» *O Espiritismo [termo criado por Allan Kardec] é, ao mesmo tempo, uma ciência de observação e uma doutrina filosófica.* Allan Kardec: *O que é o espiritismo.* Preâmbulo, p. 50.

» *[...] a maioria dos espiritistas entende e aceita o Evangelho de Jesus, à luz do Consolador, como o grande roteiro de redenção humana [...].* Juvanir Borges de Souza: *Tempo de transição.* Introdução, p. 13.

» *Jesus é o Caminho, a Verdade e a Vida. Sua luz imperecível brilha sobre os milênios terrestres, como o Verbo do princípio [...].* Emmanuel: *Caminho, verdade e vida.* Introdução, p. 13.

Subsídios

O Espiritismo é compreendido como a manifestação da misericórdia divina em benefício da humanidade terrestre.

O Espiritismo [termo criado por Allan Kardec] é, ao mesmo tempo, uma ciência de observação e uma doutrina filosófica. Como ciência prática ele consiste nas relações que se estabelecem entre nós e os Espíritos; como filosofia, compreende todas as consequências morais que dimanam dessas mesmas relações.[4]
[...] É a essas relações que o Cristo alude em muitas circunstâncias e daí vem que muito do que ele disse permaneceu ininteligível ou falsamente interpretado. O Espiritismo é a chave com o auxílio da qual tudo se explica de modo fácil.[1]

As orientações da Doutrina Espírita são seguras e diretas, nos projetando na horizontalidade do conhecimento das leis que nos regem. O alcance de suas claridades nos revela o impositivo da renovação imprescindível e inadiável. Como Cristianismo Redivivo, faz ecoar a palavra de Jesus veiculada nos primeiros tempos, sem as contaminações nela impregnadas pela insensatez e irreflexões dos homens ao longo dos tempos.

[...] o Espiritismo realiza o que Jesus disse do Consolador prometido: conhecimento das coisas, fazendo que o homem saiba donde vem, para onde vai e por que está na Terra; atrai para os verdadeiros princípios da lei de Deus e consola pela fé e pela esperança.[2]

Em vários arraiais da atividade espírita séria, já se ouve que a hora atual é a da vivência do Evangelho. Não mais como uma norma religiosa, superada e fanatizante, mas como cartilha de vida.

Percebemos,
[...] com íntima satisfação, que a imensa maioria dos espiritistas entende e aceita o Evangelho de Jesus, à luz do Consolador, como o grande roteiro da redenção humana, no esforço continuado de cada um para aumentar a capacidade de amar, servir e compreender.[5]

Com lucidez, assim fala Emmanuel:

Muitos discípulos, nas várias escolas cristãs, entregaram-se a perquirições teológicas, transformando os ensinos do Senhor em relíquia morta dos altares de pedra; no entanto, espera o Cristo venhamos todos a converter-lhe o Evangelho de amor e sabedoria em companheiro da prece, em livro escolar no aprendizado de cada dia, em fonte inspiradora de nossas mais humildes ações no trabalho comum e em código de boas maneiras no intercâmbio fraternal.[6]

Investindo neste terreno substancioso e desafiador, acrescenta Vicente de Paulo numa mensagem dada em Paris, em 8 de junho de 1858:

> Não vos disse Jesus tudo o que concerne às virtudes da caridade e do amor? Por que desprezar os seus ensinamentos divinos? Por que fechar o ouvido às suas divinas palavras, o coração a todos os seus bondosos preceitos? Quisera eu que dispensassem mais interesse, mais fé às leituras evangélicas. Desprezam, porém, esse livro, consideram-no repositório de palavras ocas, uma carta fechada; deixam no esquecimento esse código admirável. Vossos males provêm todos do abandono voluntário a que votais esse resumo das leis divinas. Lede-lhe as páginas cintilantes do devotamento de Jesus, e meditai-as.[8]

Ensinos e parábolas de Jesus, segundo tomo do Programa Religião à Luz do Espiritismo, tem como proposta realizar o estudo dos principais temas do Evangelho de Jesus, segundo a ótica espírita. Sendo assim, guardemos com zelo as seguintes orientações de Emmanuel:

> Muitos escutam a palavra do Cristo, entretanto, muito poucos são os que colocam a lição nos ouvidos.
> Não se trata de registrar meros vocábulos e sim fixar apontamentos que devem palpitar no livro do coração.
> Não se reportava Jesus à letra morta, mas ao verbo criador. Os círculos doutrinários do Cristianismo estão repletos de aprendizes que não sabem atender a esse apelo. Compareçam às atividades espirituais, sintonizando a mente com todas as inquietações inferiores, menos com o Espírito do Cristo. Dobram joelhos, repetem fórmulas verbalistas, concentram-se em si mesmos, todavia, no fundo, atuam em esfera distante do serviço justo.
> A maioria não pretende ouvir o Senhor e, sim, falar ao Senhor, qual se Jesus desempenhasse simples função de pajem subordinado aos

caprichos de cada um. São alunos que procuram subverter a ordem escolar.

Pronunciam longas orações, gritam protestos, alinhavam promessas que não podem cumprir.

Não estimam ensinamentos. Formulam imposições.

E, à maneira de loucos, buscam agir em nome do Cristo.

Os resultados não se fazem esperar. O fracasso e a desilusão, a esterilidade e a dor vão chegando devagarinho, acordando a alma dormente para as realidades eternas.

Não poucos se revoltam, desencantados...

Não se queixem, contudo, senão de si mesmos.

"Ponde minhas palavras em vossos ouvidos", disse Jesus.

O próprio vento possui uma direção. Teria, pois, o divino Mestre transmitido alguma lição, ao acaso?[7]

Referências

1. KARDEC, Allan. *O evangelho segundo o espiritismo*. Tradução de Guillon Ribeiro. 124. ed. Rio de Janeiro: FEB, 2005. Cap. 1, item 5, p. 57.
2. _____._____. Cap. 6, item 4, p. 129.
3. _____._____. Cap. 13, item 12, p. 222-223.
4. _____. *O que é o espiritismo*. 53. ed. Rio de Janeiro: FEB, 2005. Preâmbulo, p. 50.
5. SOUZA, Juvanir Borges. *Tempo de transição*. 3. ed. Rio de Janeiro: FEB, 2002. Introdução, p. 13.
6. XAVIER, Francisco Cândido. *Caminho, verdade e vida*. Pelo Espírito Emmanuel. 26. ed. Rio de Janeiro: FEB, 2006. Introdução (Interpretação dos textos sagrados), p. 15.
7. _____. *Vinha de luz*. 24. ed. Rio de Janeiro: FEB, 2006. Cap. 70 (Guardemos o ensino), p. 153-154.

Orientações ao monitor

Destacar a importância do Espiritismo no entendimento dos ensinamentos evangélicos.

EADE – LIVRO II | MÓDULO I

METODOLOGIA PARA O ESTUDO DO EVANGELHO
À LUZ DA DOUTRINA ESPÍRITA

Roteiro 2

AS TRÊS REVELAÇÕES DIVINAS: MOISÉS, JESUS E KARDEC

Objetivos

» Citar as três revelações divinas, destacando as suas principais características.

» Indicar os três aspectos da Revelação Espírita.

Ideias principais

» *Até agora, a humanidade da Era Cristã recebeu a grande Revelação em três aspectos essenciais: Moisés trouxe a missão da Justiça; o Evangelho, a revelação insuperável do Amor, e o Espiritismo, em sua feição de Cristianismo Redivivo, traz, por sua vez, a sublime tarefa da Verdade.* Emmanuel: O consolador, questão 271.

» *Podemos tomar o Espiritismo, simbolizando [...] como um triângulo de forças espirituais. A Ciência e a Filosofia vinculam à Terra essa figura simbólica, porém, a Religião é o ângulo divino que a liga ao céu.* Emmanuel: O consolador. Definição, p. 19.

Subsídios

1. As revelações divinas

Examinando a presença de Jesus no processo evolutivo da humanidade, recordemos as esclarecedoras informações do benfeitor Emmanuel:

> Até agora, a humanidade da Era Cristã recebeu a grande Revelação em três aspectos essenciais: Moisés trouxe a missão da Justiça; o Evangelho, a revelação insuperável do Amor, e o Espiritismo, em sua feição de Cristianismo Redivivo, traz, por sua vez, a sublime tarefa da Verdade. No centro das três revelações encontra-se Jesus Cristo, como o fundamento de toda luz e de toda sabedoria. É que, com o Amor, a Lei manifestou-se na Terra no seu esplendor máximo; a Justiça e a Verdade nada mais são que os instrumentos divinos de sua exteriorização [...]. A Justiça, portanto, lhe aplainou os caminhos, e a Verdade, conseguintemente, esclarece os seus divinos ensinamentos. Eis porque, com o Espiritismo simbolizando a Terceira Revelação da Lei, o homem terreno se prepara, aguardando as sublimadas realizações do seu futuro espiritual, nos milênios porvindouros.[2]

Cada Revelação representa uma síntese dos ensinamentos espirituais necessários ao aprimoramento da humanidade.

> O Velho Testamento é a revelação da Lei. O Novo é a revelação do amor. O primeiro consubstancia as elevadas experiências dos homens de Deus que procuravam a visão verdadeira do Pai e de sua Casa de infinitas maravilhas. O segundo representa a mensagem de Deus a todos os que O buscam no caminho do mundo.[3]

Esclarece André Luiz que

> Moisés instalara o princípio da Justiça, coordenando a vida e influenciando-a de fora para dentro. Jesus inaugurou na Terra o princípio do amor, a exteriorizar-se do coração, de dentro para fora, traçando-lhe a rota para Deus.[4]

Detectada a maturidade espiritual da humanidade terrestre, novas luzes chegam ao campo terrestre, marcando o advento da terceira revelação divina: a Doutrina Espírita. Caberia a Allan Kardec, o seu codificador, a laboriosa e abençoada tarefa de reunir as verdades anteriormente reveladas para, então, estruturar o corpo doutrinário do Espiritismo, sob a assistência desvelada dos trabalhadores da seara de Jesus.

2. O tríplice aspecto da Doutrina Espírita

Elegendo a fé raciocinada como fator básico de evolução, a Doutrina Espírita se expressa no tríplice aspecto de ciência, filosofia e religião, proporcionando-nos segura orientação e clareando-nos a mente no rumo das legítimas conquistas espirituais.

Assevera Emmanuel:

> Podemos tomar o Espiritismo, simbolizado desse modo, como um triângulo de forças espirituais. A Ciência e a Filosofia vinculam à Terra essa figura simbólica, porém, a Religião é o ângulo divino que a liga ao céu. No seu aspecto científico e filosófico, a doutrina será sempre um campo nobre de investigações humanas, como outros movimentos coletivos, de natureza intelectual, que visam o aperfeiçoamento da humanidade. No aspecto religioso, todavia, repousa sua grandeza divina, por constituir a restauração do Evangelho de Jesus Cristo, estabelecendo a renovação definitiva do homem, para a grandeza do seu imenso futuro espiritual.[1]

3. Obras básicas e subsidiárias da Codificação Espírita

Os livros da Codificação Kardequiana, aos quais se acrescenta obras subsidiárias, devidamente selecionadas, são os instrumentos de que se serve o aprendiz na tarefa interpretativa da mensagem de Jesus. Por esta razão, terá que se dedicar com afinco a esse estudo, abrindo novas perspectivas quanto aos seus objetivos de aprendizado.

As obras da Codificação Espírita, traduzidas e publicadas pela Federação Espírita Brasileira (FEB) são:

» *O livro dos espíritos*. 1ª edição: 1857.

» *O livro dos médiuns*. 1ª edição: 1861.

» *O evangelho segundo o espiritismo*. 1ª edição: 1864. Obs.: a tradução da FEB é a da 3ª edição francesa, de 1866, revista e corrigida por Kardec.

» *O céu e o inferno.* 1ª edição: 1865.

» *A gênese.* 1ª edição: 1868.

Além dessas obras, que formam o núcleo básico da Codificação, Allan Kardec escreveu outras obras, também publicadas pela FEB:

» *Revista Espírita:* jornal de estudos psicológicos. 12 exemplares anuais, publicados no período de 1858 a 1869.

» *Instrução prática sobre as manifestações espíritas.* 1ª edição: 1858.

» *O que é o espiritismo.* 1ª edição: 1859.

» *O espiritismo na sua expressão mais simples.* 1ª edição: 1862.

» *Viagem espírita de 1862.* 1ª edição: 1862.

» *Obras póstumas.* 1ª edição: 1890.

Referências

1. XAVIER, Francisco Cândido. *O consolador.* Pelo Espírito Emmanuel. 25. ed. Rio de Janeiro: FEB, 2004. Definição, p. 19-20.
2. _____._____. Terceira parte, cap. 1, questão 271, p. 162.
3. _____. *Coletânea do além.* Por diversos Espíritos. 3. ed. São Paulo: FEESP, 2001. Item: O velho e o novo testamento, p. 99.
4. XAVIER, Francisco Cândido; VIEIRA, Waldo. *Evolução em dois mundos.* Pelo Espírito André Luiz. 23. ed. Rio de Janeiro: FEB, 2005. Primeira parte, cap. 20, p. 206.

Orientações ao monitor

Destacar as principais características das três revelações. Analisar o tríplice aspecto da Revelação Espírita.

METODOLOGIA PARA O ESTUDO DO EVANGELHO
À LUZ DA DOUTRINA ESPÍRITA

Roteiro 3

CRITÉRIOS DE ESTUDO E INTERPRETAÇÃO DO EVANGELHO (1)

Objetivos

» Identificar pontos principais da mensagem espírita que facilitam o estudo e a interpretação do Evangelho.

Ideias principais

» *Muitos pontos dos Evangelhos, da Bíblia e dos autores sacros em geral só são ininteligíveis, parecendo alguns até irracionais, por falta da chave que faculte se lhes apreenda o verdadeiro sentido. Essa chave está completa no Espiritismo [...]. Allan Kardec: O evangelho segundo o espiritismo. Introdução, p. 27.*

Subsídios

Esclarece-nos *O evangelho segundo o espiritismo*, em sua Introdução:

Muitos pontos dos Evangelhos, da *Bíblia* e dos autores sacros em geral só são ininteligíveis, parecendo alguns até irracionais, por falta da chave que faculte se lhes apreenda o verdadeiro sentido. Essa chave está completa no Espiritismo [...].[1]

A chave espírita analisa os textos bíblicos em espírito e em verdade, ou seja, não considera os sentidos literais.

Allan Kardec nos apresentou a Doutrina Espírita perfeitamente ajustada aos novos tempos. Erguida sobre os fundamentos da mensagem do Cristo, dela não se pode distanciar.

A propósito, esta citação de João nos faz refletir a respeito: "Mas aquele Consolador, o Espírito Santo, que o Pai enviará em meu nome, esse vos ensinará todas as coisas, e vos fará lembrar de tudo quanto vos tenho dito" (Jo 14:26).

Esclarece-nos também o Codificador que se

[...] o Cristo não pôde desenvolver o seu ensino de maneira completa, é que faltavam aos homens conhecimentos que eles só podiam adquirir com o tempo e sem os quais não o compreenderiam; há muitas coisas que teriam parecido absurdas no estado dos conhecimentos de então. Completar o seu ensino deve entender-se no sentido de *explicar* e *desenvolver*, não no de ajuntar-lhe verdades novas, porque tudo nele se encontra em estado de gérmen, faltando-lhe só a chave para se apreender o sentido das palavras.[2]

Pontos Principais do Espiritismo úteis ao estudo do Evangelho

1. *Deus* – "Inteligência suprema, causa primária de todas as coisas."[3] Eterno, imutável, imaterial, único, onipotente, soberanamente justo e bom.[4]
2. *Jesus* – Guia e modelo mais perfeito para o homem.[17]
3. *Espírito* – Seres inteligentes da criação.[6]
4. *Perispírito* – substância semimaterial que serve de primeiro envoltório ao Espírito e liga a alma ao corpo.[11] "Tem a forma que o Espírito queira."[9]
5. *Evolução* – "São os próprios Espíritos que se melhoram e, melhorando-se, passam de uma ordem inferior para outra mais elevada."[10]
6. *Livre-arbítrio* – O homem tem "[...] a liberdade de pensar, tem igualmente a de obrar. Sem o livre-arbítrio, o homem seria máquina."[18]

7. *Causa e efeito* – "Deus tem suas leis a regerem todas as vossas ações. Se as violais, vossa é a culpa." A punição é o resultado da infração da lei.[20]

8. *Reencarnação* – "[...] consiste em admitir para o Espírito muitas existências sucessivas [...]."[14] São existências ao "[...] melhoramento da humanidade. Sem isto, onde a Justiça?"[13]

9. *Pluralidade dos mundos habitados* – São habitados todos os globos que se movem no espaço. E o homem terreno está longe de ser, como supõe, o primeiro em inteligência, em bondade e em perfeição.[5]

10. *Imortalidade da alma* – A existência dos Espíritos não tem fim. É tudo o que podemos, por agora, dizer.[7]

11. *Vida futura* – "O sentimento de uma existência melhor reside no foro íntimo de todos os homens [...]. A vida futura implica a conservação de nossa individualidade, após a morte."[19]

12. *Plano espiritual* – No instante da morte, a alma volta "[...] a ser Espírito, isto é, volve ao mundo dos Espíritos, donde se apartara momentaneamente".[12] "Os Espíritos estão por toda parte."[8]

13. *Mediunidade* – Faculdade inerente ao homem. "Todo aquele que sente, num grau qualquer, a influência dos Espíritos é, por esse fato, médium."[21]

14. *Influência dos Espíritos na nossa vida* – "Muito mais do que imaginais. Influem a tal ponto, que, de ordinário, são eles que vos dirigem."[15]

    "Tendes muitos deles de contínuo a vosso lado, observando-vos e sobre vós atuando, sem o perceberdes."[8]

15. *Ação dos Espíritos na natureza* – "Deus não exerce ação direta sobre a matéria".[16] "[...] Os Espíritos são uma das potências da natureza e os instrumentos de que Deus se serve para execução de seus desígnios providenciais."[8]

Referências

1. KARDEC, Allan. *O evangelho segundo o espiritismo*. Tradução de Guillon Ribeiro. 124. ed. Rio de Janeiro: FEB, 2005. Introdução, p. 27.

2. _____. *A gênese*. Tradução de Guillon Ribeiro. 48. ed. Rio de Janeiro: FEB, 2005. Cap. 1, item 28, p. 27.

3. _____. *O livro dos espíritos*. Tradução de Guillon Ribeiro. 86. ed. Rio de Janeiro: FEB, 2005. Questão 1, p. 51.

4. _____._____. Questão 13, p. 54.
5. _____._____. Questão 55, p. 69.
6. _____._____. Questão 76, p. 80.
7. _____._____. Questão 83, p. 82.
8. _____._____. Questão 87, p. 83.
9. _____._____. Questão 95, p. 86.
10. _____._____. Questão 114, p. 95.
11. _____._____. Questão 135-a, p. 105.
12. _____._____. Questão 149, p. 112.
13. _____._____. Questão 167, p. 121.
14. _____._____. Questão 171, comentário, p. 122.
15. _____._____. Questão 459, p. 246.
16. _____._____. Questão 536-b, p. 272.
17. _____._____. Questão 625, p. 308.
18. _____._____. Questão 843, p. 387.
19. _____._____. Questão 959, p. 446.
20. _____._____. Questão 964, p. 447.
21. _____. *O livro dos médiuns*. Tradução de Guillon Ribeiro. 76. ed. Rio de Janeiro: FEB, 2005. Cap. 14, item 159, p. 203.

Orientações ao monitor

Identificar nos pontos principais da Doutrina Espírita a chave de entendimento do Evangelho.

EADE – LIVRO II | MÓDULO I

METODOLOGIA PARA O ESTUDO DO EVANGELHO
À LUZ DA DOUTRINA ESPÍRITA

Roteiro 4

CRITÉRIOS DE ESTUDO E INTERPRETAÇÃO DO EVANGELHO (2)

Objetivos

» Definir critérios para o estudo e a interpretação do Evangelho.

Ideias principais

» São critérios de estudo e interpretação do Evangelho de Jesus:
1. Saber retirar o espírito da letra.
2. Situar-se na mensagem, no tempo e no espaço.
3. Orientar-se por meio de um esquema que considere: aspectos históricos e geográficos; cargos e ocupações dos personagens citados; sentido geral e particular de um acontecimento ou circunstâncias; palavras e expressões utilizadas no texto.

Subsídios

O estudo e a interpretação do Evangelho deve, necessariamente, considerar o seu sentido espiritual. É preciso aprender separar a exposição puramente literal — de entendimento relativo e às vezes controvertido — do sentido espiritual que oferece conclusões lógicas à nossa perquirição. Se apegados à letra, poderemos ser conduzidos a caminhos complicados, a conclusões totalmente equivocadas e até mesmo contrárias aos ensinamentos de Jesus.

O entendimento espírita nos fornece excelente base para compreensão do significado das lições evangélicas, pois nos ensina: a) retirar o espírito da letra; b) situar-se no conteúdo da mensagem, no tempo e no espaço; c) elaborar esquema de estudo que considere aspectos históricos e geográficos, sentido geral e particular das circunstâncias ou da ocorrência de um fato, atribuições relativas a cargos e ocupações, assim como a interpretação de palavras e expressões utilizadas no texto.

1. Extrair o espírito da letra

O exemplo, apresentado em seguida, ilustra como retirar o espírito da letra.

» *Replicou-lhe, porém, Jesus: Segue-me, e deixa aos mortos o sepultar os seus mortos* (Mt 8:22).

Repugna-nos à razão, pelo senso natural de caridade, a ideia de não darmos a bênção da sepultura ao corpo de alguém que morreu. Entretanto, Jesus orienta "deixa aos mortos o sepultar os mortos". Obviamente, cadáver não pode enterrar cadáver. Logo, não é este o sentido da orientação de Jesus. O Mestre se refere aos "mortos de espírito" que ainda não se despertaram para o trabalho de conscientização espiritual. "Os mortos que sepultam mortos" são Espíritos prisioneiros das ilusões da matéria, que trazem a consciência adormecida.

O benfeitor Emmanuel nos esclarece, a propósito:

Espiritualmente falando, apenas conhecemos um gênero temível de morte — a da consciência denegrida no mal, torturada de remorso ou paralítica nos despenhadeiros que marginam a estrada da insensatez e do crime.[2]

Ainda segundo Emmanuel:

No concerto das lições divinas que recebe, o cristão, a rigor, apenas conhece, de fato, um gênero de morte, a que sobrevém à consciência culpada pelo desvio da Lei; e os contemporâneos do Cristo, na maioria, eram criaturas sem atividade espiritual edificante, de alma endurecida e coração paralítico.[1]

Nesse sentido, é proveitosa a advertência contida em João: "O Espírito é o que vivifica, a carne para nada aproveita; as palavras que eu vos tenho dito são Espírito e são Vida." (Jo 6:63).

2. Situar-se na mensagem para simplificá-la

A nossa localização no seio das narrativas evangélicas, escoimada de interesses pessoais e dosada da vontade de aprender, supera o sentido puramente histórico da mensagem do Cristo, e nos conduz ao esforço concreto no plano da renovação espiritual, porque nos facilita o raciocínio e entendimento, na assimilação da insuperável mensagem cristã, agora compreendida e sentida à luz da Doutrina Espírita.

» *E aconteceu que, chegando Ele perto de Jericó, estava um cego assentado junto do caminho, mendigando. E, ouvindo passar a multidão, perguntou que era aquilo. E disseram-lhe que Jesus, o Nazareno, passava* (Lc 18:35-37).

Neste exemplo identificamos vários registros suscetíveis de espelhar a nossa posição atual. "Aproximando Ele (Jesus) de Jericó..." indica que qualquer pessoa disposta a realizar o processo autoeducativo terá de manter, inspirada no Cristo, incessante atividade renovadora no íntimo do ser, para que as suas ações beneficiem os demais.

É óbvio que não possuímos a capacidade, revelada pelo Cristo, na sua constante movimentação construtiva, muitas vezes expressa em formas verbais, tais como: chegando, partindo, continuando, parando para atender, curando, levantando-se. Entretanto, é necessário reconhecer que essas atitudes indicam ação construtiva ou ativa no bem. Tais ações não apresentam um simples movimento, deslocamento de um lugar para outro, em termos físicos. Representa, sim, o rompimento das algemas da inércia, da acomodação e do desinteresse, as quais nos mantêm cativos de sofrimentos.

"Estava um cego assentado junto do caminho, mendigando..." Se Jesus é a mais viva expressão de realização e atividade no bem, que ainda não temos capacidade de imitar, nos é mais lógico, natural e cabível, tomar a posição do cego que vivia da esmola e da caridade dos transeuntes, revelando, assim, as nossas dificuldades de visão no campo da alma.

A posição do cego é uma circunstância que ocorre à maioria das criaturas. Interagindo com as ideias expressas no texto, aprendemos a movimentar as mínimas reservas de boa vontade e de decisão para colocá-las a serviço de nossa cura. O cego, reconhecendo o próprio estado de necessidade, se aventurou a perguntar o que estava acontecendo. Esta simples indagação revela uma disposição de sair do estado de imobilidade em que se encontrava, reunindo o que possuía de melhor, pedindo a Jesus que lhe concedesse condições de "ver".

"E, ouvindo passar a multidão." Se a posição de cego não é ideal, ainda que demonstre consciência do que carece, não é muito tranquila também a nossa colocação perante a multidão. Quantas vezes, até mesmo como espíritas, já cônscios de nossas necessidades, ainda integramos impensadamente a massa, sempre indecisa e sem posição definida: a mesma que repreendia o cego para que não importunasse Jesus.

"Disseram-lhe que Jesus Nazareno passava..." indica que em meio a nossa indiferença, conseguimos identificar emoções, fatos e circunstâncias que nos encaminham para o bem, e que podem ser aproveitadas como lições valiosas. Este é o papel ocupado por pessoas que, aparentemente, surgem por acaso na nossa vida, mas que nos impulsionam para frente, realizando às vezes, cooperação mínima, porém eficiente. Em geral, são pessoas anônimas que nos indicam ser o momento propício para a nossa melhoria, ou cura, porque Jesus está passando.

3. Esquema de estudo e interpretação do Evangelho

O estudo e a interpretação do Evangelho podem ser conduzidos por meio de um esquema, simples e eficiente, que considere aspectos relevantes da mensagem evangélica.

Necessário também considerar que todos os fatos ou ensinamentos, embora se revistam de características históricas inerentes ao tempo em que ocorreram, se refletem nos dias atuais, uma vez que os ensinamentos do Cristo são atemporais.

Na apreciação de uma passagem do Novo Testamento podemos perceber conceitos de ordem geral e, seguindo para uma verificação mais particularizada, encontramos orientações substanciadas em um versículo, numa determinada expressão ou até mesmo numa só palavra.

É importante, assim, aprender a identificar características de que as expressões e as palavras se revestem, extraindo-as da forma literal com que se apresentam.

Lugar, cargos e funções, circunstâncias, gestos, atitudes, pessoas, verbos (tempo e pessoa) são itens que possuem uma mensagem intrínseca e que não podem passar despercebidos ao estudioso do Evangelho.

3.1 Critérios históricos e geográficos

O conhecimento dos fatos históricos e das posições geográficas nos auxilia na interpretação do Evangelho, favorecendo o entendimento da sua essência espiritual.

Por exemplo, na Parábola do Bom Samaritano temos estas informações:

» *E, respondendo Jesus, disse: Descia um homem de Jerusalém para Jericó, e caiu nas mãos dos salteadores, os quais o despojaram e, espancando-o, se retiraram, deixando-o meio morto. E, ocasionalmente, descia pelo mesmo caminho certo sacerdote; e, vendo-o, passou de largo. E, de igual modo, também um levita, chegando àquele lugar e vendo-o, passou de largo. Mas um samaritano que ia de viagem chegou ao pé dele e, vendo-o, moveu-se de íntima compaixão. E, aproximando-se, atou-lhe as feridas, aplicando-lhes azeite e vinho; e, pondo-o sobre a sua cavalgadura, levou-o para uma estalagem e cuidou dele* (Lc 10:30-34).

A análise desta parábola exalta, com razão, a figura do samaritano, religioso considerado herege pelo fato de ser da Samaria e de seguir apenas os preceitos do Pentateuco moisaico. O texto destaca também que um homem fora assaltado e que outros religiosos, ao vê-lo caído na estrada, ferido e quase morto, não se dispuseram auxiliar.

Examinando as expressões que identificam pontos geográficos "Jerusalém" e "Jericó", muito podemos apreender: Jerusalém, representa o centro das cogitações religiosas, local onde se erguia o templo de Salomão. Assume igualmente o sentido de referência espiritual, simbolizando o ponto central do monoteísmo. A parábola revela, assim, que a nossa iniciação espiritual tem início na compreensão de Deus único, Pai e Criador supremo. Numa concepção mais ampla, Jerusalém representa marco de aquisições espirituais, obtida ao longo da nossa jornada evolutiva. A Jerusalém política, geograficamente assentada no Oriente Médio, miscigenada de tradições religiosas dogmáticas e que valorizam os cultos externos, não tem significado para quem deseja progredir espiritualmente.

Jericó, próxima de Jerusalém, era uma cidade antiga, cercada por muralhas praticamente intransponíveis.

Era conhecida, sobretudo, como célebre via de intensa movimentação comercial. Simboliza, no contexto, o campo dos interesses materiais e transitórios. Retrata o plano de sensações imediatistas que devemos abandonar. Jericó, podemos deduzir, revela o estado de queda moral do ser humano, que vive à cata de aventuras em planos vibratórios inferiores, e que se submete aos ataques das trevas, por conta e risco próprios.

Na parábola, o Mestre evidencia tanto a disposição de servir do samaritano quanto o perigo a que estamos expostos, em razão da nossa invigilância, quando "descemos" dos planos de relativo entendimento que já conquistamos para o campo de ações menos edificantes, as quais nos sujeitam ao assédio de forças inferiores.

3.2 Cargos, funções, ocupações

Na elucidação da mensagem de Jesus, reveste-se de importância o conhecimento a respeito de cargos, funções e outras ocupações exercidas pelos personagens citados nos textos evangélicos.

O seguinte exemplo é ilustrativo:

» *E o centurião, respondendo disse: Senhor, não sou digno de que entres debaixo do meu telhado, mas dize somente uma palavra e o meu criado sarará* (Mt 8:8).

As deduções espirituais deste texto se dilatam quando percebemos que um centurião, oficial romano e, por isso mesmo, não sintonizado com os conhecimentos e condições inerentes ao povo judeu, pede um favor em benefício de outrem: não para um familiar ou amigo, mas para um criado.

Além disso, as deduções que fez, com base em suas atividades normais, não se prendendo às normas, convicções e tradições judaicas, nos mostram como é simples e natural o entendimento das coisas de Deus, quando vibra em nosso ser a vontade de ver, escutar, sentir e servir com simplicidade, humildade e amor, como o centurião testemunhou.

A observação cuidadosa das funções e dos cargos mencionados pelos evangelistas, tais como: publicanos, príncipe dos sacerdotes, procurador, pescador, e outros, proporciona, como vimos, maior amplitude à compreensão da mensagem.

3.3 Circunstâncias e fatos: sentido geral e específico

A apreciação das duas passagens evangélicas que se seguem mostra a força do aprendizado oferecido pelas circunstâncias da vida.

» *E, Jesus chamando os seus discípulos, disse: Tenho compaixão da multidão, porque já está comigo há três dias e não tem o que comer; e não quero despedi-la em jejum, para que não desfaleça no caminho. E os seus discípulos disseram-lhe: Donde nos viriam num deserto tantos pães, para saciar tal multidão? E Jesus disse-lhes: Quantos pães tendes? E eles disseram: Sete e uns poucos peixinhos. Então mandou à multidão que se assentasse no chão. E, tomando os sete pães e os peixes e dando graças, partiu-os e deu-os aos seus discípulos, e os discípulos, à multidão. E todos comeram e se saciaram, e levantaram, do que sobejou, sete cestos cheios de pedaços* (Mt 15:32-37).

Na apreciação desta passagem, relacionada à multiplicação dos pães, notamos que o fator "circunstância" sobressai na narrativa de Mateus. Pelo fato de haver fome, Jesus pôde gravar preciosos ensinamentos para os discípulos, e para todos nós. Assim, enquanto o Senhor identificava necessidades (multidão com fome), procurando recursos para solucioná-las e aplicando medidas concretas, os discípulos apenas enxergavam barreiras e problemas, interrogando: "Donde nos viriam num deserto tantos pães, para saciar tal multidão?"

» *E, entrando num dos barcos, que era o de Simão, pediu-lhe que o afastasse um pouco da terra; e, assentando-se, ensinava do barco a multidão. E, quando acabou de falar, disse a Simão: faze-te ao mar alto, e lançai as vossas redes para pescar. E, respondendo Simão, disse-lhe: Mestre, havendo trabalhado toda a noite, nada apanhamos; mas, porque mandas lançarei a rede. E, fazendo assim, colheram uma grande quantidade de peixes, e rompia-se-lhes a rede* (Lc 5:3-6).

A leitura desse fato põe em evidência, sem muito esforço, temas gerais que estão embutidos no ensinamento de Jesus, tais como: fé, obediência, trabalho, conhecimento. No sentido específico, ou particular, encontramos subsídios para valiosos aprendizados. Vejamos: "E, respondendo Simão disse-lhe: Mestre, havendo trabalhado toda a noite, nada apanhamos, mas sob tua palavra, lançarei a rede". Esclarecidos pela orientação da Doutrina Espírita, percebemos que o trabalho "de toda a noite" reflete o esforço evolutivo desenvolvido ao longo das reencarnações. Indica que, sem o entendimento evangélico, as nossas aquisições espirituais são infrutíferas, mas, tendo fé na palavra de Jesus, sempre encontramos os elementos necessários para iniciar a nossa ascensão espiritual.

O trabalho a que se refere Simão não havia oferecido os frutos que se esperavam porque a realizado "à noite", isto é, em meio às trevas da ignorância e da incompreensão, muitas delas ainda vinculadas ao nosso Espírito. A noite caracteriza-se por ausência de luz. É um símbolo da escuridão que ainda prepondera no nosso Espírito, indicativo dos diferentes tipos de imperfeições que albergamos. Esta situação, entretanto, pode ser alterada se decidirmos agir sob o peso da "palavra de Jesus".

A nossa transformação moral-intelectual demonstra que não é suficiente estarmos sintonizados com a Luz. É imperioso reconhecer a nossa pequenez e adotar atitudes renovadoras resolutas, seguindo o exemplo do apóstolo Pedro. Este devotado servidor se propôs a lançar "a rede" numa demonstração de humildade e de consciente confiança no Senhor.

Ao compararmos as duas condições distintas de trabalho, antes e após o conhecimento da mensagem do Cristo, o estudo nos assinala uma das mais belas expressões de fé raciocinada, fundamentada na lógica dos enunciados de Jesus, e que inspiraram o apóstolo a se expressar: "mas sob a tua palavra lançarei a rede".

3.4 O sentido das expressões

Continuando na análise do texto de Lucas, anteriormente citado, localizamos no versículo três o seguinte: "pediu-lhe que o afastasse um pouco da praia".

Sabemos que Simão, sendo um pescador, utilizava o seu barco como instrumento de trabalho. Da mesma forma, nas várias posições em que somos colocados na vida, identificamos também, em nós, e à nossa volta, recursos de ação para que possamos atuar no plano que nos é próprio. O lar é o ambiente inicial, mas que se prolonga nos centros de interesse profissional, e se configura em outras formas: nas relações sociais, nas facilidades disponíveis, nas informações que ouvimos ou sabemos, nas manifestações do falar ou do agir etc.

À medida que nos dedicamos à aquisição de valores espirituais, mais se acentua a necessidade de nos colocarmos à disposição do Cristo. Para isso, cabe-nos tão somente atender ao seu pedido: "afastar um pouco da praia", ou seja, das cogitações materiais puramente transitórias, para que as autênticas expressões de espiritualidade, que partem das esferas mais altas, circulem entre nós, clareando os caminhos e favorecendo o entendimento da Boa-Nova.

O afastamento da "praia", porém, não pode ser demasiado para que não se percam as possibilidades de auxílio a quantos possam, por nosso intermédio, ser beneficiados pela bondade do Criador, conforme se deduz da colocação de Jesus.

Além do mais, as coisas materiais são úteis à ação do Espírito desde que não se viva em função delas.

3.5 O sentido das palavras

Analisemos, ainda, nesse texto de Lucas os dois significados do verbo "lançar": no primeiro momento Jesus utiliza a forma imperativa ("lançai as vossas redes para pescar"); no segundo, Pedro emprega o tempo futuro do modo indicativo ("sob a tua palavra lançarei a rede"). O imperativo existente na frase de Jesus indica a sua autoridade moral que determina usemos dos nossos valores para "pescar" benefícios espirituais. Já o "lançarei" de Pedro aponta para uma possibilidade de algo vir a contecer.

Esclarecidos pelas verdades da Doutrina Espírita, percebemos que o Evangelho concita-nos a lançar a nossa rede. Lançar é agir, movimentar mais além.

Não há construção de vida consciente sem que apliquemos todas as nossas possibilidades em busca da realização de alguma coisa útil. Cabe, pois, a cada um acionar tais valores sob a inspiração do Cristo, porque, se o esclarecimento ou informação nos auxiliam de fora para dentro, cada ação edificante é um passo efetivo no esforço evolutivo a iniciar-se no campo íntimo de cada um. É preciso que cada um acione tais valores sob a inspiração do Cristo.

No mesmo texto podemos ainda destacar, igualmente: "barco", instrumento de trabalho de Simão, traz a ideia de posição, de local que contém todos os valores reunidos no trânsito pelos "mares" da vida. "Redes", "peixes", "colheram" e outras palavras, contidas na citação de Lucas, são vocábulos igualmente portadores de muitas ideias, cujo entendimento imprime esforço de renovação com o Cristo.

Referências

1. XAVIER, Francisco Cândido. *Caminho, verdade e vida*. Pelo Espírito Emmanuel. 26. ed. Rio de Janeiro: FEB, 2006. Cap. 108 (Reencarnação), p. 231.
2. _____. *Pão nosso*. Pelo Espírito Emmanuel. 27. ed. Rio de Janeiro: FEB, 2006. Cap. 42 (Sempre vivos), p. 99.

Orientações ao monitor

Formar pequenos grupos de estudo para exercitar a localização de passagens bíblicas.

METODOLOGIA PARA O ESTUDO DO EVANGELHO À LUZ DA DOUTRINA ESPÍRITA

Roteiro 5

INTERPRETAÇÃO DE TEXTOS EVANGÉLICOS

Objetivos

» Realizar exercícios de interpretação de textos evangélicos, à luz do entendimento espírita.

Ideias principais

» A interpretação espírita do *Novo Testamento* tem como base *O evangelho segundo o espiritismo* que traça uma diretriz segura, em espírito e verdade, para o estudo da *Boa-Nova*.

» *A Parábola do Semeador* (Mc 4:3-9), ensinada por Jesus, foi também por ele interpretada (Mc 4:14-20), atendendo ao pedido dos apóstolos. (Mc 4:10-13.)

» *A Parábola da Figueira que Secou* (Mc 11:12-14; 20-23) foi interpretada por Allan Kardec em *O evangelho segundo o espiritismo*. Cap. XIX, item 9.

» O Espírito Emmanuel é um estudioso do Evangelho de Jesus, e em seus livros encontramos tanto interpretações gerais quanto análises detalhadas.

Subsídios

1. Saber localizar o texto no livro bíblico

É necessário saber localizar na *Bíblia* os textos que se deseja interpretar. Neste sentido, é importante recordar que os livros do *Velho Testamento* e do *Novo Testamento* estão divididos em capítulos e versículos. Os capítulos são textos maiores, que se encontram subdivididos em versículos, numerados sequencialmente, a fim de facilitar sua consulta e estudo. É variável o número de capítulos de um livro ou de versículos nos capítulos. O Evangelho de Mateus, por exemplo, está dividido em 28 capítulos, o capítulo 3 tem 17 versículos e o capítulo 26 tem 75.

No programa *Ensinos e Parábolas de Jesus* estaremos utilizando textos da *Bíblia* da tradução de João Ferreira de Almeida, edição revista e corrigida, de 1995, publicada pela Sociedade Bíblica do Brasil.

Sabemos que a *Bíblia* está dividida em duas partes: *Velho Testamento* (V. T.) e *Novo Testamento* (N. T.). O Velho Testamento contém livros que tratam das *leis*, das *profecias*, da *história* e da *sabedoria*. O Novo Testamento possui: a) quatro interpretações do Evangelho de Jesus, segundo Mateus (Mt), Marcos (Mc), Lucas (Lc) e João (Jo); b) os Atos ou Atos dos Apóstolos (redigidos por Lucas); c) Epístolas ou Cartas: catorze de Paulo, uma de Tiago, duas de Pedro, três de João e uma de Judas Tadeu; d) Apocalipse ou Revelação de João Evangelista.

Normalmente a indicação de um trecho do Evangelho é feita, por extenso ou abreviada, na seguinte ordem: nome do livro, número do capítulo e do versículo. Assim: *Marcos*, 10:4 ou Mc 10:4 que expressa: Evangelho de Marcos, capítulo 10, versículo 4.

Algumas traduções inserem referências após o título do capítulo, indicando que este assunto está repetido em outro livro do Evangelho, exemplo: *A Vocação de Mateus*, ou *O chamado de Mateus* (Mt 9: 9-13), é também relatada em *Marcos*, 2:13-14 e em *Lucas*, 5:27-28.

Outras versões, como a *Bíblia de Jerusalém*, possuem um sistema de referências mais detalhado: a) relacionam assuntos ou ideias existentes em um mesmo livro; b) explicam o significado de palavras ou expressões.

A referência de ideias existentes num mesmo livro é feita mediante a inscrição de pequenos números no desenvolvimento da narrativa — colocados à margem direita ou esquerda da página. Veja o exemplo:

» Em Mt 6:1 está escrito, na *Bíblia de Jerusalém*, assim:

a) *Guardai-vos de praticar a vossa justiçab diante dos homens para serdes vistos por eles. Se o fizerdes, não recebereis a recompensa do vosso Pai que está nos céus* (23,5 Lc 16:14-15, Jo 5:4).

» Interpretação: os números 23,5 — colocados à direita — indicam que há ideias semelhantes no capítulo 23, versículo 5 deste mesmo livro (Evangelho de Mateus). As referências de Lc 16:14-15 e Jo 5:44, também citadas à margem direita, indicam que o mesmo assunto é encontrado, respectivamente, no Evangelho de Lucas, cap. 16, vers. 14-15, e no Evangelho de João, cap. 5, vers. 44. Observamos, igualmente, neste exemplo (Mt 6:1), que ao final da palavra justiça há uma letra "b" sobrescrita. Em nota de rodapé, a *Bíblia de Jerusalém* explica o sentido desta palavra:

b) *Lit.: "fazer a vossa justiça" (var.: "dar esmola"), isto é, praticar as boas obras que tornam o homem justo diante de Deus. Na opinião dos judeus, as principais eram a esmola (vv. 2-4), a oração (vv 5-6) e o jejum (vv. 16-18).*

Em outros textos, do Velho ou do Novo Testamento, encontramos um numeral que antecede a ordem cronológica de um escrito. Este número indica que há mais de um texto redigido por um mesmo autor. Veja os exemplos.

» I CORÍNTIOS, 3:1-11(I Co 3:1-11) significa: primeira epístola de Paulo aos coríntios, capítulo três, versículos um a onze.

» III JOÃO, 1-15 (III Jo 1-15). A leitura é: terceira epístola de João, versículos um a quinze. Observa-se que esta epístola não tem capítulos.

» ATOS DOS APÓSTOLOS, 6:1-7 (At 6:1-7). Leitura: Atos dos Apóstolos, capítulo seis, versículos um a sete. A numeração de Atos é semelhante à forma existente nas quatro versões do Evangelho: são 28 capítulos, subdivididos em versículos.

2. Interpretação do Novo Testamento

A interpretação espírita do Novo Testamento tem como base *O evangelho segundo o espiritismo* que traça uma diretriz segura, em espírito e verdade.

A mensagem de Jesus é entendida como valiosa ação de "higienização" do nosso campo mental, constituindo-se em divino recurso para a construção dos nossos legítimos sentimentos de realização no Bem. Apresenta-se, também, como trabalho reeducador que deve estar presente nos nossos processos de libertação espiritual.

A mensagem evangélica não comporta, pois, apenas leituras ou comentários de superfície. O Evangelho de Jesus necessita ser apreendido, assimilado e acima de tudo vivido. A propósito, assim se expressa Emmanuel:

> A lição do Mestre, além disso, não constitui tão somente um impositivo para os misteres da adoração. O Evangelho não se reduz a breviário para o genuflexório. É roteiro imprescindível para a legislação e administração, para o serviço e para a obediência. O Cristo não estabelece linhas divisórias entre o templo e a oficina. Toda a Terra é seu altar de oração e seu campo de trabalho.[2]

3. Exemplos de interpretação de textos evangélicos

A *Parábola do Semeador* (Mc 4:3-9), foi ensinada e interpretada por Jesus, atendendo pedido dos apóstolos (Mc 4:10-13).

Apresentamos, em seguida, os dois textos evangélicos: a parábola e a sua interpretação.

Parábola do Semeador

Ouvi: Eis que saiu o semeador a semear; e aconteceu que, semeando ele, uma parte da semente caiu junto do caminho, e vieram as aves do céu, e a comeram; E outra caiu sobre pedregais, onde não havia muita terra, e nasceu logo, porque não tinha terra profunda; Mas, saindo o sol, queimou-se; e, porque não tinha raiz, secou-se. E outra caiu entre espinhos e, crescendo os espinhos, a sufocaram e não deu fruto. E outra caiu em boa terra e deu fruto, que vingou e cresceu; e um produziu trinta, outro sessenta, e outro cem (Mc 4:3-9).

A Parábola do Semeador interpretada por Jesus

E, quando se achou só, os que estavam junto dele com os doze interrogaram-no acerca da parábola. E ele disse-lhes: A vós vos é dado saber os mistérios do reino de Deus, mas aos que estão de fora todas essas coisas se dizem por parábolas, para que, vendo, vejam e não percebam; e, ouvindo, ouçam e não entendam, para que se não convertam, e lhes sejam perdoados os pecados. E disse-lhes: Não percebeis esta parábola? Como, pois, entendereis todas as parábolas? O que semeia semeia a palavra; e os que estão junto ao caminho são aqueles em quem a palavra é semeada; mas, tendo eles a ouvido, vem logo Satanás e tira a palavra que foi semeada no coração deles. E da mesma sorte os que recebem a semente sobre pedregais, que, ouvindo a palavra, logo com prazer a recebem; mas não têm raiz em si mesmos; antes, são temporãos; depois, sobrevindo tribulação ou perseguição por causa da palavra, logo se escandalizam. E os outros são os que recebem a semente entre espinhos, os quais ouvem a palavra; mas os cuidados deste mundo, e os enganos das riquezas, e as ambições de outras coisas, entrando, sufocam a palavra, e fica infrutífera. E os que recebem a semente em boa terra são os que ouvem a palavra, e a recebem, e dão fruto, um, a trinta, outro, a sessenta, e outro, a cem, por um (Mc 4:10-20).

Já a *Parábola da Figueira que Secou* (Mc 11:12-14; 20-23) foi interpretada por Allan Kardec, em *O evangelho segundo o espiritismo*, capítulo XIX, item 9.

A Parábola da Figueira que Secou

E, no dia seguinte, quando saíram de Betânia, teve fome. Vendo de longe uma figueira que tinha folhas, foi ver se nela acharia alguma coisa; e, chegando a ela, não achou senão folhas, porque não era tempo de figos. E Jesus, falando, disse à figueira: Nunca mais coma alguém fruto de ti. e os seus discípulos ouviram isso. E eles, passando pela manhã, viram que a figueira se tinha secado desde as raízes. E Pedro, lembrando-se, disse-lhe: Mestre, eis que a figueira que tu amaldiçoaste se secou. E Jesus, respondendo, disse-lhes: Tende fé em Deus, porque em verdade vos digo que qualquer que disser a este monte: Ergue-te e lança-te no mar, e não duvidar em seu coração, mas crer que se fará aquilo que diz, tudo o que disser lhe será feito.

Allan Kardec interpreta esta parábola da seguinte forma:

> A figueira que secou é o símbolo dos que apenas aparentam propensão para o bem, mas que, em realidade, nada de bom produzem; dos oradores que mais brilho têm do que solidez, cujas palavras trazem superficial verniz, de sorte que agradam aos ouvidos, sem que, entretanto, revelem, quando perscrutadas, algo de substancial

para os corações. [...] Simboliza também todos aqueles que, tendo meios de ser úteis, não o são; todas as utopias, todos os sistemas ocos, todas as doutrinas carentes de base sólida. O que as mais das vezes falta é a verdadeira fé, a fé produtiva, a fé que abala as fibras do coração, a fé, numa palavra, que transporta montanhas. São árvores cobertas de folhas, porém, baldas de frutos. Por isso é que Jesus as condena à esterilidade, porquanto dia virá em que se acharão secas até à raiz.[1]

O ensinamento evangélico sobre o *lançamento da rede pelo lado direito do barco* (Jo 21:6) é interpretado por Emmanuel no livro *Caminho, verdade e vida*.

Lançamento da rede

E Ele lhes disse: Lançai a rede à direita do barco e achareis. Lançaram-na, pois, e já não a podiam tirar, pela multidão dos peixes (Jo 21:6).

Emmanuel interpreta, em linhas gerais este ensino, conforme as seguintes explicações contidas no seu livro *Caminho, verdade e vida*.

Figuradamente, o Espírito humano é um pescador dos valores evolutivos, na escola regeneradora da Terra. A posição de cada qual é o barco. Em cada novo dia, o homem se levanta com a sua rede de interesses. Estaremos lançando a nossa rede para a banda direita? Fundam-se os nossos pensamentos e atos sobre a verdadeira justiça? Convém consultar a vida interior, em esforço diário, porque o Cristo, nesse ensinamento, recomendava, de modo geral, aos seus discípulos: Dedicai vossa atenção aos caminhos retos e achareis o necessário.[3]

Referências

1. KARDEC, Allan. *O evangelho segundo o espiritismo*. Tradução de Guillon Ribeiro. 124. ed. Rio de Janeiro: FEB, 2005. Cap. 19, item 9, p. 303.
2. XAVIER, Francisco Cândido. *Caminho, verdade e vida*. Pelo Espírito Emmanuel. 26. ed. Rio de Janeiro: FEB, 2006. Introdução, p. 15.
3. _____._____. Cap. 21 (Caminhos retos), p. 58.

Orientações ao monitor

Favorecer a participação efetiva do grupo durante a apresentação dos exemplos, desenvolvendo, assim, a capacidade de interpretar textos evangélicos. Exercitar a interpretação da mensagem cristã por meio de outros exemplos retirados do livro *Caminho, verdade e vida*, de autoria de Emmanuel, psicografia de Francisco Cândido Xavier, publicação da FEB.

EADE LIVRO II | MÓDULO II

ENSINOS DIRETOS DE JESUS

EADE – LIVRO II | MÓDULO II

ENSINOS DIRETOS DE JESUS

Roteiro 1

AS BEM-AVENTURANÇAS

Objetivos

» Explicar as bem-aventuranças à luz do entendimento espírita.

Ideias principais

» As bem-aventuranças fazem parte dos ensinamentos proferidos por Jesus no *Sermão do Monte*.

> *Tais ensinos, de uma beleza sem par e de uma profundidade que abarca todas as lições evangélicas, têm as características da prática da vida, com sabor pessoal para cada um de nós, desde que entendidos em sua alta significação espiritual. A interpretação não deve ser literal, porque "a letra mata, mas o espírito vivifica" [...]. Assim, "pobres de espírito", "terra", "mansos", "reino dos Céus", "justiça" e tantas outras expressões não devem ser entendidas na sua acepção literal hodierna, porque perderam seu primitivo sentido, pelo decurso dos séculos e em função das traduções imperfeitas.* Juvanir Borges de Souza: *Tempo de renovação.* Cap. 43, p. 322-323.

Subsídios

1. Texto evangélico

> *Jesus, vendo a multidão, subiu a um monte, e, assentando-se, aproximaram-se dele os seus discípulos; e, abrindo a boca, os ensinava, dizendo: Bem-aventurados os pobres de espírito, por que deles é o reino dos Céus; bem-aventurados os que choram, por que eles serão consolados; bem-aventurados os mansos, porque eles herdarão a terra; bem-aventurados os que têm fome e sede de justiça, porque eles serão fartos; bem-aventurados os misericordiosos, porque eles alcançarão misericórdia; bem-aventurados os limpos de coração, porque eles verão a Deus; bem-aventurados os pacificadores, porque eles serão chamados filhos de Deus; bem-aventurados os que sofrem perseguição por causa da justiça, porque deles é o reino dos Céus; bem-aventurados sois vós quando vos injuriarem, e perseguirem, e, mentindo, disserem todo o mal contra vós, por minha causa. Exultai e alegrai-vos, porque é grande o vosso galardão nos céus; porque assim perseguiram os profetas que foram antes de vós (Mt 5:1-12).*

As "bem-aventuranças" constituem um extraordinário cântico de amor e de compaixão dirigido, em especial, aos sofredores, oferecendo-lhes a esperança de dias melhores. Neste contexto, o espírita e todas as pessoas que já exercitam "os olhos de ver", encontram nelas uma rota de redenção espiritual.

A multidão a quem Jesus se dirige são os cansados e os oprimidos pelo peso das provações que, esperançosos, aguardam o momento de melhoria evolutiva com o Cristo.

Considerando o texto evangélico, registra Humberto de Campos:

> Difundidas as primeiras claridades da Boa-Nova, todos os enfermos e derrotados da sorte, habitantes de Corazim, Magdala, Betsaida, Dalmanuta e outras aldeias importantes do lago enchiam as ruas de Cafarnaum em turbas ansiosas. Os discípulos eram os mais visados pela multidão, por motivo do permanente contato em que viviam com o seu Mestre. [...] Todos queriam o auxílio de Jesus, o benefício imediato da sua poderosa virtude.[6]

Para esses Espíritos, saturados de sofrimento, quanto para nós, aplicam-se os esclarecimentos que Jesus transmitiu a Levi:

> Precisamos amar e aceitar a preciosa colaboração dos vencidos do mundo!... Se o Evangelho é a Boa-Nova, como não há de ser a mensagem divina para eles, tristes e deserdados na imensa família humana? Os vencedores da Terra não necessitam de boas notícias. Nas derrotas da sorte, as criaturas ouvem mais alto a voz de Deus [...]. Quem governa o mundo é Deus. [...] e o amor não age com inquietação.[7]

Mais adiante, continua Jesus em suas elucidações ao apóstolo:

> Até que a esponja do Tempo absorva as imperfeições terrestres, através de séculos de experiência necessária, os triunfadores do mundo são pobres seres que caminham por entre tenebrosos abismos. É imprescindível, pois, atentemos na alma branda e humilde dos vencidos. Para os seus corações Deus carreia bênçãos de infinita bondade. Esses quebraram os elos mais fortes que os acorrentavam às ilusões e marcham para o Infinito do amor e da sabedoria. O leito de dor, a exclusão de todas as facilidades da vida, a incompreensão dos mais amados, as chagas e as cicatrizes do espírito são luzes que Deus acende na noite sombria das criaturas. Levi, é necessário amemos intensamente os desafortunados do mundo. Suas almas são a terra fecundada pelo adubo das lágrimas e das esperanças mais ardentes, onde as sementes do Evangelho desabrocharão para a luz da vida.[8]

2. Interpretação do texto evangélico

» *Jesus, vendo a multidão, subiu a um monte, e, assentando-se, aproximaram-se dele os discípulos* (Mt 5:1).

Quem, efetivamente, deseja ajudar necessita "elevar-se". Elevação que define segurança, autoridade, sem perda da humildade. A subida ao monte indica esforço, capacitação, saber colocar-se acima, isto é, com humildade e adequação, em nível de entendimento dos que necessitam de auxílio e de esclarecimentos.

No ato de "assentar-se", o Mestre promove o necessário ajuste vibracional para que ocorra uma melhor e efetiva possibilidade de atender à grande massa que se eleva, pelos fios da fé e da esperança, estabelecendo-se, então, vigoroso processo de sintonia.

Vemos na frase: "aproximaram-se os discípulos", a capacidade de saber valer-se das boas oportunidades, oferecidas pelas circunstâncias, em razão da misericórdia divina. É no campo fértil das ocorrências diárias que se manifestam as bênçãos do Criador em favor das criaturas, canalizando recursos de aprendizagem, necessários ao trabalho de crescimento espiritual. O aprendizado dos discípulos foi veiculado por Jesus que, aproveitando as circunstâncias, os orientou com sabedoria.

» *E, abrindo a boca, os ensinava, dizendo* (Mt 5:2).

A boca, além da função ligada à ingestão de alimentos e ao início do processo digestivo, é o instrumento de manifestação da palavra. Neste sentido, os ensinos de Jesus derramavam amor e profundas vibrações de consolação à multidão, além de estimularem valiosas induções ao estudo e ao trabalho naqueles que se mantinham sintonizados com as suas orientações. O esclarecimento emoldurado pelo carinho, pelo envolvimento afetivo de Jesus, tocava a quantos já se achavam predispostos às mudanças, empenhados na própria melhoria espiritual.

Vemos, assim, que a fala é o mais importante veículo de comunicação educativa de que dispomos. Com a fala denegrimos, caluniamos, ironizamos, amaldiçoamos, abençoamos ou ensinamos, educamos...

A palavra ilumina, convence, edifica, converte. Ela penetra o recesso das consciências, sonda o abismo dos corações. Não há poder que a detenha, não há força que a neutralize: basta que seja a expressão da verdade.[5]

» *Bem-aventurados os simples porque deles é o reino dos Céus* (Mt 5:3).

Bem-aventurados é uma expressão de Jesus que significa "os felizes", sob o aspecto espiritual. Do ponto de vista material, porém, está mais relacionada às pessoas que possuem bens, poder ou posição de destaque na sociedade.

Por pobres de espírito Jesus não entende os baldos de inteligência, mas os humildes, tanto que diz ser para estes o reino dos Céus e não para os orgulhosos.

Os homens de saber e de espírito, no entender do mundo, formam geralmente tão alto conceito de si próprios e da sua superioridade, que consideram as coisas divinas como indignas de lhes merecer a atenção. Concentrando sobre si mesmos os seus olhares, eles não os podem elevar até Deus. Essa tendência, de se acreditarem superiores a tudo, muito amiúde os leva a negar aquilo que, estando-lhes acima, os depreciaria, a negar até mesmo a Divindade. Ou, se condescendem em admiti-la, contestam-lhe um dos mais belos atributos: a ação providencial sobre as coisas deste mundo, persuadidos de que eles são suficientes para bem governá-lo. Tomando a inteligência que possuem para medida da inteligência universal, e julgando-se aptos a tudo compreender, não podem crer na possibilidade do que não compreendem. Consideram sem apelação as sentenças que proferem. [...] Dizendo que o reino dos Céus é dos simples, quis Jesus significar que a ninguém é concedida entrada nesse reino, sem a *simplicidade de coração e humildade de espírito*; que o ignorante possuidor dessas qualidades será preferido ao sábio que mais crê em si do que em Deus. Em todas as circunstâncias, Jesus põe a humildade na categoria das virtudes que aproximam de Deus e o orgulho entre os vícios que dele afastam a criatura, e isso por uma razão muito natural: a de ser a humildade um ato de submissão a Deus, ao passo que o orgulho é a revolta contra ele. Mais vale, pois, que o homem, para felicidade do seu futuro, seja *pobre de espírito*, conforme o entende o mundo, e rico em qualidades morais.²

A expressão "reino dos Céus" merece maiores esclarecimentos.

Durante muito tempo, o vocábulo "céu" foi entendido como um lugar circunscrito. Esta concepção é ainda alimentada por muitos, que costumam delimitá-lo, como regiões superiores dos planos espirituais. "Céus" (no plural ou singular) sugere a ideia de plano mais elevado. As faixas inferiores ("inferno"), por sua vez, são os campos vibracionais trevosos, infelizes.

Podemos nos ligar às vibrações superiores quando nosso Espírito se vincula aos componentes da paz e da segurança, no alicerce da humildade operante. Compreendemos, então, que "céu" ou "inferno" são estados de alma, resultantes da harmonia ou dos desequilíbrios íntimos.

Operar nos "céus" significa educar-se, renovar-se, desenvolvendo a capacidade de elevar-se, de forma que o estado de bem-aventurança se torne uma realidade.

» *Bem-aventurados os que choram porque serão consolados* (Mt 5:4).

A marginalização era, a época de Jesus, vala comum na comunidade dos pobres e desvalidos. A austeridade da lei moisaica cede lugar à misericórdia, sufocada pela intolerância político-religiosa.

Os que choram são considerados bem-aventurados porque as lágrimas que derramam funcionam como uma catarse, jamais como manifestação de desespero. Neste sentido esclarece Emmanuel:

> Podemos classificar o sofrimento do Espírito como a dor-realidade e o tormento físico, de qualquer natureza, como a dor-ilusão.
> Em verdade, toda dor física colima o despertar da alma para os seus grandiosos deveres, seja como expressão expiatória, como consequência dos abusos humanos, ou como advertência da natureza material ao dono de um organismo.
> Mas, toda dor física é um fenômeno, enquanto que a dor moral é essência.
> Daí a razão por que a primeira vem e passa, ainda que se faça acompanhar das transições de morte dos órgãos materiais, e só a dor espiritual é bastante grande e profunda para promover o luminoso trabalho do aperfeiçoamento e da redenção.[8]

A consolação, referida pelo texto evangélico, é mais do que uma palavra, atitude de reconforto ou simples balsamização. Representa uma oportunidade de trabalho em benefício dos que sofrem por promover a vivência da caridade.

» *Bem-aventurados os mansos por que herdarão a Terra* (Mt 5:5).

A inteligência e a lucidez da mensagem do Evangelho não pretendem apontar os mansos como passivos ou apáticos. Os mansos são aqueles que têm aberto o coração às claridades espirituais. São os que atendem aos chamamentos da mansuetude, no trabalho incessante do bem. São pessoas que abrem mão de padrões personalístico em favor da doação de valores que, por certo, agasalharão os filhos do calvário, ao influxo da verdadeira solidariedade.

> Jesus faz da brandura, da moderação, da mansuetude, da afabilidade e da paciência, uma lei. Condena, por conseguinte, a violência, a cólera e até toda expressão descortês de que alguém possa usar para com seus semelhantes.[3]

A promessa de que os mansos herdarão a Terra, tem expressivas conotações, já que herança é receber algo por sucessão.

A humanidade da Terra recebe, como legado da Bondade superior, a vivência no orbe para desfrutar dos seus benefícios materiais e espirituais. A marcha evolutiva revela que, por força do aprendizado espiritual, quanto mais a pessoa compreende, menos quer, menos possui e mais desfruta da vida: são os altruístas e os desprendidos que confiam nas promessas do Cristo.

O legado do Cristo é a mensagem de amor, consubstanciada no seu Evangelho. Desta forma, torna-se necessário, para sermos felizes, seguir as suas orientações como um roteiro de vida.

» *Bem-aventurados os que têm fome e sede de justiça porque serão fartos (Mt 5:6).*

A lei de causa e efeito concede, aos que não conseguem ajustar-se ao bem, angústias, dores e frustrações. Neste sentido, os que têm fome e sede de justiça surgem no cenário reencarnatório como os antigos infratores da lei de Deus. Equivocados nas suas experiências passadas, renascem oprimidos, cansados, famintos e sedentos da Justiça divina a fim de que possam reajustar sua caminhada evolutiva.

Esclarece Allan Kardec, a propósito:
A lei humana atinge certas faltas e as pune. Pode, então, o condenado reconheccer que sofre a consequência do que fez. Mas a lei não atinge, nem pode atingir todas as faltas; incide especialmente sobre as que trazem prejuízo à sociedade e não sobre as que só prejudicam os que as cometem. Deus, porém, quer que todas as suas criaturas progridam e, portanto, não deixa impune qualquer desvio do caminho reto. Não há falta alguma, por mais leve que seja, nenhuma infração da sua lei, que não acarrete forçosas e inevitáveis consequências, mais ou menos deploráveis. Daí se segue que, nas pequenas coisas, como nas grandes, o homem é sempre punido por aquilo em que pecou. Os sofrimentos que decorrem do pecado são-lhe uma advertência de que procedeu mal. Dão-lhe experiência, fazem-lhe sentir a diferença existente entre o bem e o mal e a necessidade de se melhorar para, de futuro, evitar o que lhe originou uma fonte de amarguras; sem o que, motivo não haveria para que se emendasse. Confiante na impunidade, retardaria seu avanço e, consequentemente, a sua felicidade futura.
Entretanto, a experiência, algumas vezes, chega um pouco tarde: quando a vida já foi desperdiçada e turbada; quando as forças já estão gastas e sem remédio o mal. Põe-se então o homem a dizer: "Se no começo dos meus dias eu soubera o que sei hoje, quantos passos em falso teria evitado! *Se houvesse de recomeçar*, conduzir-me-ia de outra maneira. No entanto, já não há mais tempo!". Como o obreiro preguiçoso, que diz: "Perdi o meu dia", também ele diz: "Perdi a mi-

nha vida". Contudo, assim como para o obreiro o sol se levanta no dia seguinte, permitindo-lhe neste reparar o tempo perdido, também para o homem, após a noite do túmulo, brilhará o sol de uma nova vida, em que lhe será possível aproveitar a experiência do passado e suas boas resoluções para o futuro.[1]

O brado dos famintos e sedentos de justiça dimana do anseio por uma vida feliz, embora, nem sempre sejam merecedores do atendimento ao que almejam. É por este fio de esperança, no entendimento e equacionamento das causas de seus sofrimentos, pela adesão ao esforço de melhoria interior, que eles acabarão por alcançar a condição de fartos.

» *Bem-aventurados os misericordiosos porque alcançarão a misericórdia* (Mt 5:7).

Ser misericordioso é proposta abençoada para quantos, identificados com o imperativo da colaboração e da caridade, são convocados a aplicá-la no seu dia a dia. Os Espíritos superiores nos esclarecem:

> A misericórdia é o complemento da brandura, porquanto aquele que não for misericordioso não poderá ser brando e pacífico. Ela consiste no esquecimento e no perdão das ofensas.[4]

Sendo assim, a capacidade para amar e operar no bem está na base de todo o sistema de elevação para Deus.

Humberto de Campos nos informa o que é ser misericordioso:

> Bem-aventurados os misericordiosos, que se compadecem dos justos e dos injustos, dos ricos e dos pobres, dos bons e dos maus, entendendo que não existem criaturas sem problemas, sempre dispostos à obra de auxílio fraterno a todos, porque no dia de visitação da luta e da dificuldade receberão o apoio e a colaboração de que necessitem.[11]

Se somos carentes de misericórdia, precisamos, para recebê-la, exercê-la com parentes, amigos e inimigos, superiores e subalternos, porque "é dando que se recebe", ou seja, o que oferecemos à vida, a vida nos restitui. Praticando o perdão, experimentamos o consolo de sermos perdoados. Situados como devedores perante a Lei, a misericórdia por nós operada voltará em nosso benefício, atenuando, por sua vez, os nossos débitos.

» *Bem-aventurados os limpos de coração, porque eles verão a Deus* (Mt 5:8).

Os limpos de coração são os que não possuem manchas morais, são os puros. O esforço de purificação, desenvolvido ao longo das reencarnações, é o objetivo essencial daqueles que se encontram conscientes da necessidade de aperfeiçoamento espiritual. Uma superfície limpa é capaz de refletir a luz. Quanto mais límpida mais nítido é o reflexo. Da mesma forma, um coração puro reflete a Luz divina.

A má utilização do livre-arbítrio nos macula, fazendo com que gravitemos ao redor de Espíritos impuros, em razão da lei de afinidade. Pela assepsia de pensamentos como pela seleção de atitudes, nos tormanos pessoas melhores.

Um coração limpo é, no dizer evangélico, o sentimento destituído de maldade, capaz de perceber, sentir e operar no bem pela prática da caridade. Para tanto, é importante se ajustar aos princípios evangélicos e espíritas, incorporando-os como regra de conduta. Um coração limpo reflete, sempre, a grandeza e a bondade do Criador.

Em síntese:

> Bem-aventurados os limpos de coração que projetam a claridade de seus intentos puros sobre todas as situações e sobre todas as coisas, porque encontrarão a "parte melhor" da vida, em todos os lugares, conseguindo penetrar a grandeza dos propósitos divinos.[10]

» *Bem-aventurados os pacificadores porque eles serão chamados filhos de Deus* (Mt 5:9).

Há uma diferença fundamental entre "pacífico" e "pacificador". Pacífico é um amigo da paz. Pacificador é aquele que, além de pacífico, trabalha, age, em favor da paz. O pacífico, às vezes, pode ser passivo. O pacificador, necessariamente, tem que ser ativo, atuante.

Jesus, aceitando, por amor, a cruz do calvário, revelou-se pacífico. Perdoando os algozes, os agentes da crucificação, tornou-se pacificador.

Sabemos que Deus é Pai de todos nós, mas, por orgulho ou amor próprio, nem sempre o homem reconhece a paternidade divina. À medida, porém, que se estreitam os laços entre a criatura e o Criador, passamos a nos ver como irmãos. Tomamos consciência, assim, da posição de "filho de Deus". A pessoa que trabalha na redução de dificuldades e de discórdias, produz paz e entendimento entre os homens. Reflete o pensamento divino, no campo em que está posicionado, agindo como verdadeiro filho, ao honrar, com todos os méritos, o Pai de bondade e misericórdia.

O trabalho de pacificação deve ser inspirado num profundo amor aos semelhantes, livre de amarras do sentimentalismo, desenvolvido por uma mentalidade esclarecida e equilibrada, que só se manifesta plenamente quando alicerçada na paz.

Bem-aventurados os pacificadores que toleram sem mágoa os pequenos sacrifícios de cada dia, em favor da felicidade de todos, que nunca atiçam o incêndio da discórdia com a lenha da injúria ou da rebelião, porque serão considerados filhos obedientes de Deus.[10]

» *Bem-aventurados os que sofrem perseguição por causa da justiça, porque deles é o reino dos Céus* (Mt 5:10).

Em nosso mundo, raramente acatamos o código de justiça trazido por Jesus, ilustrado com os próprios exemplos. O discípulo fiel, porém, deve insistir na vivência do Evangelho, ainda que sob o peso de sacrifícios.

Bem-aventurados os que sofrem a perseguição ou a incompresão, por amor à solidariedade, à ordem, ao progresso e à paz, reconhecendo, acima da epiderme sensível, os sagrados interesses da humanidade, servindo sem cessar ao engrandecimento do espírito comum, porque, assim, se habilitam à transferência justa para as atividades do plano superior.[10]

Referências

1. KARDEC, Allan. *O evangelho segundo o espiritismo*. Tradução de Guillon Ribeiro. 124. ed. Rio de Janeiro: FEB, 2005. Cap. 5, item 5, p. 100.

2. _____._____. Cap. 7, item 2, p. 133-134.

3. _____._____. Cap. 9, item 4, p. 161.

4. _____._____. Cap. 10, item, p. 170.

5. VINÍCIUS. *Em torno do mestre*. 8. ed. Rio de Janeiro: FEB, 2002. Segunda parte, Cap. A palavra, p. 295.

6. XAVIER, Francisco Cândido. *Boa nova*. Pelo Espírito Humberto de Campos. 35. ed. Rio de Janeiro: FEB, 2006. Cap. 11 (O sermão do monte), p. 74.

7. _____._____.p. 76.

8. _____._____. p. 77-78.

9. _____. *O consolador*. Pelo Espírito Emmanuel. 26. ed. Rio de Janeiro: FEB, 2006. Questão 239, p. 144.

10. _____. *Relicário de luz*. Por diversos Espíritos. 5. ed. Rio de Janeiro: FEB, 2005. Cap. Versão moderna (mensagem do Irmão X), p. 62.

Orientações ao monitor

Complementar o estudo das bem-aventuranças com os esclarecimentos existentes em *O evangelho segundo o espiritismo*, capítulos V, VII a X. Utilizar, também, como recurso didático, o texto do Irmão X, intitulado *Versão moderna*, existente no livro *Cartas e crônicas*, psicografia de Francisco Cândido Xavier, capítulo 39, p. 175-177, edição FEB.

ENSINOS DIRETOS DE JESUS

Roteiro 2

DISCÍPULOS: SAL DA TERRA E LUZ DO MUNDO

Objetivos

» Interpretar, à luz do Espiritismo, a citação evangélica que informa serem os discípulos do Cristo o sal e a luz do mundo.

Ideias principais

» Jesus afirma que os seus discípulos são o "sal da terra" porque, ao vivenciarem a mensagem cristã em sua plenitude, conseguem dar sabor à vida, temperando-a com os valores das virtudes morais.

» Afirma, igualmente, o Mestre que os praticantes de seus ensinamentos são a "luz do mundo", os que afugentam as trevas reinantes. Somente o Evangelho é [...] *a luz que ilumina, que dá significado à Vida e a valoriza.* Richard Simonetti: *A voz do monte*, p. 62.

Subsídios

1. Texto evangélico

Vós sois o sal da terra; se o sal for insípido, com que se há de salgar? Para nada mais presta, senão para se lançar fora e ser pisado pelos homens. Vós sois a luz do mundo; não se pode esconder uma cidade edificada sobre um monte; nem se acende a candeia e se coloca debaixo do alqueire, mas no velador, e dá luz a todos que estão na casa. Assim resplandeça a vossa Luz diante dos homens, para que vejam as vossas boas obras e glorifiquem a vosso Pai, que está nos céus (Mt 5:13-16).

É interessante observar que este texto está posicionado logo após as bem-aventuranças, levando-nos a interpretar que Jesus, após levantar o ânimo dos caídos, se dirige aos discípulos que o acompanhavam para apontar-lhes responsabilidades e conscientizá-los quanto aos compromissos que deveriam assumir como seus colaboradores diretos.

Vós sois o sal da terra. Singular analogia. Que relação haverá entre o sal e os discípulos do Senhor? Que pretenderia o Mestre dizer com essas palavras?

Vejamos, segundo abalizada autoridade, o papel que o sal representa em nosso meio: O sal é um mineral precioso, difusamente espalhado em nosso globo, segundo as necessidades previstas pela natureza.

Nós o vemos em abundância desde as camadas secas, cristalizadas em certas regiões, até a formidável quantidade que dele se encontra diluída nessa massa enorme de água de que se compõem diversos lagos e todos os mares de nosso orbe. A influência que o sal exerce em nosso organismo, para lhe manter o equilíbrio fisiológico, é de capital importância, dependendo de seu indispensável concurso a manutenção de nosso bem-estar físico.

Examinado sobre outro aspecto, a Química nos ensina que onde quer que o encontremos, seja na terra ou no mar, ele é sempre o mesmo: inalterado, inalterável. Dotado de qualidades essencialmente conservadoras, mantém-se incorruptível, preservando ainda os corpos que com ele entram em contato.

Eis aí precisamente o que quer Jesus que sejam seus discípulos: elementos preciosos, de grande utilidade na economia social, tipos de honestidade, incorruptíveis e preservadores da dissolução moral no meio em que se encontrarem. Ele quer, em suma, que seus discípulos se distingam na esfera espiritual pelos mesmos predicados por que se distingue o sal no plano físico.[5]

2. Interpretação do texto evangélico

» *Vois sois o sal da terra* (Mt 5:13).

Na condição de condimento, o sal deve ser utilizado de maneira adequada, de modo balanceado. Se utilizado abaixo da quantidade necessária torna a alimentação insípida, se em doses altas torna a alimentação excessivamente salgada.

Semelhantemente, o aprendiz e o auxiliar dos núcleos espíritas devem agir, junto às pessoas com necessidades ou sofrimentos, de forma comedida, discreta, equilibrada e temperante. A imagem do sal é a de um componente que explicita essa postura no campo do trabalho que nos é disponibilizado pelo Plano Maior. Simboliza o imperativo do equilíbrio, principalmente das emoções, assim como a utilização dos valores morais e intelectuais de que já dispomos com segurança, a fim de que possamos cooperar de modo coerente e eficiente, na tarefa que nos é confiada.

Outro aspecto que o sal sugere é o da conservação, pois o ensino de Jesus deve permanecer inalterável.

> Por tudo o que representa, o Evangelho é de aplicação indispensável para dar sabor à existência, tornando-a saudável e feliz. Sem ele a Vida fica insípida; sem atrativos, monótona, tediosa, complicada, ainda que as circunstâncias sejam as mais favoráveis, ainda que a aparência seja magnífica. [...] Em verdade, nada na existência terá sabor de felicidade autêntica; nenhuma associação humana, seja no lar, no trabalho, na comunidade, se fará com equilíbrio e proveito; jamais estaremos em paz com a própria consciência, sem uma pitada de Evangelho em tudo o que fizermos, o que significa o empenho de aplicar, de conformidade com as circunstâncias, um pouco de tolerância, um pouco de carinho, um pouco de bondade, um pouco de sacrifício, um pouco de renúncia em favor do semelhante.[2]

» *Ora, se o sal vier a ser insípido, como lhe restaurar o sabor? Para nada mais presta, senão para se lançar fora e ser pisado pelos homens* (Mt 24:13).

Se o sal for destituído do seu componente ativo, torna-se insosso. No sentido espiritual, a pessoa que se desperta para o Cristo é ativa. Não se abate perante os fracassos e enfrenta com bom ânimo os desafios da vida. Só quem se nutre desta dinâmica incansável consegue atingir as metas delineadas, como nos adverte o Evangelho: "Aquele, que perseverar até o fim será salvo" (Mt 24:13).

> Se o sal se tornasse insípido, isto é, se perdesse as qualidades especiais que o caracterizam, tornar-se-ia de todo imprestável, visto como não se poderia aplicar a outras funções além daquela que lhe é essencialmente própria.
> Outro tanto sucede com relação à fé que faz o cristão. Se ela se desnaturar dos predicados que a exornam, tornar-se-á de todo anódina, inválida, inútil.
> A religião que não promove o aperfeiçoamento do espírito, que não constrói, e não consolida o caráter do homem, não é religião: é sal insípido que, mais cedo ou mais tarde, cairá fatalmente no desprezo.[7]

Se os discípulos do Cristo são o "sal da terra" não devem se tornar "insípidos", isto é, corruptíveis ou contaminados pelas influências inferiores que os afastam da vivência do Evangelho.

O legítimo servidor do Senhor, onde quer que se encontre, está sempre orando e vigiando para não cair em tentações.

> Não permanece um instante inativo: age sempre. Dá-se a conhecer como as árvores, pelos frutos que produz, isto é, pela ação que exerce. Não se oculta: é uma revelação permanente. Pelo exterior, pode confundir-se com outros minerais; mas, entrando-se em relação com ele, sua essência revela-se pronta e distintamente. Nunca assimila as impurezas de outrem; transmite invariavelmente seu poder purificador. Não se macula ainda que mergulhado na imundície. Sai ileso de todas as provas, vence em toda a linha. Tem uma função determinada, precisa, distinta, inconfundível. No exercício dessa função está todo o seu valor, toda a sua incomparável importância.[6]

» *Vós sois a luz do mundo* (Mt 5:14).

Esta afirmativa evidencia, mais uma vez, a proposta educacional. A própria evolução dos seres é um caminho que vai das trevas para a luz.

A luz é o ponto de referência, também, do sistema evolucional que se irradia por todo o universo. No Planeta, é, em nome do Criador, a dispensadora dos recursos da vida . Nos planos mais profundos da alma é o foco clareador da mente em suas nuances de razão e sentimento, garantindo esclarecimento, segurança e reconforto.

Posicionados como aprendizes de Jesus, os discípulos sinceros serão sempre os elementos refletores, de maior ou menor limpidez, da luz soberana que irradia, em plenitude, do próprio Cristo.

Neste sentido, a questão 622 de *O livro dos espíritos*, propõe:

"Confiou Deus a certos homens a missão de revelarem a sua lei?"

Os Espíritos veneráveis esclarecem: "Indubitavelmente. Em todos os tempos houve homens que tiveram essa missão. São Espíritos superiores, que encarnam com o fim de fazer progredir a humanidade".[1]

» *Não se pode esconder uma cidade edificada sobre um monte* (Mt 5:14).

Diante da multidão sofrida que caminha em sua marcha evolutiva, é importante que aqueles que mais sabem não guardem consigo o conhecimento adquirido. Este conhecimento precisa ser espalhado, compartilhado com os irmãos em humanidade. São conquistas grandiosas que não podem ser escondidas ou guardadas egoisticamente.

> Iniciados na luz da Revelação Nova, os espiritistas-cristãos possuem patrimônios de entendimento muito acima da compreensão normal dos homens encarnados. Em verdade, sabem que a vida prossegue vitoriosa, além da morte; que se encontram na escola temporária da Terra, em favor da iluminação espiritual que lhes é necessária; [...] que toda oportunidade de trabalho no presente é uma bênção dos Poderes divinos; que ninguém se acha na Crosta do Planeta em excursão de prazeres fáceis, mas, sim, em missão de aperfeiçoamento; [...] que a existência na esfera física é abençoada oficina de trabalho, resgate e redenção e que os atos, palavras e pensamentos da criatura produzirão sempre os frutos que lhes dizem respeito, no campo infinito da vida.[9]

» *Nem se acende uma candeia e se coloca debaixo do alqueire, mas no velador, e dá luz a todos que estão na casa* (Mt 5:15).

Jesus compara os seus ensinamentos como a luz que afugenta as trevas.

É a luz que ilumina, que dá significado à Vida e a valoriza, mas, se procurarmos em suas lições apenas conforto e bem-estar para nós, sem compreender o seu apelo maior, convocando-nos à Fraternidade, então sua claridade ficará aprisionada no vaso do egoísmo e de nada valerá, pois, apesar de detê-la continuaremos na escuridão de nossas mazelas.[3]

A luz simboliza o esclarecimento, a orientação, o processo educativo, capazes de nos transformar para melhor, nos libertando do vale de lágrimas e de dores onde, usualmente, estamos relegados.

A candeia deve ser colocada, não debaixo do alqueire, encoberta pela indiferença ou interesse pessoais, mas no velador, para que possa oferecer luz a todos. É óbvio que cada um assimila de acordo com a sua percepção e com o seu piso evolutivo. A plena capacidade de irradiação da luz indica, também, o espírito de solidariedade, amor e cooperação que deve estar presente nas relações humanas.

Neste sentido, os núcleos espíritas vêm oferecendo, ao lado dos programas de estudo, oportunidade de se viver a mensagem cristã com simplicidade e modéstia, "[...] uma vez que o *luzir do Evangelho* em nós está condicionado à prática do Bem. Por isso, o verdadeiro cristão é alguém cujo comportamento é invariavelmente edificante [...]."[3]

» *Assim resplandeça a vossa luz diante dos homens, para que vejam as vossas boas obras* (Mt 5:16).

Jesus nos convoca a resplandecer a luz das nossas conquistas evolutivas em benefício dos companheiros de jornada. Saindo do nosso egocentrismo crônico, estabelecemos, assim, canais de entendimento e compreensão mútuos.

O vocábulo "resplandeça" possui significativa carga magnética, imprimindo sentimentos de fé e de esperança, em nós próprios e nas pessoas que nos cercam. O esforço de resplandecer os nossos sentimentos mais puros será sempre percebido e aceito por alguém.

A esse propósito, lembramos a extraordinária figura de Alcíone, do livro *Renúncia*, autoria de Emmanuel, psicografia de Francisco Cândido Xavier. Atingindo estágios angelicais da evolução, eximira-se de voltar à Terra, mas voltou, por iniciativa própria, a fim de ajudar um grupo de tutelados seus. Sua presença em nosso mundo, embora no anonimato de condição humilde, tornou-se tão marcante que todos quantos com ela conviveram foram invariavelmente influenciados por ela.[4]

» *E glorifiquem a vosso Pai que está nos céus* (Mt 5:16).

O Pai está sempre nos "céus", isto é, nos planos de vibrações mais elevados.

Será sempre honrado e louvado todas as vezes que praticarmos o bem e nos mantivermos fiéis às manifestações de sua vontade. Os tributos da glorificação, devem, pois, ser encaminhados ao Senhor, que é o legítimo doador, autor e direcionador da vida.

Se sentirmos Deus como nosso Pai, reconheceremos que os nossos irmãos se encontram em toda parte e estaremos dispostos a ajudá-los, a fim de sermos ajudados, mais cedo ou mais tarde. A vida só será realmente bela e gloriosa, na Terra, quando pudermos aceitar por nossa grande família a humanidade inteira.[8]

Referências

1. KARDEC, Allan. *O livro dos espíritos*. Tradução de Guillon Ribeiro. 86. ed. Rio de Janeiro: FEB, 2005, questão 622, p. 307.
2. SIMONETTI, Richard. *A voz do monte*. 7. ed. Rio de Janeiro: FEB, 2003. Cap. O tempero da vida, p. 57-59.
3. _____._____. Cap. O brilho do bem, p. 62.
4. _____._____. p. 62-63.
5. VINÍCIUS. *Em torno do mestre*. 8. ed. Rio de Janeiro: FEB, 2002. Cap. O sal da terra, p. 265.
6. _____._____. p. 266.
7. _____. *Nas pegadas do mestre*. 10. ed. Rio de Janeiro: FEB, 2005. Cap. O sal da terra, p. 191.
8. XAVIER, Francisco Cândido. *Pai nosso*. Pelo Espírito Meimei. 27. ed. Rio de Janeiro: FEB, 2006. Cap. 1 (Pai nosso que estás nos céus), p. 11.
9. _____. *Vinha de luz*. Pelo Espírito Emmanuel. 24. ed. Rio de Janeiro: FEB, 2006. Cap. 60 (Que fazeis de especial?), p.141-142.

Orientações ao monitor

É importante que durante a aula seja dada ênfase à interpretação das palavras "sal" e "luz", presentes no ensinamento de Jesus.

ENSINOS DIRETOS DE JESUS

Roteiro 3

NÃO VIM TRAZER PAZ, MAS ESPADA

Objetivos

» Interpretar, à luz do entendimento espírita a afirmação de Jesus: "Não vim trazer paz, mas espada" (Mt 10:34).

Ideias principais

» *É indispensável não confundir a paz do mundo com a paz do Cristo. A calma do plano inferior pode não passar de estacionamento. A serenidade das esferas mais altas significa trabalho divino, a caminho da Luz Imortal. [...]* Emmanuel: *Vinha de luz,* cap. 105.

» A espada citada no texto evangélico está também representada na cruz, símbolo do Cristianismo. A cruz encravada no alto do Gólgota revela a vitória do bem sobre o mal, mostrando que por meio dos sacrifícios, das renúncias e dos exemplos no bem a criatura humana pode regenerar-se.

» Quando Jesus declara: "Não creais que eu tenha vindo trazer a paz, mas, sim, a divisão", seu pensamento era este: *Não creais que a minha doutrina se estabeleça pacificamente [...].* Allan Kardec: *O evangelho segundo o espiritismo,* cap. XXIII, item 16.

Subsídios

1. Texto evangélico

Não cuideis que vim trazer a paz à Terra; não vim trazer paz, mas espada; porque eu vim pôr em dissensão o homem contra seu pai, e a filha contra sua mãe, e a nora contra sua sogra.

E, assim, os inimigos do homem serão os seus familiares (Mt 10:34-36).

Observamos, em *O evangelho segundo o espiritismo*, o cuidado de Kardec e dos Espíritos orientadores em analisar o sentido moral dos textos da Boa-Nova, relacionando-os às reais necessidades do aprendiz, ainda carente de renovação espiritual. No capítulo XXIII, intitulado *Estranha moral*, itens 9 a 17, observamos o zelo do Codificador em tornar claro o entendimento do leitor em relação ao texto de Mateus, acima citado, de modo a que não venha, sob o jugo da letra, interpretar o Evangelho fora do seu amplo sentido educativo, como "cartilha de vida". Mesmo assim, não são poucos os que se detendo na superfície dos ensinamentos, partem para discussões estéreis, desenvolvendo polêmicas inúteis.

A despeito de o apóstolo Paulo ter afirmado que "a letra mata e o espírito vivifica" (II Cor 3:6), tem sido ela, a letra, o casulo que vem mantendo guardada a essência dos ensinos ao longo dos séculos. Faz-se necessário, no entanto, que se realize o trabalho de extrair o espírito da letra.

Entendemos que a Doutrina Espírita pode realizar essa tarefa, uma vez que, confiando nas promessas do Cristo, ensina que o Espiritismo é o Consolador

Prometido, de acordo com esta afirmativa de Jesus: "Mas aquele Consolador, o Espírito Santo, que o Pai enviará em meu nome, vos ensinará todas as coisas e vos fará lembrar tudo quanto vos tenho dito" (Jo 14:26).

Dessa forma, cabe aos espíritas agir como cristãos autênticos e realizar essa tarefa, a despeito do reconhecimento das próprias carências espirituais, mas com a compreensão de que as verdades espirituais são, em geral, percebidas pelos "pequeninos" e ocultas aos "sábios e entendidos".

2. Interpretação do texto evangélico

» *Não cuideis que vim trazer a paz à Terra; não vim trazer paz, mas espada* (Mt 10:34).

Este texto chama a atenção pela aparente contradição que encerra: não é Jesus chamado de *O príncipe da paz*? Como é possível Ele, o Governador espiritual do orbe, nos oferecer uma proposta de "paz" inerte, de ordem parasitária, ou beatífica, fundamentada na violência?

Inúmeros leitores do Evangelho perturbam-se ante essas afirmativas do Mestre divino, porquanto o conceito de paz, entre os homens, desde muitos séculos foi visceralmente viciado. Na expressão comum, ter paz significa haver atingido garantias exteriores, dentro das quais possa o corpo vegetar sem cuidados, rodeando-se o homem de servidores, apodrecendo na ociosidade e ausentando-se dos movimentos da vida. Jesus não poderia endossar tranquilidade desse jaez [...].[2]

É preciso muito cuidado na análise dessa citação evangélica, pois uma interpretação literal pode favorecer manifestações de lutas externas sob o jugo da "espada", fato que não deixa de representar uma perigosa insensatez, considerando-se ser Jesus, guia e modelo da humanidade.

O Espírito Emmanuel, lucidamente, esclarece este texto evangélico.

É indispensável não confundir a paz do mundo com a paz do Cristo. A calma do plano inferior pode não passar de estacionamento. A serenidade das esferas mais altas significa trabalho divino, a caminho da Luz imortal. [...] Nos círculos da carne, a paz das nações costuma representar o silêncio provisório das baionetas; a dos abastados inconscientes é a preguiça improdutiva e incapaz; a dos que se revoltam, no quadro de lutas necessárias, é a manifestação do desespero doentio; a dos ociosos sistemáticos, é a fuga ao trabalho; a dos arbitrários, é a satisfação dos próprios caprichos; a dos vaidosos, é o aplauso da ignorância; a dos vingativos, é a destruição dos adversários; a dos maus, é a vitória da crueldade; a dos negociantes sagazes, é a exploração inferior; a dos que se agarram às sensações de baixo teor, é a viciação dos sentidos; a dos comilões, é o repasto opulento do estômago, embora haja fome espiritual no coração.⁶

O versículo de Mateus mostra que a paz deve ser compreendida como o estado da consciência tranquila, obtida pelo cumprimento do dever e decorrente da constante vigilância sobre as nossas imperfeições. É na terra do coração que se trava a verdadeira guerra de melhoria dos sentimentos. A "espada" é, neste sentido, um instrumento de progresso que "corta" as nossas más inclinações, num processo de intensa batalha íntima.

Até agora, há Espíritos imperfeitos que querem implementar a evolução sob o impacto das paixões, em atendimento às exigências dos sentidos, mas que produzem sofrimentos e dificultam a manifestação da felicidade, ansiosamente aguardada. Por esta razão, o Espiritismo nos mostra que é medida de bom senso aprender para viver com acerto e eficiência uma vida digna, feliz, amando e servindo ao próximo. Devemos, então, buscar a "[...] paz do Senhor, paz que excede o entendimento, por nascida e cultivada, portas a dentro do Espírito, no campo da consciência e no santuário do coração."⁷

A espada aludida pelo Cristo é, pois, um simbolismo.

Em contraposição ao falso princípio estabelecido no mundo, trouxe consigo a luta regeneradora, a espada simbólica do conhecimento interior pela revelação divina, a fim de que o homem inicie a batalha do aperfeiçoamento em si mesmo.³

É a espada que elimina o que há de ruim nas nossas experiências e nos faz selecionar pensamentos, palavras e ações que garantem a vitória sobre nós mesmos na caminhada ascensional. Laborar no regime das causas geradoras de desarmonias, buscando desativá-las, é sempre mais gratificante, é medida de bom senso pela utilização dos recursos da fé raciocinada e do conhecimento.

A espada citada no texto evangélico está também representada na cruz, símbolo do Cristianismo. A cruz encravada no alto do Gólgota revela a vitória do bem sobre o mal, mostrando que, por meio dos sacrifícios, das renúncias e dos exemplos no bem, a criatura humana pode regenerar-se. Compreendemos, assim, que a felicidade é uma conquista individual, que passa, necessariamente pelo reconhecimento das próprias imperfeições e se prolonga nas batalhas travadas na intimidade do ser. Tal é o preço da paz, marcada pelas lutas íntimas, pelos processos da reeducação e por trabalho intenso, pois como nos lembra Emmanuel, buscar "[...] a mentirosa paz da ociosidade é desviar-se da luz, fugindo à vida e precipitando a morte."[4]

» *Porque eu vim pôr em dissensão o homem contra seu pai, e a filha contra sua mãe, e a nora contra sua sogra* (Mt 10:35).

Jesus veio à terra para abrir novas perspectivas ao ser humano, estabelecendo um novo sistema de vida e melhoria no relacionamento entre as pessoas. Enfatiza o perdão e o amor aos inimigos, o auxílio aos semelhantes, a perseverança, sem desfalecimento. Destaca o papel das reencarnações, que aproximam as pessoas, mostrando que no plano familiar se encontra, na maioria das vezes, não somente afetos, mas também desafetos. A "dissensão" passa a ser compreendida como divergência entre pessoas que pensam de forma diferente, ainda que unidas pelos laços do parentesco.

> A família consanguínea, entre os homens, pode ser apreciada como o centro essencial de nossos reflexos. Reflexos agradáveis ou desagradáveis que o pretérito nos devolve.[5]

A dissensão que o texto assinala pode, também, ser vista como mudança de atitudes e de hábitos, demonstrados pelos comportamentos renovados para o bem. Tais mudanças produzem num primeiro momento conflitos, desavenças ou incompreensões nas relações interpessoais. É dessa forma que os descendentes se levantam contra os seus ascendentes: "o homem contra seu pai; entre a filha e sua mãe e entre a nora e sua sogra."

Quando a orientação espiritual elevada penetra a intimidade do indivíduo instaura-se, de imediato, uma luta íntima. Os novos conceitos chocam-se com as concepções caducas, ali existentes, filhas de uma mentalidade que não produz paz nem ameniza a cota de sofrimento da criatura.

O homem terá, assim, que lutar contra o homem velho cujas ideias e ações traz albergadas no íntimo. Os conflitos gerados por esta batalha interior produzem transformações significativas no ser, tornando-o criatura melhor, pouco a pouco.

As transformações individuais, sob o impacto da dor ou do aprendizado, costumam seguir esta regra: ensinos apreendidos conduzem a novo aprendizado. Novo aprendizado produz conflitos íntimos. Conflitos íntimos geram dissensões. Dissensões fazem surgir o homem novo, transformado pela força do bem. Este processo é, em geral, paulatino, pois o homem que adquire entendimento superior terá de lutar, continuamente, contra o homem velho, portador de viciações e equívocos.

Assim, os inimigos do homem serão os da sua própria casa (Mt 10:36).

O registro deve ser examinado sob dois aspectos: o da família consanguínea e o da própria pessoa. A Doutrina Espírita nos ensina que as pessoas que se desentenderam em outras reencarnações estão hoje, em geral, congregadas dentro de uma mesma família, buscando o resgate e a harmonização indispensáveis. No âmbito familiar, os inimigos ou adversários agem e reagem uns sobre os outros, criando obstáculos à união e ao respeito mútuos, ainda que disto não se deem conta. Por acréscimo da misericórdia divina, os envolvidos nos processos de reajuste espiritual dificilmente recordam os acontecimentos do passado, ocorridos em outras existências. Entretanto, as antipatias, os ódios, os ciúmes, as desconfianças etc., são impulsivamente manifestadas, a ponto de ocorrerem separações, perseguições e outros problemas. É comum constatar que, ao contrário, muitos parentes desenvolvem convivência harmoniosa com estranhos ao ninho familiar: são os amigos e benfeitores de outras existências.

A pessoa esclarecida sobre as causas dessas inimizades aprende a administrar as desarmonias com humildade e, aos poucos, percebe que as dificuldades podem ser reduzidas ou eliminadas. Tal entendimento conduz à ação cristã que, tendo como base o perdão, a renúncia e a bondade, auxilia na superação de obstáculos e o polimento de arestas, úteis à manutenção do equilíbrio nas relações familiares.

Por outro lado, há de se considerar a presença dos "inimigos" que cada um traz dentro de si, representados pelas próprias imperfeições, más tendências e outras deficiências que conspiram contra a saúde, obliterando a manifestação da felicidade integral: física, emocional e espiritual. Os pontos negativos que imperam em nosso psiquismo são elementos complexos que precisam ser desativados, pois conspiram, continuamente, contra a nossa paz de espírito, nos atormentando a existência.

Certos tormentos íntimos nos fazem sofrer mais que outros, conforme o nosso estágio evolutivo. A respeito desses tipos de tormentos, o Espírito Fénelon comenta:

> Haverá maiores do que os que derivam da inveja e do ciúme? Para o invejoso e o ciumento, não há repouso; estão perpetuamente febricitantes. O que não têm e os outros possuem lhes causa insônias. Dão-lhes vertigem os êxitos de seus rivais [...]. Que de tormentos, ao contrário, se poupa aquele que sabe contentar-se com o que tem, que nota sem inveja o que não possui, que não procura parecer mais do que é. Esse é sempre rico, porquanto, se olha para baixo de si e não para cima, vê sempre criaturas que têm menos do que ele. É calmo, porque não cria para si necessidades quiméricas. E não será uma felicidade a calma, em meio das tempestades da vida?[1]

A renovação espiritual representa, nesse aspecto, uma espécie de caridade essencial que devemos ter para conosco. Neste particular, o conhecimento espírita amplia de modo considerável a nossa visão do mundo e da vida, indicando quais são as nossas reais necessidades, de forma que possamos redirecionar a existência, com discernimento e convicção, eliminando dificuldades que minam o bom relacionamento pessoal e o nosso bem-estar.

Faz sentido, então, recordar a recomendação de Jesus: "Não temais os que matam o corpo e não podem matar a alma; temei, antes, aquele que pode fazer perecer no inferno tanto a alma como o corpo" (Mt 10:28).

Podemos afirmar, como conclusão desse estudo:

> O Cristo trouxe ao mundo a espada renovadora da guerra contra o mal, constituindo, em si mesmo, a divina fonte de repouso aos corações que se unem ao seu amor. Esses, nas mais perigosas situações da Terra, encontram, nele, a serenidade inalterável. É que Jesus começou o combate de salvação para a humanidade, representando, ao mesmo tempo, o sustentáculo da paz sublime para todos os homens bons e sinceros.[4]

Referências

1. KARDEC, Allan. *O evangelho segundo o espiritismo*. Tradução de Guillon Ribeiro. 124. ed. Rio de Janeiro: FEB, 2005. Cap. 5, item 23, p. 118.

2. XAVIER, Francisco Cândido. *Caminho, verdade e vida*. Pelo Espírito Emmanuel. 26. ed. Rio de Janeiro: FEB, 2006. Cap. 104 (A espada simbólica), p. 223.

3. _____._____. p. 223-224.

4. _____._____. p. 224.

5. _____. *Pensamento e vida*. Pelo Espírito Emmanuel. 15. ed. Rio de Janeiro: FEB, 2005. Cap. 12 (Família), p. 59.

6. _____. *Vinha de luz*. Pelo Espírito Emmanuel. 24. ed. Rio de Janeiro: FEB, 2006. Cap. 105 (Paz do mundo e paz do Cristo), p. 239-240.

7. _____._____. p. 240.

Orientações ao monitor

Realizar estudo em grupo para analisar as informações de Kardec constantes em *O evangelho segundo o espiritismo*, capítulo XXIII, itens 16 e 17, correlacionando esta análise com as ideias desenvolvidas no Roteiro.

ENSINOS DIRETOS DE JESUS

Roteiro 4

NICODEMOS

Objetivos

» Identificar os ensinamentos existentes no diálogo ocorrido entre Jesus e Nicodemos (Jo 3:1-6).

Ideias principais

» No diálogo ocorrido entre Jesus e Nicodemos extraímos, entre outras, valiosa lição: *A lei da reencarnação estava proclamada para sempre, no Evangelho do Reino.* Humberto de Campos: *Boa nova.* Cap. 14.

» *Sem o princípio da preexistência da alma e da pluralidade das existências, são ininteligíveis, em sua maioria, as máximas do Evangelho, razão por que hão dado lugar a tão contraditórias interpretações. Está nesse princípio a chave que lhe restituirá o sentido verdadeiro.* Allan Kardec: *O evangelho segundo o espiritismo.* Cap. XIV, item 17.

Subsídios

1. Texto evangélico

E havia, entre os fariseus, um homem chamado Nicodemos, príncipe dos judeus.

Este foi ter de noite com Jesus e disse-lhe: Rabi, bem sabemos que és mestre vindo de Deus, porque ninguém pode fazer estes sinais que tu fazes, se Deus não for com ele.

Jesus respondeu, e disse-lhe: Na verdade, na verdade te digo que aquele que não nascer de novo, não pode ver o reino de Deus.

Disse-lhe Nicodemos: Como pode um homem nascer, sendo velho? Porventura, pode tornar a entrar no ventre de sua mãe e nascer?

Jesus respondeu: Na verdade, na verdade te digo que aquele que não nascer da água e do Espírito não pode entrar no reino de Deus. O que é nascido da carne é carne, e o que é nascido do Espírito é espírito (João 3:1-6).

Registra Humberto de Campos, no livro *Boa nova*, como ocorreu o encontro e o elucidativo diálogo entre Jesus e Nicodemos, registrado pelo apóstolo João.

> Todavia, sem embargo das dissensões naturais que precedem o estabelecimento definitivo da ideias novas, alguns Espíritos acompanhavam o Messias, tomados de vivo interesse pelos seus elevados princípios. Entre estes, figurava Nicodemos, fariseu notável pelo coração bem formado e pelos dotes da inteligência. Assim, uma noite, ao cabo de grandes preocupações e longos raciocínios, procurou a Jesus, em particular, seduzido pela magnanimidade de suas ações e pela grandeza de sua doutrina salvadora. O Messias estava acompanhado apenas de dois dos seus discípulos e recebeu a visita com a sua bondade costumeira. Após a saudação habitual e revelando as suas ânsias de conhecimento, depois de fundas meditações, Nicodemos dirigiu-se-lhe respeitoso: "Mestre, bem sabemos que vindes de Deus, pois somente com a luz da assistência divina poderíeis realizar o que tendes efetuado, mostrando o sinal do céu em vossas mãos. Tenho empregado a minha existência em interpretar a lei, mas desejava receber a vossa palavra

sobre os recursos de que deverei lançar mão para conhecer o reino de Deus!". O Mestre sorriu bondosamente e esclareceu: "Primeiro que tudo, Nicodemos, não basta que tenhas vivido a interpretar a lei. Antes de raciocinar sobre as suas disposições, deverias ter-lhe sentido os textos".[9]

É importante destacar as últimas palavras do diálogo: "deverias ter-lhe sentido os textos". Trata-se, naturalmente, de valiosa observação feita por Jesus, uma vez que é muito difícil o êxito, em qualquer empreendimento, se os sentimentos não estão envolvidos. Da mesma forma, devemos agir perante os ensinamentos do Cristo: é preciso se deixar envolver por um sentimento puro para que possamos compreender, de acordo com as nossas possibilidades, o significado das narrativas evangélicas.

2. Interpretação do texto evangélico

» *E havia entre os fariseus, um homem, chamado Nicodemos, um príncipe dos judeus* (Jo 3:1).

Nicodemos pertencia à casta dos fariseus, ordem religiosa e política, caracterizada pela intolerância, pelo apego às leis mosaicas e pelas manifestações de culto externo. Os fariseus apresentavam as seguintes características:

> Tomavam parte ativa nas controvérsias religiosas. Servis cumpridores das práticas exteriores do culto e das cerimônias; cheios de um zelo ardente de proselitismo, inimigos dos inovadores, afetavam grande severidade de princípios; mas, sob as aparências de meticulosa devoção, ocultavam costumes dissolutos, muito orgulho e, acima de tudo, excessiva ânsia de dominação. Tinham a religião mais como meio de chegarem a seus fins, do que como objeto de fé sincera. Da virtude nada possuíam, além das exterioridades e da ostentação; entretanto, por uma e outras, exerciam grande influência sobre o povo, a cujos olhos passavam por santas criaturas. Daí o serem muito poderosos em Jerusalém.[1]

Encontramos, ainda hoje, pessoas que, à semelhança dos fariseus, têm conhecimento das coisas espirituais, mas as mantêm ocultas sob o símbolo das práticas exteriores ou se deixam conduzir pelos meandros da política religiosa.

A expressão "um homem" imprime, no ensino, uma característica universal representativa do ser humano imperfeito. Este, em processo de evolução, transita por diferentes ambientes, ao longo das reencarnações. Usa, em cada uma delas, um tipo de vestimenta, mas o processo evolutivo é lento, porque, se de um lado acumula considerável bagagem de conhecimento, revela dificuldades para aplicá-la. Esta dicotomia entre o que se sabe e o que se faz, produz profundos conflitos à consciência humana.

> Em todo homem repousa a partícula da divindade do Criador, com a qual pode a criatura terrestre participar dos poderes sagrados da Criação. O Espírito encarnado ainda não ponderou devidamente o conjunto de possibilidades divinas guardadas em suas mãos, dons sagrados tantas vezes convertidos em elementos de ruína e destruição. Entretanto, os poucos que sabem crescer na sua divindade, pela exemplificação e pelo ensinamento, são cognominados na Terra santos e heróis, por afirmarem a sua condição espiritual, sendo justo que todas as criaturas procurem alcançar esses valores, desenvolvendo para o bem e para a luz a sua natureza divina.[10]

Importa considerar que a despeito de ser Nicodemos chamado "príncipe dos judeus", em razão de ser alguém bem situado no campo social, politicamente influente e membro do sinédrio, percebia que algo profundo e verdadeiro lhe faltava.

Vemos nesse personagem do Evangelho uma pessoa que, por contingências reencarnatórias, estava presa às tradições religiosas vigentes, mas que procura superar as barreiras das convenções e procura o Mestre, ainda que "tarde da noite".

> Nicodemos era, pois, um homem bom, e, por esse motivo, desejava imensamente encontrar-se com Jesus, para conversar com o Mestre sobre assunto religioso, porque tivera notícias das pregações do Nazareno e das curas que ele fazia.[7]

A história se repete, semelhantemente, conosco. Convocados à aproximação da mensagem do Amor, depois das desilusões e da constatação da ineficiência dos títulos e valores do mundo, procuramos outros padrões que possam nos colocar na rota segura da existência. Investindo em novos conhecimentos espirituais, aprendemos que qualquer vinculação a novas propostas implica desvinculação das velhas, como bem nos esclarece o orientador espiritual:

> Cada um tem no planeta o mapa das suas lutas e dos seus serviços. O berço de todo homem é o princípio de um labirinto de tentações e de dores, inerentes à própria vida na esfera terrestre, labirinto por ele mesmo traçado e que necessita palmilhar com intrepidez moral. Portanto, qualquer alma tem o seu destino traçado sob o ponto de vista do trabalho e do sofrimento, e, sem paradoxos, tem de combater com o seu próprio destino, porque o homem não nasceu para ser vencido; todo Espírito labora para dominar a matéria e triunfar dos seus impulsos inferiores.[11]

Busquemos, pois, nos guiar por esta lição do Evangelho, ilustrada no diálogo ocorrido entre Jesus e Nicodemos, uma vez que é sempre útil vencer os obstáculos e procurar Jesus.

» *Este, foi ter de noite com Jesus e lhe disse: Rabi, bem sabemos que és Mestre vindo de Deus; porque ninguém pode fazer estes sinais que tu fazes, se Deus não for com ele* (Jo 3:2).

Preso aos interesses do mundo e encoberto pelo manto das sombras, oferecido pelas convenções sociais, Nicodemos apoia-se na esperança e vai até Jesus. O Mestre o acolhe sob o influxo de sua luz e sabedoria espirituais, a fim de esclarecê-lo.

Do ponto de vista histórico, o fato se deu à noite. Entretanto, retirando da letra o sentido espiritual, entendemos que a palavra "noite" indica trevas, escuridão, em oposição a "dia", indicativo de luz, claridade. No contexto da passagem evangélica, Nicodemos simboliza alguém que já identificou os pontos obscuros (de trevas) existentes em si mesmo, representados pela ignorância que ainda possuía.

Procurar Jesus foi um ato de sabedoria, reconhecendo o Senhor como o mestre capaz de conceder-lhe as orientações seguras de que tanto necessitava.

Se alguém é movido pelo impulso de aprender, sempre parte de um ponto de referência. Foi o que aconteceu a Nicodemos, ao afirmar: "Rabi, bem sabemos que és Mestre vindo da parte de Deus". Ora, "Rabi" é uma expressão cujo significado é "meu mestre". Quer dizer que mesmo antes de conversar com Jesus, Nicodemos reconhecia a grandeza do Senhor. Ele acreditava na origem divina de Jesus, na sua superioridade espiritual, diferente do julgamento existente entre os seus irmãos de religião. É oportuno destacar também a postura humilde desse doutor da lei .

Dizendo: "bem sabemos que és Mestre", Nicodemos dá testemunho das limitações espirituais que possuía, embora fosse orientador em Israel; acreditava em Jesus, mas ainda não compreendia a sua mensagem. Por meio de reflexões íntimas consequentes da fé raciocinada, entendeu que as ações de Jesus tinham procedência divina.

> Não basta dizer que os fatos vêm de Deus. E para chegar ao conhecimento desses fatos, temos de estudar justamente o que Jesus fazia questão que fosse estudado, ou seja, a Vida eterna.[8]

A atitude de Nicodemos nos transmite outra lição, não menos valiosa: a de alguém que, tendo como base as noções espirituais que possuía, soube observar Jesus, refletir sobre os seus ensinamentos para, convicto, afirmar que o Senhor era um Espírito "vindo de Deus" porque "ninguém pode fazer estes sinais [...], se Deus não for com ele".

» *Jesus respondeu, e disse-lhe: Na verdade, na verdade te digo que aquele que não nascer de novo, não pode ver o reino de Deus* (Jo 3:3).

Jesus repete a expressão "na verdade" duas vezes. Trata-se de uma forma de mostrar firmeza ou convicção. De constatar a evidência de um fato. É forma de demonstrar também a autoridade moral de Jesus, guia e modelo da humanidade,[6] é como se o Mestre dissesse: "Se vós permanecerdes na minha palavra, verdadeiramente sereis meus discípulos e conhecereis a verdade, e a verdade vos libertará" (Jo 8:31-32).

Quando Jesus transmite a Nicodemos o ensinamento espiritual básico — "Se alguém não nascer de novo, não pode ver o reino de Deus" — causa perplexidade ao doutor da lei que, admitindo sua ignorância, não entende como é possível alguém nascer de novo.

> Nicodemos, como se vê no texto do Evangelho, embora não fosse mau homem, [...] estava tão impregnado dos ensinamentos da religião farisaica, consistentes quase que só de cultos e práticas exteriores, que vacilava a respeito da outra vida, duvidava que o homem, depois de morto o corpo, pudesse continuar a viver, e que houvesse, de fato, uma vida real *além do túmulo*.[7]

Não obstante o texto demonstrar, igualmente, o sentido renovador do nascimento espiritual, sob as luzes do Evangelho, o conteúdo explícito é, sem dúvida, relativo à ideia reencarnacionista, mecanismo de progresso espiritual e instrumento de manifestação da justiça de Deus. Sem a reencarnação não é possível atingir o aperfeiçoamento, segundo nos esclarece a questão 132 de *O livro dos espíritos*: "Deus lhes impõe a encarnação com o fim de fazê-los chegar à perfeição."[5]

Sem a reencarnação, o homem "Não pode ver o reino de Deus", o que significa dizer: não alcançaremos a plenitude espiritual se nos mantivermos presos aos dogmas, aos cultos, aos falsos ensinamentos, às sensações da matéria. Com a reencarnação, abrem-se novas oportunidades de aprendizado e de renovação espirituais, propiciando impulsos evolutivos significativos. As reencarnações nos propiciam oportunidades para entender que o reino de Deus está em nós (Lc 17:21), não alhures.

» *Disse-lhe Nicodemos: Como pode um homem nascer, sendo velho? Por ventura, pode tornar a entrar no ventre de sua mãe e nascer?* (Jo 3:4).

A expressão: "Perguntou-lhe Nicodemos" evidencia a relação de respeito e de fraternidade que, usualmente, se estabelece entre orientador e orientado. Esta interação é mais verdadeira e harmônica quando existem respeito, confiança e humildade.

Percebe-se que a conversação se desenvolvia entre duas autoridades, obviamente cada uma situada em planos evolutivos diferentes. Entre Jesus e Nicodemos há uma distância evolutiva inimaginável. Entretanto, Jesus chega até o representante da autoridade da Terra, envolve-o amorosamente, e lhe presta orientações seguras. Nicodemos, por sua vez, curva-se humilde e reverente à autoridade celestial, submetendo-se aos seus esclarecimentos.

Na continuação do diálogo, vemos o "homem velho" surgir quando pergunta ao Mestre: "como pode um homem nascer, sendo velho?". E o Filho do homem, com humildade e sabedoria, lhe esclarece devidamente.

A pergunta de Nicodemos retrata o que acontece, na atualidade, quando o Espiritismo nos revela quem somos, donde viemos e para onde vamos. Ante essas informações queremos saber: "Como isso se dá?", "Qual é o mecanismo?", "Como pode?".

A resposta dada por Jesus à perplexa pergunta de Nicodemos suscita novas dúvidas, produzindo novos ensinamentos. Nicodemos, arraigado aos elementos restritivos da lei de Moisés, indaga a Jesus. O Filho do homem, reunindo componentes simples e eficientes, mas de natureza sublime, responde, afastando-o da horizontalidade simplista dos interesses imediatos e passageiros. A forma de indagação utilizada pelo doutor da lei reflete uma mente ainda presa às tradições religiosas. Jesus ouve com a paciência de quem sabe e prontifica-se a atendê-lo.

Continua Nicodemos em seus argumentos: "Porventura, pode tornar a entrar no ventre de sua mãe e nascer?". O texto evidencia que, ao mesmo tempo em que ele faz inquirições, também tira as próprias conclusões, sem medo do ridículo, nos mostrando que estamos diante de um discípulo, ávido por conhecimento, que encontrou o seu mestre.

O registro feito pelo apóstolo João nos faz refletir sobre a imensa capacidade de ensinar, revelada por Jesus. Jesus não só esclareceu as dúvidas imediatas do doutor da lei, como estende o ensinamento para ângulos jamais imaginados pelo indagador; não enfoca apenas a ideia reencarnacionista, mas de forma sutil são apontadas elucidações sobre a natureza do Espírito, a formação do corpo físico, origem, existência e sobrevivência do Espírito etc.

» *Na verdade, na verdade te digo que aquele que não nascer da água e do Espírito não pode entrar no reino de Deus. O que é nascido da carne é carne, e o que é nascido do Espírito é espírito* (Jo 3:5-6).

Nós, os Nicodemos da atualidade, podemos compreender, pelos registros seguros da Doutrina Espírita, alguns detalhes a respeito da reencarnação. Passados vários séculos desse admirável colóquio, podemos dizer que muito se abriu ao entendimento dos homens. Entretanto, permanecem, ainda, sob o véu da desinformação muitos outros. Felizes são aqueles que, apesar de encobertos pelas trevas passageiras da desinformação, conseguem encontrar Jesus e com ele dialogar.

Nesse sentido, por obra e misericórdia do Senhor, chegou até nós o Consolador prometido, representado na bênção do Espiritismo que esclarece, ensina, alivia dores e sana aflições.

O "nascer da água" é a forma simbólica de dizer que a água representa o elemento material de onde o Espírito renascerá ou emergirá.[2] As características naturais existentes no nosso planeta determinam que os animais mamíferos, inclusive o ser humano, estejam protegidos dentro de uma bolsa (placenta) que possui líquido (amniótico) em abundância, durante o período gestacional.

Por extensão, vemos que o planeta Terra tem uma aparência física nitidamente aquática, formada de três partes de água e uma parte de terra. O corpo humano é, igualmente, formado de maior percentual de água (80%).

A orientação de Jesus a Nicodemos de que "o que é nascido de carne é carne, e o que é nascido do Espírito é espírito. "[...] indica claramente que só o corpo procede do corpo e que o Espírito independe deste."[3]

O "nascer da água", traz, pois a ideia explícita da reencarnação, ou seja, o retorno em um novo corpo físico. O "nascer do Espírito", tem significação mais ampla: reporta-se à capacidade de transformação ou de renovação moral e intelectual. No primeiro caso ("nascer da água") estão evidentes os processos de concepção biológica, gestação e renascimento físico. No segundo ("nascer do Espírito") temos as possibilidades do progresso espiritual.

A reencarnação e os benefícios decorrentes indicam, também, a manifestação da justiça e misericórdia divinas, as quais não condenam o Espírito infrator ao sofrimento eterno. Trazendo em seus mecanismos, não apenas as propostas de aprendizado, mas, também os impositivos da lei de causa e efeito, a reencarnação proporciona ao Espírito devedor, na maioria das vezes, condições de refazimento do seu destino, sobretudo se há empenho, deste, em se melhorar.

> Quando se trata de remontar dos efeitos às causas, a reencarnação surge como de necessidade absoluta, como condição inerente à humanidade; numa palavra: como lei da natureza. Pelos seus resultados, ela se evidencia, de modo, por assim dizer, material, da mesma forma que o motor oculto se revela pelo movimento. Só ela pode dizer ao homem donde ele vem, para onde vai, porque está na Terra, e justificar todas as anomalias e todas as aparentes injustiças que a vida apresenta.[4]

Referências

1. KARDEC, Allan. *O evangelho segundo o espiritismo*. Tradução de Guillon Ribeiro. 124. ed. Rio de Janeiro: FEB, 2005. Introdução, p. 38-39.

2. _____._____. Cap. 4, item 8, p. 86.

3. _____._____. p. 86-87.

4. _____._____. Item 17, p. 89-90.

5. _____. *O livro dos espíritos*. Tradução de Guillon Ribeiro. 86. ed. Rio de Janeiro: FEB, 2005, questão 132, p. 103.

6. _____._____. Questão 625, p. 308.

7. SCHUTEL, Cairbar. *Parábolas e ensinos de Jesus*. 20. ed. Matão [SP]: O Clarim, 2004. Segunda parte, item: Colóquio de Jesus com Nicodemos, p. 318.

8. _____._____. p. 320.

9. XAVIER, Francisco Cândido. *Boa nova*. Pelo Espírito Humberto de Campos. 34. ed. Rio de Janeiro: FEB, 2005. Cap. 14 (A lição a Nicodemos), p. 94.

10. _____. *O consolador*. Pelo Espírito Emmanuel. 25. ed. Rio de Janeiro: FEB, 2004, questão 302, p. 177.

11. _____. *Emmanuel*. Pelo Espírito Emmanuel. 25. ed. Rio de Janeiro: FEB, 2005. Cap. 32, item: O homem e o seu destino, p. 167.

Orientações ao monitor

Dinamizar o estudo por meio da formação de pequenos grupos que deverão ser orientados a ler, analisar e debater os diferentes trechos do diálogo ocorrido entre Jesus e Nicodemos.

EADE – LIVRO II | MÓDULO II

ENSINOS DIRETOS DE JESUS

Roteiro 5

VERDADE E LIBERTAÇÃO

Objetivos

» Explicar, à luz da Doutrina Espírita, o ensinamento de Jesus: "conhecereis a verdade e a verdade vos libertará" (Jo 8:32).

Ideias principais

» *Disse, pois, Jesus aos judeus que haviam crido nele. Se vós permanecerdes na minha palavra, verdadeiramente, sereis meus discípulos e conhecereis a verdade, e a verdade vos libertará. (Jo 8:31-32.)*

» *A verdade absoluta é patrimônio unicamente de Espíritos da categoria mais elevada e a humanidade terrena não poderia pretender possuí-la, porque não lhe é dado saber tudo. Ela somente pode aspirar a uma verdade relativa e proporcionada ao seu adiantamento. Allan Kardec: O evangelho segundo o espiritismo. Cap. XV, item 9.*

Subsídios

1. Texto evangélico

Jesus dizia, pois, aos judeus que criam nele: Se vós permanecerdes na minha palavra, verdadeiramente, sereis meus discípulos e conhecereis a verdade, e a verdade vos libertará (Jo 8:31-32).

A palavra do Mestre é clara e segura. Não seremos libertados pelos *aspectos da verdade* ou pelas *verdades provisórias* de que sejamos detentores no círculo das afirmações apaixonadas a que nos inclinemos.[8]

Sendo assim, elucida Kardec:

Que homem se pode vangloriar de a possuir integral, quando o âmbito dos conhecimentos incessantemente se alarga e todos os dias se retificam ideias? A verdade absoluta é patrimônio unicamente de Espíritos de categoria mais elevada e a humanidade terrena não poderia pretender possuí-la, porque não lhe é dado saber tudo. Ela somente pode aspirar a uma verdade relativa [parcial] e proporcionada ao seu adiantamento.[2]

2. Interpretação do texto evangélico

» *Jesus dizia, pois aos judeus que criam nele...* (Jo 8:31).

A palavra "judeu" (do hebraico *yehudi*) apresenta conotação especial. Antes da diáspora, os judeus eram denominados representantes da tribo de Judá. Após a dispersão por todo o globo, o termo "judeu" passou a ser usado por todos os descendentes dessa etnia, no seu aspecto religioso ou identificados com ele, independente de raça ou nacionalidade.

Inicialmente, o vocábulo refletia não apenas o aspecto de nacionalidade, mas também o interlocutor que possuía certos valores espirituais fornecidos pelo conhecimento da lei moisaica.

Em situação oposta, conviviam os judeus com os "gentios", isto é, qualquer pessoa que não professava o Judaísmo.

Do ponto de vista histórico, sabemos que havia reações dos judeus aos gentios, a despeito das conexões políticas, comerciais e até mesmo relativas à práticas religiosas existentes entre eles: alguns gentios tornavam-se prosélitos (convertidos), atraídos pelas práticas do judaísmo.[5]

Não obstante as dúvidas quanto aos ensinamentos do Cristo, os judeus, referidos nessa passagem evangélica, demonstram possuir algum conhecimento espiritual e, de certa forma, depositavam fé no Mestre porque "criam nele". Eram judeus que já não se encontravam presos à lei civil ou disciplinar de Moisés, mas à Lei de Deus formulada nos Dez Mandamentos.[1] Estavam, pois, abertos, a novos aprendizados.

» *Se vós permanecerdes na minha palavra...* (Jo 8:31).

Merece destaque, aqui, a expressão "se permanecerdes na minha palavra", indicativa da condição de "prosseguir existindo", de "continuar sendo" ou de "persistir". Neste último sentido, a perseverança surge como um preceito de conduta, útil à reestruturação da vida, pois em todo processo de aprimoramento espiritual não se comportam improvisações e desgastes de qualquer natureza. Ao contrário, é durante a luta renovadora que somos convocados a fazer escolhas mais acertadas, administrar o tempo, ampliar sentimentos, desenvolver virtudes, cultivar, sobretudo, a solidariedade e prestar-se à prática da caridade, fugindo dos extremos do intelectualismo e das emoções.

Sabemos, entretanto, que há um número significativo de pessoas que se encontra sob o embalo das oscilações espirituais, vacilando entre o "crer e o fazer". São criaturas que, ainda que vinculadas ao Espiritismo, não conseguem administrar certas paixões inferiores por não terem o necessário domínio sobre si mesmas.

A maioria dos Espíritos, caracterizada pela heterogeneidade de caracteres e temperamentos, das aspirações e propósitos, impede a compreensão integral da realidade cotidiana. Assim, há "[...] que esperar pela passagem das horas. Nos círculos do tempo, a semente, com o esforço do homem, prové o celeiro; e o carvão, com o auxílio da natureza, se converte em diamante."[10]

Somente conseguiremos renovar nosso psiquismo e imprimir valores edificantes à nossa alma se apreendermos o verdadeiro significado de "permanecermos na palavra do Cristo". Receberemos, então, o atestado de maturidade espiritual, prosseguindo sem cansaço, mas com inteligência e devoção, jamais duvidando das promessas de Jesus.

Entendamos que a disciplina que deve nortear as mudanças comportamentais, para melhor, é apenas um estágio de transição e de adaptação, uma vez que a disciplina antecede a espontaneidade.

É valido também considerar que não se trata, aqui, de uma simples movimentação de elementos informativos, mas de ênfase na mudança de hábitos, caracterizada por uma prática persistente. Somente "permanecendo" no plano aplicativo dos ensinos é que efetivamente progredimos.

» *Verdadeiramente, sereis meus discípulos* (Jo 8:31).

O advérbio "verdadeiramente" nos conduz a novas reflexões. Está ligado ao sentido expresso pelo substantivo "verdade", ou pelo adjetivo "verdadeiro", como autenticidade, de conformidade com os fatos ou com a realidade. Obviamente, é oposto de tudo o que é fictício ou enganoso.

A palavra sábia de Jesus é luz para o nosso Espírito que, se vivenciada, nos confere a posição de aprendizes e, ao mesmo tempo, de usufrutuários dos seus abençoados ensinos.

O discípulo da Boa-Nova, que realmente comunga com o Mestre, antes de tudo compreende as obrigações que lhe estão afetas e rende sincero culto à lei de liberdade, ciente de que ele mesmo recolherá nas leiras do mundo o que houver semeado.[6]

Os discípulos de Jesus se esforçam para realizar algo de bom e útil na vida, segundo as suas possibilidades. Serão sempre reconhecidos por muito se amarem.

Jesus elegeu doze apóstolos entre os seus discípulos porque apresentavam recursos e posturas diferenciadas, não obstante a existência de extraordinária unidade quanto ao exercício do amor e do trabalho em seu nome.

Neste sentido, "verdadeiramente sereis meus discípulos" é mensagem inspiradora de todos os que se revelam sensibilizados pelos ensinamentos do Evangelho. São aprendizes que não temem a luta renovadora, incorporando oportunidades de melhoria espiritual, consoante o espírito renovador proposto pelo Evangelho. Guardadas as devidas proporções, esses discípulos serão chamados de novos apóstolos do Cristianismo.

"Sereis meus discípulos" deixa de ser uma escolha pessoal do Mestre, mas do próprio indivíduo, que, frente às orientações da consciência, se entrega ao trabalho digno, caracterizado por serviços ao semelhante. O verdadeiro discípulo do Cristo percebe, então, que a despeito das próprias imperfeições, é necessário ser bom.

> A construção do bem comum é obra de todos. Todos necessitamos trabalhar no sentido de aprender e construir, auxiliando os companheiros esclarecidos para que se tornem cada vez mais fiéis à execução dos compromissos nobilitantes que abraçam: os valorosos para não descerem ao desânimo; os retos para que não se transviem; os fracos para que se robusteçam; os tristes para que se consolem; os caídos para que se reergam; os desequilibrados para que se recomponham; os grandes devedores para que descubram a trilha da solução aos problemas em que se oneram. Todos nós, Espíritos em evolução no Planeta, somos ainda imperfeitos, mas úteis.[9]

» *E conhecereis a verdade, e a verdade vos libertará* (Jo 8:32).

Conhecer, segundo a sentença evangélica, não se traduz como mera informação, mas assimilação de conhecimentos que favoreçam o combate às imperfeições.

> Passando pelas provas que Deus lhes impõe é que os Espíritos adquirem aquele conhecimento. Uns aceitam submissos essas provas e chegam mais depressa à meta que lhes foi assinada. Outros só a suportam murmurando e, pela falta em que desse modo incorrem, permanecem afastados da perfeição e da prometida felicidade.[3]

Neste sentido nos esclarecem os orientadores da Codificação Espírita:

> À medida que avançam, compreendem o que os distanciavam da perfeição. Concluindo uma prova, o Espírito fica com a ciência que daí lhe veio e não a esquece. Pode permanecer estacionário, mas não retrograda.[4]

Em relação à sentença "conhecereis a verdade, e a verdade vos libertará", explica Emmanuel:

> Muitos, em política, filosofia, ciência e religião, se afeiçoam a certos ângulos da verdade e transformam a própria vida numa trincheira de luta desesperada, a pretexto de defendê-la, quando não passam de prisioneiros do ponto de vista.
> Muitos aceitam a verdade, estendem-lhe as lições, advogam-lhe a causa e proclamam-lhe os méritos, entretanto, a verdade libertadora é aquela que conhecemos na atividade incessante do eterno Bem.

Penetrá-la é compreender as obrigações que nos competem.

Discerni-la é renovar o próprio entendimento e converter a existência num campo de responsabilidade para com o *melhor*.

Só existe verdadeira liberdade na submissão ao dever fielmente cumprido. Conhecer, portanto, a verdade é perceber o sentido da vida.

E perceber o sentido da vida é crescer em serviço e burilamento constantes. Observa, desse modo, a tua posição diante da Luz...

Quem apenas vislumbra a glória ofuscante da realidade, fala muito e age menos. Quem, todavia, lhe penetra a grandeza indefinível, age mais e fala menos.[8]

Referências

1. KARDEC, Allan. *O evangelho segundo o espiritismo*. Tradução de Guillon Ribeiro. 124. ed. Rio de Janeiro: FEB, 2005. Cap. 1, item 2, p. 53.

2. _____._____. Cap. 15, item 9, p. 250.

3. _____. *O livro dos espíritos*. Tradução de Guillon Ribeiro. 86. ed. Rio de Janeiro: FEB, 2005, questão 115, p. 95-96.

4. _____._____. Questão 118, p. 96.

5. DICIONÁRIO DA BÍBLIA. Volume 1: As pessoas e os lugares. Organizado por Bruce M. Metzger e Michael D. Coogan. Tradução de Maria Luiza X. de A. Borges. Rio de Janeiro: Jorge Zahar, 2002, p. 101.

6. XAVIER, Francisco Cândido. *Fonte viva*. Pelo Espírito Emmanuel. 34. ed. Rio de Janeiro: FEB, 2006. Cap. 8 (Obreiros atentos), p, 31.

7. _____._____. Cap. 173 (Ante a luz da verdade), p. 417.

8. _____._____. p. 417-418.

9. _____. *Rumo certo*. Pelo Espírito Emmanuel. 9. ed. Rio de Janeiro: FEB, 2006. Cap. 28 (Imperfeitos, mas úteis), p.104-105.

10. _____.*Vinha de luz*. Pelo Espírito Emmanuel. 24. ed. Rio de Janeiro: FEB, 2006. Cap. 175 (A verdade), p. 387.

Orientações ao monitor

Debater o sentido de "verdade" desenvolvido no texto, promovendo uma troca de ideias a respeito das ideias dos conteúdos expressos pelo Espírito Emmanuel (veja Referências 7 a 10).

EADE – LIVRO II | MÓDULO II

ENSINOS DIRETOS DE JESUS

Roteiro 6

A INSPIRAÇÃO DE PEDRO

Objetivos

» Esclarecer a respeito desta afirmativa de Pedro: "Tu és o Cristo, o Filho do Deus vivo" (Mt 16:16).

» Interpretar o sentido das palavras de Jesus: "Tu és Pedro, e sobre esta pedra edificarei a minha igreja" (Mt 16:18).

Ideias principais

» **Quem dizeis vós que eu sou?**

À pergunta que nos serve de epígrafe, dirigida por Jesus aos seus discípulos, Pedro, iluminado pelas luzes do Alto, assim respondeu: Tu és o Cristo, filho do Deus vivo. A despeito, porém, dessa clara e concisa revelação, a cristandade, mal conduzida e mal orientada, faz da individualidade do Mestre tema de controvérsias e, pior do que isso, pedra de tropeço e pomo de discórdias. Vinícius [Pedro de Camargo]: *Na seara do mestre*, p. 75.

» Com a afirmativa "tu és Pedro e sobre esta pedra edificarei a minha igreja", [...] *Jesus confia a Pedro a orientação dos primeiros passos do Cristianismo e a direção dos primeiros trabalhos da disseminação do Evangelho.* Eliseu Rigonatti. *O evangelho dos humildes*, p. 155-156.

Subsídios

1. Texto evangélico

E, chegando Jesus às partes de Cesareia de Filipe, interrogou os seus discípulos, dizendo: Quem dizem os homens ser o Filho do Homem? E eles disseram: Uns, João Batista; outros, Elias, e outros, Jeremias ou um dos profetas. Disse-lhes Ele: E vós, quem dizeis que eu sou? E Simão Pedro, respondendo, disse: Tu és o Cristo, o Filho do Deus vivo. E Jesus, respondendo, disse-lhe: Bem-aventurado és tu, Simão Barjonas, porque não foi carne e sangue quem to revelou, mas meu Pai, que está nos céus. Pois também eu te digo que tu és Pedro e sobre esta pedra edificarei a minha igreja, e as portas do inferno não prevalecerão contra ela. E eu te darei as chaves do reino dos Céus, e tudo o que ligares na terra será ligado nos céus, e tudo o que desligares na terra será desligado nos céus. Então, mandou aos seus discípulos que a ninguém dissessem que Ele era o Cristo (Mt 16: 13-20).

2. Interpretação do texto evangélico

» *E, chegando Jesus às partes de Cesareia de Filipe, interrogou os seus discípulos, dizendo...* (Mt 16:13).

O estudo do Evangelho apresenta nuances que merecem ser destacadas. "Chegando" é a conjugação do verbo chegar no gerúndio. Trata-se de uma forma nominal do verbo, usada para exprimir uma *circunstância*, já que o gerúndio não está conjugado com verbos auxiliares (andar, estar, ir, vir).

É importante considerar, a propósito, que Jesus sempre valorizou as circunstâncias para ensinar com acerto. Daí ser usual encontrarmos no seu Evangelho verbos flexionados no gerúndio, tais como: partindo, operando, cumprindo, falando, dirigindo, voltando, retirando etc.

Cesareia de Filipe (ou de Filipo) era um lugar pacato e afastado, situado ao pé do Monte Hermon, norte da Palestina. Esta cidade foi ampliada e embelezada por Filipe, tetrarca de Itureia, em honra de Tibério César. Localizada na cabeceira do rio Jordão, foi assim nomeada para distinguir de outra Cesareia, a marítima. Por estar mais distante do foco político e religioso das demais cidades e povoados, Cesareia de Filipe se afigurava como um lugar ideal para as pessoas emitirem opinião sobre Jesus, falando despreocupadamente e de forma autêntica. Vemos, ainda hoje, que quando se diminui o poder das atrações exteriores, com mais naturalidade expressamos os nossos reais sentimentos e ideias.

"E chegando Jesus às partes de Cesareia de Filipe" se concretiza também, na "cesareia" de nosso campo pessoal, na intimidade do nosso ser, em momentos mais tranquilos favoráveis à reflexão. Sob o influxo da meditação e da autoanálise, nos identificamos com Jesus.

A outra frase, "interrogou os seus discípulos", é sugestiva de que Jesus procurava aferir o nível de aprendizado desenvolvido pelos seus discípulos em relação às suas orientações e à sua pessoa, propriamente dita. O Mestre, como todos os demais benfeitores que nos tutelam com amor, acompanham de perto o nosso desenvolvimento, verificando se nós, efetivamente, estamos seguindo os seus passos.

"Discípulo" significa aprendiz, mas só há mestre onde existe discípulo. Por sua vez, o verdadeiro discípulo é consciente das próprias carências e tem necessidade de ser guiado por um bom mestre, submetendo-se com humildade e prudência às suas orientações. O texto nos mostra que os discípulos devem se portar como atentos observadores do seu orientador (guia ou mestre) e dos ensinamentos que este lhes transmite como diretrizes de vida.

Ao interrogá-los, Jesus deu a entender que eles deveriam se posicionar como observadores atentos. Esta é também a proposta da Doutrina Espírita quando, pela fé raciocinada, nos fornece seguros padrões de conhecimento impulsionadores da nossa melhoria espiritual, e nos concede também condições para avaliar o progresso adquirido, segundo a nossa posição evolutiva. Além disso, a fé raciocinada viabiliza condições para entender e respeitar o grau de progresso de cada criatura que nos compartilha a existência.

» *Quem dizem os homens ser o Filho do Homem?* (Mt 16:13).

Em outras palavras: "o que falam os homens relativamente à minha pessoa?" Ambas indagações indicam processo avaliativo que, partindo-se do exame global ou coletivo, se atinge o específico ou pessoal.

Em todos os instantes da vida encontramos pessoas que nos inquirem, buscando informações ou orientações. Nós mesmos, em inúmeras ocasiões, também nos questionamos. Embora o vasto conhecimento oferecido pela Doutrina Espírita, existem conceituações diferentes acerca de Jesus: há os que o ignoram e há os que o enxergam segundo as concepções do imediatismo humano. Entretanto, existem aqueles, que à semelhança de Pedro, lhe percebe a grandeza e a dimensão espiritual, atestadas nestas suas palavras: "Vós me chamais Mestre e Senhor e dizeis bem, porque eu o sou" (Jo 13:13).

"Filho do Homem" é expressão comum no Evangelho. Participando da ascendência divina como filho de Deus, Ele, como "Filho do Homem", mostra sua identificação com as faixas de aprendizado dos seres em evolução no orbe. O Filho do Homem é, portanto, o exemplo de perfeição que podemos aspirar. O homem por excelência que, amadurecendo seus potenciais, penetra nas linhas sutis de assimilação das revelações espirituais superiores. Trata-se de alguém ajustado à sintonia ideal do eterno Bem que, pela utilização dos conteúdos existentes no seu superconsciente, liga-se diretamente às fontes inesgotáveis da Vida Maior. É Espírito portador de evolução humana completa caracterizada pela angelitude. Dessa forma, "Filho do Homem" é aquele que nasce, cresce e se evidencia pela capacidade de transformação de si mesmo, sob a tutela amorável de Deus.

» *E eles disseram: Uns, João Batista; outros, Elias, e outros, Jeremias ou um dos profetas* (Mt 16:14).

Este texto evidencia que a ideia da reencarnação era corrente à época. Faltava, no entanto, um maior entendimento dos seus processos. Tal como acontece nos dias atuais, é significativo o número de pessoas que entende e aceita a ideia da reencarnação, mas nem sempre compreende os seus mecanismos.

A reencarnação fazia parte dos dogmas dos judeus, sob o nome de *ressurreição*. Só os saduceus, cuja crença era a de que tudo acaba com a morte, não acreditavam nisso. As ideias dos judeus sobre esse ponto, como sobre muitos outros, não eram claramente definidas, porque apenas tinham vagas e incompletas noções acerca da alma e de sua ligação com o corpo. Criam eles que o homem que vivera podia reviver, sem saberem precisamente de que maneira o fato poderia dar-se. Designavam pelo termo *ressurreição* o que o Espiritismo, mais judiciosamente, chama *reencarnação*. Com efeito, a *ressurreição* dá ideia de voltar à vida o corpo que já está morto, o que a Ciência demonstra ser materialmente impossível, sobretudo quando os elementos desse corpo já se acham desde muito tempo dispersos e absorvidos. A *reencarnação* é a volta da alma ou Espírito à vida corpórea, mas em outro corpo especialmente formado para ele e que nada tem de comum com o antigo. [...] Se, portanto, segundo a crença deles, João Batista é Elias, o corpo de João Batista não poderia ser o de Elias, pois que João fora visto criança e seus pais eram conhecidos. João, pois, podia ser Elias *reencarnado*, porém, não *ressuscitado*.[3]

O retorno do Espírito ao corpo, supostamente tido como morto — conhecido atualmente como *fenômeno de quase morte* — era denominado ressurreição. Há no Evangelho dois relatos que tratam da ressurreição: a história de Lázaro e a da filha de Jairo (respectivamente, Jo 11:1 a 46 e Lc 8:49 a 56). Nos dois casos, o Espírito já se encontrava em processo de desligamento físico, abeirando-se da morte, mas, por ainda existirem ligações perispirituais com o corpo físico, foi possível a Jesus impedir que se completasse a desencarnação.

» *Disse-lhes Ele: E vós, quem dizeis que eu sou? E Simão Pedro, respondendo, disse: Tu és o Cristo, o Filho do Deus vivo* (Mt 16:15 e 16).

Vimos no texto anterior que a multidão emite opiniões diversificadas a respeito de pessoas e acontecimentos, segundo o conhecimento que cada um possui. Relativamente, porém, a esta passagem evangélica a questão é outra. Na condição de seguidores próximos de Jesus e com Ele mais bem identificados, os discípulos deveriam estar aptos a refletir com maior clareza a efetiva posição espiritual do Mestre. Se antes, Jesus lhes testou o senso de observação quanto ao pensamento da multidão, agora revela a intenção de aferir-lhes o nível de conhecimento que possuíam a respeito dele, o Messias divino, e dos seus ensinamentos cristãos.

A resposta proferida por Pedro à indagação de Jesus é sublime, refletindo divina inspiração.

> Sim! O Cristo é bem o Messias divino. A sua palavra é bem a palavra da verdade, fundada na qual a religião se torna inabalável, mas sob a condição de praticar os sublimes ensinamentos que ela contém e não de fazer do Deus justo e bom, que nela reconhecemos, um Deus faccioso, vingativo e cruel.[2]

Iluminado por inspiração superior, Pedro age como médium perfeitamente associado às forças do bem quando reconhece, em Jesus, o Messias divino.

Jesus constitui o tipo da perfeição moral a que a humanidade pode aspirar na Terra. Deus no-lo oferece como o mais perfeito modelo e a doutrina que ensinou é a expressão mais pura da lei do Senhor, porque, sendo ele o mais puro de quantos têm aparecido na Terra, o Espírito divino o animava.[7]

Entretanto, será que a humanidade atual apresentaria uma resposta tão pronta como a que foi dada pelo apóstolo? Possivelmente não. Certas questões ainda pairam no ar sem soluções definitivas: quem é Jesus? Como compreendê-lo, efetivamente? Como cristãos — devemos admitir — ainda possuímos limitações relativas a estes assuntos, que se expressam na forma de dúvidas, atavismos ou preconceitos. A despeito de os espíritas serem portadores de relativo conhecimento espiritual e endossarem a orientação existente em O livro dos espíritos de que Jesus é guia e modelo da humanidade,[7] nem todos consideram esta questão com a devida profundidade. Presos a atavismos ou a ideias cristalizadas, oriundas de existências pretéritas, ainda cultivam uma moral periférica, de caráter utilitarista, que os mantém afastados do Cristo e dos seus ensinamentos.

Neste particular, a pergunta: "E vós, quem dizeis que eu sou?" Não obstante ser uma indagação formulada no plural, guarda, no tempo, uma resposta inteiramente individual. É necessário que, racional e afetivamente, aceitemos Jesus de forma transcendente. Estudando os seus ensinos, à luz do entendimento espírita, aprendemos a compreendê-lo sem misticismos, religiosidade perniciosa ou fanatismo, mas enxergando que o seu Evangelho é cartilha de vida.

> A vida moderna, com suas realidades brilhantes, vai ensinando às comunidades religiosas do Cristianismo que pregar é revelar a grandeza dos princípios de Jesus nas próprias ações diárias. O homem que se internou pelo território estranho dos discursos, sem atos correspondentes à elevação da palavra, expõe-se, cada vez mais, ao ridículo e à negação. [...] É nesse quadro obscuro do desenvolvimento intelectual da Terra que os aprendizes do Cristo são expoentes da filosofia edificante da renúncia e da bondade, revelando em suas obras isoladas a experiência divina daquele que preferiu a crucificação ao pacto com o mal.[10]

Coube a Simão Pedro, entre os demais discípulos, veicular a resposta do Alto, demonstrando, assim, a sua desenvolvida sensibilidade mediúnica: "Tu és o Cristo, Filho de Deus vivo" reflete elevada intuição. A resposta revela a sublimidade e a grandeza do Mestre. Por Ele, Jesus, a misericórdia e a majestade de Deus, se dinamizam no Filho, nos ajudando a compreender o Criador como Pai incansável e operante na extensão do universo.

A inspiração mediúnica de Pedro nos leva a ponderar quanto à necessidade de estarmos atentos às indagações que nos chegam, e, principalmente, em saber respondê-las de forma direta e objetiva. Recordemos que como candidatos ao esforço de renovação com o Cristo, seremos testados continuamente, convocados a dar o testemunho da nossa fidelidade aos princípios que acatamos como regra de vida, tal como ocorreu aos discípulos de Jesus.

» *E Jesus, respondendo, disse-lhe: Bem aventurado és tu, Simão Barjonas, porque não foi carne e sangue quem to revelou, mas meu Pai, que está nos céus* (Mt 16:17).

Simão Barjonas significa filho de Jonas. Assim falando, Jesus personifica o apóstolo em sua condição humana, genealógica, estabelecida nas linhas da reencarnação. Esclarece, porém, em seguida, que não foi a herança genética ("não foi carne nem sangue") que lhe concedeu condições para identificar o Messias divino, mas, sim, a sua percepção espiritual que extrapola a matéria. Pedro demonstra possuir uma soma de recursos psíquicos úteis ao acolhimento da orientação que veio do Alto. Por certo, percebera Jesus a sensibilidade do seu valoroso cooperador, felicitando-o pelo fato de ter o apóstolo reconhecido, em plena existência física, o Governador espiritual do orbe.

A frase: "porque não foi carne e sangue quem to revelou, mas meu Pai, que está nos céus", indica que somente quem atingiu este piso evolutivo consegue captar padrões de ordem transcendente. Entretanto, tais valores nos chegam continuamente do Alto, na forma de esclarecimentos e vibrações geradoras de segurança, equilíbrio e paz. Significa também dizer que a inspiração superior não está na dependência da "carne e sangue", mas nos mecanismos impalpáveis da intuição e outras percepções psíquicas.

O processo evolutivo desempenha, igualmente, o papel extraordinário de preparar a instrumentalidade humana para, no devido momento, poder assimilar com propriedade o conteúdo de ordem sublimada oriundo dos planos superiores da vida. Verificamos, então, que é na aprendizagem rotineira, desenvolvida, passo a passo, ao longo do caminho, que se enriquece a mente e fortalece o Espírito.

Importa considerar que Jesus emprega o singular na expressão "Mas meu Pai" referindo-se, obviamente, ao Criador supremo.

"Que está nos céus". Não se trata, aqui, do céu religioso, tradicional, dos compêndios espirituais da retaguarda, fundamentados em interpretações teológicas e dogmáticas. Urge compreender "céus" como um estado vibracional da alma, em sua feição positiva de amor. É óbvio, que esse território está fora dos limites estreitos da matéria, mas vinculado aos meandros profundos do superconsciente. "Céus" é palavra que diz respeito ao estado de bem-aventurança. Estado em que a "[...] suprema felicidade consiste no gozo de todos os esplendores da Criação, que nenhuma linguagem humana jamais poderia descrever, que a imaginação mais fecunda não poderia conceber."[1]

São "céus" que se expressam no que existe de bom, de belo, de equilibrado e de harmônico, na medida em que avançamos em conhecimento e moralidade, pelo trabalho incessante.

A verdadeira percepção de Deus e do reino dos Céus é atributo dos Espíritos crísticos, como Jesus.

> Os puros Espíritos são os messias ou mensageiros de Deus pela transmissão e execução das suas vontades. Preenchem as grandes missões, presidem à formação dos mundos e à harmonia geral do universo, tarefa gloriosa a que se não chega senão pela perfeição. Os [Espíritos] da ordem elevada são os únicos a possuírem os segredos de Deus, inspirando-se no seu pensamento, de que são diretos representantes.[1]

» *Pois também eu te digo que tu és Pedro e sobre esta pedra edificarei a minha igreja, e as portas do inferno não prevalecerão contra ela* (Mt 16:18).

O apóstolo Pedro, ao identificar Jesus como o Cristo (Messias ou Enviado) de Deus, simboliza, de um lado, o médium Simão, filho de Jonas, mas por outro faz emergir "Pedro", a nova personalidade que deverá alicerçar a edificação do templo de Deus vivo.

É importante destacar que a frase "tu és Pedro, e sobre esta pedra edificarei a minha igreja" reflete que a construção do Cristianismo não está assentada na pessoa de Simão Pedro, propriamente dita — como faz crer algumas interpretações religiosas cristãs —, mas na "pedra", no sentido de revelação ou de fundamento espiritual, que não se ergue da falibilidade dos conceitos humanos, mas da fé raciocinada, alicerce dos planos imortais da própria revelação de Jesus.

Dessa forma, a "[...] palavra de Jesus se torna a pedra angular, isto é, a pedra da consolidação do novo edifício da fé, erguido sob as ruínas do antigo."[5]

Sabemos que após a crucificação de Jesus, Pedro inicia, em Jerusalém, a missão de divulgar o Evangelho que lhe fora confiado pelo Senhor. Mais tarde, "[...] ao lado de Paulo em Roma, Pedro articula os trabalhos evangélicos que se desenvolviam na grande cidade trabalhando fielmente até cair vítima da perseguição."[8]

A palavra "igreja" citada na afirmativa: "edificarei a minha igreja", nada tem a ver com templos de pedra, nem com organização teológica. Traz o sentido de congregação dos ensinamentos do Cristo, interpretados em espírito e verdade, concretizados nas manifestações de amor ao próximo. A "igreja" de Jesus deve refletir a luz dos seus ensinamentos que cresce em eficiência, à medida que cada um se conscientize dos postulados do Evangelho e os coloque em prática.

O Espiritismo esclarece que a palavra *inferno* na frase: "E as portas do inferno não prevalecerão contra ela" tem o significado de ignorância, treva, erro ou conflito. Não devemos esquecer que, em qualquer situação, cedo ou tarde, a treva sempre é absorvida pela luz e que a verdade sempre sobrepuja a mentira. O desenvolvimento do Cristianismo, em sua simplicidade e pureza, amplia-se na atualidade, com o advento da Doutrina Espírita. Com isso, mais criaturas estão sendo retiradas do desespero e da revolta para as faixas do entendimento e da harmonia, fechando de vez as portas largas da desilusão, abertas há milênios.

» *E eu te darei as chaves do reino dos Céus, e tudo o que ligares na terra será ligado nos céus, e tudo o que desligares na terra será desligado nos céus* (Mt 16:19).

A Doutrina Espírita, em seu trabalho de cristianização de consciências, explica o simbolismo das "chaves", usualmente considerado no sentido literal e místico.

Destacamos o seguinte na análise do texto evangélico: a) o sujeito da oração está na primeira pessoa do singular ("Eu"), indicando que é Jesus quem nos fornece os meios de libertação do cativeiro moral em que teimamos em permanecer; b) o beneficiário está no singular ("te" ou "a ti"), revelando que o movimento dos seres no painel da grande renovação, proposto pelo Cristianismo, não pode estar na dependência de quem quer que seja. É de ordem pessoal, intrínseco e intransferível. Cada pessoa terá de exercitar o livre-arbítrio, realizando escolhas cada vez mais acertadas na medida que incorpora os ensinamentos de Jesus, revividos pelo Espiritismo; c) os instrumentos de libertação estão escritos no plural ("as chaves"), esclarecendo que "chaves" é um código que, ao ser desvendado, transforma propostas e cogitações de espiritualização humana em realidade tangível, sob os fundamentos da fé raciocinada; d) o verbo dar, indicativo de ação, está conjugado no futuro ("darei as chaves") revelando que, em decorrência do bom uso do livre-arbítrio, alguns Espíritos já conseguiram a liberdade aguardada; outros estão no processo, trabalhando para obtê-la; muitos, entretanto, terão sucesso mais à frente, nos tempos futuros.

O sucesso ou insucesso espiritual depende do uso adequado ou incorreto das "chaves" ou livre-arbítrio. A promessa do Cristo é atemporal, estará sempre disponível. Cabe exclusivamente a nós abrir as portas do entendimento, e alcançar a libertação por meio dos recursos seguros do Evangelho. O Espiritismo, na sua feição de Cristianismo redivivo, nos ensina como fazer escolhas corretas. O entendimento espírita orienta que Jesus "[...] espera que a verdade emancipe os homens; ensina que a justiça atribui a cada um pelas próprias obras e anuncia que o Criador será adorado, na Terra, em espírito. [...] Jesus, a porta. Kardec, a chave."[9]

"E tudo o que ligares na terra será ligado nos céus" se traduz como a criatura responsável que alcança o estágio de consciência iluminada. O ser esclarecido não tem como alegar desconhecimento dos fatos. Se por um lado a ignorância tem sido usada para atenuar certas ações humanas, o conhecimento confere, por outro, o atestado inarredável de responsabilidade. Sendo assim, os gravames e os atenuantes se refletem no futuro por força da lei de causa e efeito, uma vez que a "[...] Lei está escrita na consciência."[6]

"E tudo o que desligares na terra será desligado nos céus" tem outros significados, já que "ligar" e "desligar" se expressam como: o mal escraviza, prende, limita, reduz e degrada o ser humano; o bem liberta, expande, dinamiza, eleva o ser. A experiência de cada pessoa se efetiva na esteira de vinculações e desvinculações, com ressonâncias de paz ou de sofrimento, segundo a qualificação de que se reveste. Se a justiça se impõe à revelia do ser, o amor lhe concede a faculdade de "ligar" e "desligar" por meio de pensamentos, palavras e ações.

Somente quem se liga de maneira segura aos ideais que elege, às propostas elevadas que se delineiam para a sua vida, poderá obter forças para desligar-se e desvincular-se das dificuldades ou dos equívocos a que se jungiu no passado.

» *Então, mandou aos seus discípulos que a ninguém dissessem que Ele era o Cristo* (Mt 16:20).

Ao instruir que se guardasse sigilo quanto ao fato de ser Ele o Cristo, o Mestre evidenciou, mais uma vez, que só o amadurecimento e a iniciação espirituais poderiam favorecer o entendimento de que era o Messias aguardado. Revela maturidade espiritual quem sabe identificar o momento em que um fato ou informação devam ser divulgados. Imaginemos no caso do Cristo!

Havia um clima de contenda entre os discípulos resultante das características individuais e dos interesses de cada um. Mesmo entre os apóstolos, nem todos compreenderam, de imediato, a missão de Jesus e quais seriam as consequências do Evangelho nas comunidades judaicas e gentílicas. Era importante, pois, que o povo, sobretudo os sacerdotes, membros do Sinédrio e mandatários romanos ignorassem, naquele momento, quem de fato era Jesus.

Os acontecimentos não devem ser precipitados, como bem nos esclarecem os Eclesiastes:

Tudo tem o seu tempo determinado, e há tempo para todo o propósito debaixo do céu: há tempo de nascer e tempo de morrer; tempo de plantar e tempo de arrancar o que se plantou; tempo de matar e tempo de curar; tempo de derribar e tempo de edificar; tempo de chorar e tempo de rir; tempo de prantear e tempo de saltar; tempo de espalhar pedras e tempo de ajuntar pedras; tempo de abraçar e tempo de afastar-se de abraçar; tempo de buscar e tempo de perder; tempo de guardar e tempo de deitar fora; tempo de rasgar e tempo de coser; tempo de estar calado e tempo de falar; tempo de amar e tempo de aborrecer; tempo de guerra e tempo de paz (Ec 3:1-8).

Referências

1. KARDEC, Allan. *O céu e o inferno*. Tradução de Manuel Justiniano Quintão. 58. ed. Rio de Janeiro: FEB, 2005. Primeira parte, cap. 3, item 12, p. 34.

2. _____._____. Cap. 10, item 19, p. 154.

3. _____. *O evangelho segundo o espiritismo*. Tradução de Guillon Ribeiro. 124. ed. Rio de Janeiro: FEB, 2005. Cap. 4, item 4, p. 84.

4. _____._____. Cap. 14, item 4, p. 236.

5. _____. *A gênese*. Tradução de Guillon Ribeiro. 48. ed. Rio de Janeiro: FEB, 2005. Cap. 17, item 28, p. 379.

6. _____. *O livro dos espíritos*. Tradução de Guillon Ribeiro. 86 ed. Rio de Janeiro: FEB, 2005, questão 621, p. 307.

7. _____._____. Questão 625, p. 308.

8. RIGONATTI, Eliseu. *O evangelho dos humildes*. 15. ed. São Paulo: Pensamento-Cultrix, 2003. Item: A confissão de Pedro, p. 155.

9. XAVIER, Francisco Cândido; VIEIRA, Waldo. *Opinião espírita*. Pelos Espíritos Emmanuel e André Luiz. 4. ed. Uberaba: 1973. Cap. 2 (O mestre e o apóstolo – mensagem ditada por Emmanuel), p. 25.

10. XAVIER, Francisco Cândido. *Vinha de luz*. Pelo Espírito Emmanuel. 24. ed. Rio de Janeiro: FEB, 2006. Cap. 7 (Aos discípulos), p. 31-32.

Orientações ao monitor

Analisar de forma dinâmica o texto evangélico, destacando, ao final, os pontos citados nos objetivos deste Roteiro.

EADE – LIVRO II | MÓDULO II

ENSINOS DIRETOS DE JESUS

Roteiro 7

INSTRUÇÕES AOS DISCÍPULOS

Objetivos

» Fazer uma análise espírita das instruções dadas por Jesus aos seus discípulos.

Ideias principais

» Jesus instrui os doze apóstolos a iniciar a difusão do seu Evangelho entre os judeus afastados do Judaísmo, por insatisfação ou desilusão. Orienta-os a se manterem afastados dos samaritanos, considerados dissidentes do judaísmo, e dos gentios, politeístas por formação cultural.

» Esclarece-os também que, por onde passarem, devem curar os doentes do corpo e do espírito, de forma gratuita, agindo sem discussões e desentendimentos, mas, ao contrário, pregando o Evangelho e anunciando o advento do reino dos Céus num clima de paz e harmonia.

Subsídios

1. Texto evangélico

Jesus enviou estes doze e lhes ordenou dizendo: Não ireis pelo caminho das gentes, nem entrareis em cidade de samaritanos; mas ide, antes, às ovelhas perdidas da casa de Israel; e, indo, pregai, dizendo: É chegado o reino dos Céus. Curai os enfermos, limpai os leprosos, ressuscitai os mortos, expulsai os demônios; de graça recebestes, de graça dai. Não possuais ouro, nem prata, nem cobre, em vossos cintos; nem alforjes para o caminho, nem duas túnicas, nem sandálias, nem bordão, porque digno é o operário do seu alimento. E, em qualquer cidade ou aldeia em que entrardes, procurai saber quem nela seja digno e hospedai-vos aí até que vos retireis. E, quando entrardes nalguma casa, saudai-a; e, se a casa for digna, desça sobre ela a vossa paz; mas, se não for digna,- torne para vos a vossa paz. E, se ninguém vos receber, nem escutar as vossas palavras, saindo daquela casa ou cidade, sacudi o pó dos vossos pés (Mt 10:5-14).

2. Interpretação do texto evangélico

» *Jesus enviou estes doze, e lhes ordenou, dizendo: Não ireis pelo caminho das gentes, nem entrareis em cidade de samaritanos; mas ide, antes, às ovelhas perdidas da Casa de Israel* (Mt 10:5-6).

Na época de Jesus e em consequência das ideias acanhadas e materiais então em curso, tudo se circunscrevia e localizava. A Casa de Israel era um pequeno povo; os gentios eram outros pequenos povos circunvizinhos. Hoje, as ideias se universalizam e espiritualizam. A luz nova não constitui privilégio de nenhuma nação; para ela não existem barreiras, tem o seu foco em toda a parte e todos os homens são irmãos. Mas, também, os gentios já não são um povo, são apenas uma opinião com que se topa em toda parte e da qual a verdade triunfa pouco a pouco, como do Paganismo triunfou o Cristianismo. Já não são combatidos com armas de guerra, mas com a força da ideia.[5]

Considerando, porém, a época, vemos que as instruções de Jesus aos seus discípulos foram claras: procurar as ovelhas perdidas da Casa de Israel, evitando os povos gentílicos. Que motivo justificava essa orientação específica? A resposta é simples: os seus discípulos não possuíam condições para lidar com as diferentes interpretações religiosas existentes, uma vez que conheciam, apenas, os ensinamentos da lei judaica. Eles, os discípulos, deveriam focalizar suas pregações aos irmãos de raça.

Importa considerar também que Jesus, de certa forma estava submetendo os seus discípulos a um teste, treinando-os para as futuras lutas que haveriam de passar na difusão do Cristianismo.

> Durante algum tempo, os discípulos se dedicam ao aprendizado junto ao Mestre. Espíritos de alto progresso espiritual, fácil lhes fora assimilar as lições que Jesus lhes ministrava diariamente, não só pelas palavras, como também pelo exemplo. Fortificados pela fé que Jesus lhe acendera nos corações, estavam preparados para continuar a obra evangélica, que Jesus lhes confiaria.[6]

A missão dos doze apóstolos começa, pois, entre os próprios judeus, afastados do Judaísmo ("ovelhas perdidas da Casa de Israel"). O trabalho com os gentios ("as gentes") caberia, em especial, ao apóstolo Paulo de Tarso, em época posterior.

Importa refletir um pouco mais sobre o sentido, de "ovelhas perdidas da Casa de Israel", de "caminho das gentes" e "cidade dos samaritanos" citados no texto evangélico. As ovelhas perdidas eram os judeus afastados do judaísmo; os caminhos das gentes são as comunidades gentílicas; cidade dos samaritanos é a Samaria, capital do reino dissidente de Israel.

> Os israelitas eram, naturalmente, os indicados para primeiro receberem o Evangelho, dado ao longo preparo espiritual que a lei de Moisés os tinha submetido. Dirigindo-se a eles, os discípulos encontrariam um terreno propício à semeadura.[7]

A história nos relata que muitos judeus estavam insatisfeitos com os seus sacerdotes, marcadamente voltados para as práticas exteriores; com as intrigas religiosas existentes entre o clero e os membros do sinédrio; com a servidão a Roma e os acordos políticos. Dessa forma, mantinham-se afastados das sinagogas. Existiam também os judeus que já não se contentavam com as práticas do Judaísmo oficial, por julgá-las falsas, inadequadas ou sem sentido. Entre os últimos estavam os samaritanos, considerados dissidentes do Judaísmo.

Após o cisma das dez tribos, Samaria ["cidade dos samaritanos"] se constituiu a capital do reino dissidente de Israel. [...] Os samaritanos estiveram quase constantemente em guerra com os reis de Judá. Aversão profunda, datando da época da separação, perpetuou-se entre os dois povos, que evitavam todas as relações recíprocas.[1]

Além do mais, os samaritanos somente "[...] admitiam o Pentateuco, que continha a lei de Moisés, e rejeitavam todos os outros livros que a esse foram posteriormente anexados."[2]

Havia, assim, profunda divergência religiosa entre os judeus ortodoxos que os consideravam heréticos.[1]

O "caminho das gentes" representam, no texto evangélico, a comunidade dos povos gentílicos que viviam próximos aos judeus. Considerados pagãos, eram politeístas por formação cultural.

Em muitas circunstâncias, prova Jesus que suas vistas não se circunscrevem ao povo judeu, mas que abrangem a humanidade toda. Se, portanto, diz a seus apóstolos que não vão ter com os pagãos, não é que desdenhe da conversão deles, o que nada teria de caridoso; é que os judeus, que já acreditavam no Deus uno e esperavam o messias, estavam preparados, pela lei de Moisés e pelos profetas, a lhes acolherem a palavra. Com os pagãos, onde até mesmo a base faltava, estava tudo por fazer e os apóstolos não se achavam ainda bastante esclarecidos para tão pesada tarefa.[4]

Extrapolando o sentido literal do texto, podemos dizer que as "ovelhas perdidas da Casa de Israel" representavam as pessoas que, possuindo uma base de espiritualização, estavam perdidas porque não encontraram na religião que adotavam como norma de conduta, respostas às suas indagações íntimas e aos seus anseios de crescimento espiritual.

O "caminho das gentes" indica outro tipo de pessoas, situadas em oposição às "ovelhas perdidas da Casa de Israel": são os materialistas, descrentes por convicção ou por espírito de sistema. Encontram-se num estágio evolutivo onde as sensações da matéria lhes satisfazem o sentido e nada mais desejam. São pessoas que ainda não estão habilitadas à verdadeira transformação espiritual, por força do piso evolutivo em que se encontram. Entretanto, reconhecemos que entre estes podem surgir indivíduos decididos, dispostos a superar os limites impostos pela vida material.

A "cidade dos samaritanos" simboliza os discutidores religiosos, os dissidentes e os polêmicos. Vivem à parte, não se misturando com os que pensam de forma diferente. Entre eles, também, surgem os que impulsionam o progresso, que valorizam a união e a paz entre as criaturas.

> *E, indo, pregai, dizendo: É chegado o reino dos Céus. Curai os enfermos, limpai os leprosos, ressuscitai os mortos, expulsai os demônios; de graça recebestes, de graça dai. Não possuais ouro, nem prata, nem cobre, em vossos cintos; nem alforjes para o caminho, nem duas túnicas, nem sandálias, nem bordão, porque digno é o operário do seu alimento* (Mt 10:7-10).

Qualquer pregação tem o sentido de despertar, de atrair o interesse de quantos estão predispostos a ouvir. Com Jesus, a pregação manifesta-se, não só por palavras, mas principalmente pela irradiação de sua personalidade superior, e, sobretudo pelos exemplos que Ele soube ilustrar.

"Curai os enfermos, limpai os leprosos, ressuscitai os mortos, expulsai os demônios" revela o quadro de enfermidades existentes no mundo. Os imperativos "curai", "limpai", "ressuscitai" e "expulsai" indicam o tratamento que deve ser aplicado aos doentes, não esquecendo que a proposta de Jesus envolve, necessariamente, atendimento aos desajustados da alma e do corpo.

A capacidade de expulsar "demônios" começa com o esforço de assepsia mental, perseverante e paciente, da seleção dos próprios pensamentos. Lembramos, assim, a orientação de *O evangelho segundo o espiritismo*: "Reconhece-se o verdadeiro espírita pela sua transformação moral e pelos esforços que emprega para domar suas inclinações más".[3]

"De graça recebestes, de graça dai" indica que toda doação deve ser espontânea e sem exigência, não esperando qualquer tipo de recompensa ou agradecimento. Os condicionamentos aos padrões materiais do mundo nos fazem desejar receber algo em troca de benefícios concedidos, expressos sob a forma de valores amoedados ou mesmo de um simples "muito obrigado".

O Mestre desvincula o trabalho espiritual de qualquer recompensa, seja financeira, seja de outra espécie, quando afirma: "Não possuais ouro, nem prata, nem cobre, em vossos cintos". Os bens materiais são valores necessários ao contexto vivencial da humanidade, no plano físico. Por serem imprescindíveis, deles necessitamos. O que pesa, na verdade, é o apego e a forma de utilização desses bens.

O verbo "possuir" apresenta conotação especial na frase. Ouro, prata, cobre, alparcatas, túnicas etc., são, em determinados momentos, perfeitamente dispensáveis, quando a necessidade que se revela é de natureza essencialmente espiritual.

Registra o livro *Atos dos apóstolos*, 3:1-12, o episódio no qual Pedro e João são solicitados a auxiliar um coxo que, costumeiramente, era colocado na porta do templo para pedir esmola aos transeuntes. Consta que ao ver Pedro e João entrando no templo, o coxo lhes pediu uma esmola. Os apóstolos, porém, falaram ao necessitado que lhes olhassem nos olhos. Feita esta ligação, Pedro afirmou: "Não tenho prata nem ouro, mas o que tenho, isso te dou. Em nome de Jesus Cristo, o Nazareno, levanta-te e anda. E tomando-o pela mão direita, o levantou, e logo seus pés e tornozelos se firmaram. E, saltando ele, pôs-se em pé."

Percebe-se, na lição, que a mais importante necessidade do coxo era de natureza espiritual. Libertando-se daquele estado de limitação física pode, a partir daquele momento, cuidar da própria subsistência.

Existem, muitas vezes, preocupações exacerbadas, relacionadas ao suprimento de materiais em nossas tarefas. Entretanto, vem elas sendo atendidas, na medida do possível, sob o amparo superior. O suprimento material é necessário, mas o grande desafio é a presença de quem se dedica, com amor, sem o que a atividade se enfraquece.

"Nem alforjes para o caminho, nem duas túnicas, nem alparcatas, nem bordão", são ideias que simbolizam os suprimentos dos viajantes em trânsito de um lugar para outro. Estar vestido, calçado ou ter apoio estratégico ("bordão") é medida de prudência. Sem dúvida, necessitamos desses recursos, até pelo fato de estarmos integrados ao campo reencarnatório. Mas superestimar o ouro, a prata, o cobre ou investir em valores acima do que é justo e necessário é colocar em plano secundário o trabalho espiritual a ser desenvolvido.

"Porque digno é o operário do seu alimento" quer dizer que não se deve subtrair da prática do bem os recursos de subsistência material. O trabalhador ("operário") recebe o seu pagamento ("alimento") como consequência natural do seu labor. O serviço de caridade ao semelhante, porém, se opera no íntimo do coração e se expressa como um gesto de benevolência ao próximo. Tudo isso revela fundamentação sábia da matemática divina.

» *E, em qualquer cidade ou aldeia em que entrardes procurai saber quem nela seja digno, e hospedai-vos aí até que vos retireis. E, quando entrardes nalguma casa, saudai-a...* (Mt 10:11-12).

"E, em qualquer cidade ou aldeia", Jesus mostra que não devemos ter preferência ou preocupação quanto ao local onde o bem deva ser realizado, pois em todos os lugares existem Espíritos necessitados: nos ambientes pobres ou nos prósperos, em pequenas ou grandes localidades. Da mesma forma, quando estamos identificados com a mensagem do Cristo, somos convocados a agir sem discriminações, nos colocando à disposição do próximo, segundo as determinações do Alto.

A "cidade" é constituída por aglomeração humana de certa importância, localizada numa área geográfica circunscrita, organizada e com infraestrutura essencial à sobrevivência e às facilidades da vida de seus habitantes. "Aldeia" é uma povoação de pequenas proporções, rural, menor que uma vila. Em geral, é local onde há construções simples e econômicas. O texto evangélico não discrimina o tamanho ou a qualidade do local mas enfatiza a necessidade de nos mantermos filiados a pessoas dignas favorecendo, assim, a manutenção de plano vibratório elevado.

Se na dinamização e distribuição dos recursos espirituais somos convocados a sair de nós mesmos, na busca de solução e superação dos problemas que nos são inerentes, necessitamos, por outro lado, "entrar" território adentro da aldeia íntima, selecionando conceitos, pensamentos e tendências, sem prescindir da vigilância.

"Procurai saber quem nela seja digno", mostra que cabe a cada um a iniciativa de selecionar padrões morais que garantam sintonia elevada. Esta seleção não implica a busca por privilégios, mas a nossa identificação com quem favoreça a manutenção do processo educativo, uma vez que, na categoria de aprendizes, somos também portadores de numerosas fraquezas e imperfeições. Em qualquer situação de trato com os semelhantes ou no exame de suas ações, é imperioso distinguir o que é digno, porque digno será aquele que se afirma no bem.

A expressão "e hospedai-vos aí", implica a ideia de alojamento com infraestrutura mínima para se proteger das intempéries. Hospedar um viajante era um dever, um hábito existente na sociedade judaica, representando um ato de caridade. Implica igualmente em acomodar--se, estabelecer-se. Espiritualmente, expressa a permanência na pauta da cooperação. É, também, abrigar-se sob o teto dos pensamentos e atitudes dignas, com discernimento, perseverança e bom ânimo.

"Até que vos retireis" revela que a pessoa identificada com o Evangelho vive em constante dinâmica: auxiliando o próximo ou superando os problemas é lícito, imperioso mesmo, que procure novas experiências. Quando uma situação é resolvida, é preciso que se desligue dela, retendo apenas o aprendizado daí decorrente que, por sua vez, servirá de base para a vivência de novas experiências.

"E, quando entrardes nalguma casa, saudai-a" indica entrar em relação ou sintonia com alguém. A sintonia será tanto maior quanto maiores forem os laços de simpatia. A palavra "casa" tem dois sentidos: o de habitação ou abrigo material, local de vivência comum; e o de casa mental, residência íntima em que nos abrigamos, ininterruptamente, todas as horas do dia.

Estamos sempre entrando e saindo da casa mental das pessoas: durante uma simples conversa, numa palestra, num estudo; na permuta de vibrações, ideias e sentimentos.

O "saudai-a" implica felicitar, testemunhar respeito, louvar o que se nota de positivo, de criativo ou de edificante nas pessoas. A saudação indicada por Jesus, extrapola as convenções sociais porque utiliza os ingredientes do amor e do respeito. Esta saudação pode simbolizar um bálsamo que alivia dores; um esclarecimento que elucida ou um apaziguamento que estimula a concórdia.

É de bom alvitre que, ao entrar na casa material ou na mental de alguém, tenhamos "olhos de ver" e "ouvidos de ouvir". É preciso enxergar o que é bom e ouvir o que é útil. Adotar a discrição ou silêncio ante as vibrações inferiores, porventura ali reinantes, é atestar sabedoria.

» *E, se a casa for digna, desça sobre ela a vossa paz; mas, se não for digna, torne para vós a vossa paz. E, se ninguém vos receber, nem escutar as vossas palavras, saindo daquela casa ou cidade, sacudi o pó dos vossos pés* (Mt 10:13-14).

O conceito de dignidade nos padrões do Evangelho extrapola as convenções sociais e as aparências. Deixa de ser uma condição que toca o exterior, atingindo assim, a intimidade do ser.

"Desça sobre ela a vossa paz", na ação consequente da sintonia no bem, significa aquilo que desejamos para quem nos abriga ou nos auxilia. Há, neste sentido uma associação de vibrações, quando as ideias ou atitudes de uma pessoa encontram ressonância na outra. A paz não se traduz apenas como expressão de bons votos, ou de vibrações harmônicas, mas no trabalho efetivo e permanente da alegria de conviver.

"Mas, se não for digna", explica o cultivo de ideias inferiores ou indignas em nossa casa mental, mantendo-a refratária aos valores espirituais. Mesmo como espíritas, ainda vivemos sob o impacto de recaídas quando, invigilantes, alimentamos "indignidades" e introduzimos desarmonias no psiquismo próprio e alheio.

"Torne para vós a vossa paz." É da lei: a doação do bem produz recebimento do bem. Não existe na vida ganhos e perdas; há, sim, ação e reação, causa e efeito. As ações, boas ou más, voltam para nós, acrescidas das vibrações de natureza semelhante.

Ainda que bem-intencionados, não devemos menosprezar a ponderação no ato de ajudar, evitando nos guiar por impulsos ou emoções intempestivas. A ausência de esclarecimento e de controle emocional impõe restrições ao exercício da caridade. O benfeitor esclarecido sabe operar com humildade, sem exigências ou constrangimentos, garantindo, em quaisquer circunstâncias, a paz que cultiva nas bases do entendimento e da compreensão.

"E, se ninguém vos receber, nem escutar as vossas palavras...", mostra que nem todas as pessoas mantêm sintonia com as nossas ideias e atitudes. Não há motivos para atritos ou conflitos se alguém não nos recebe bem. A reencarnação explica os sentimentos de simpatia e antipatia existentes nos inter-relacionamentos humanos. Exercitemos a capacidade de fixar as lições que as pessoas nos trazem, detendo o que é bom.

"Saindo daquela casa ou cidade", revela que no terreno da comunicação humana atuam forças internas, irradiadas pelas próprias pessoas, e forças externas, provenientes do ambiente, bem como de outros personagens que se encontram fora do processo. Tais forças determinam as ações de atração e repulsão, aceitação ou rejeição de ideias e atitudes.

"Saindo da casa" implica, também, retirada física ou vibratória do ambiente. Isto é aconselhável quando as paixões são exacerbadas e existe o risco de conflitos desagregadores. Recuar e afastar, nesta situação, é medida de bom senso, ainda que se entenda que as melhores disposições de auxílio ou cooperação foram adiadas.

Há situações, porém, que o afastamento pode ser traduzido como "manter-se num compasso de espera". Nem sempre as pessoas revelam condições para absorver um ensinamento. É preciso, pois, dar tempo ao tempo, a exemplo de como faz Jesus: permanece nos aguardando há milênios até que a maturidade espiritual nos alcance e estejamos prontos a aceitar o seu jugo.

"Sacudi o pó dos vossos pés" significa não guardar mágoas nem ressentimentos. É esquecer todas as lembranças infelizes, agindo com bom ânimo, empregando energias construtivas no trabalho de todos os dias, evitando compromissos ou vinculações com o mal.

> Natural é o desejo de confiar a outrem as sementes da verdade e do bem, entretanto, se somos recebidos pela hostilidade do meio a que nos dirigimos, não é razoável nos mantenhamos em longas observações e apontamentos, que, ao invés de conduzir-nos a tarefa a êxito oportuno, estabelecem sombras e dificuldades em torno de nós.[8]
> Se alguém não reconheceu a tua boa vontade ou intenção, porque perder tempo com sentenças acusatórias? Tal atitude não soluciona problemas nem resolve conflitos. Ignoras, acaso, que o negador e o indiferente serão igualmente chamados pela morte do corpo à nossa pátria de origem? Encomenda-os a Jesus com amor e prossegue, em linha reta, buscando os teus sagrados objetivos. Há muito por fazer na edificação espiritual do mundo e de ti mesmo. Sacode, pois, as más impressões e marcha alegremente.[9]

Referências

1. KARDEC, Allan. *O evangelho segundo o espiritismo*. Tradução de Guillon Ribeiro. 124. ed. Rio de Janeiro: FEB, 2005. Introdução 3, p. 41.
2. _____._____. p. 41-42.
3. _____._____. Cap. 17, item 4, p. 276.
4. _____._____. Cap. 24, item 9, p. 349.
5. _____._____. Item 10, p. 350.
6. RIGONATTI, Eliseu. *O evangelho dos humildes*. 15. ed. São Paulo: Pensamento-Cultrix, item: Os doze e sua missão, p. 83.
7. _____._____. p. 84.
8. XAVIER, Francisco Cândido. *Pão nosso*. Pelo Espírito Emmanuel. 27. ed. Rio de Janeiro: FEB, 2006. Cap. 71 (Sacudir o pó), p. 157-158.
9. _____._____. p. 158.

Orientações ao monitor

Analisar de forma dinâmica o texto evangélico, favorecendo a participação de todos.

EADE LIVRO II | MÓDULO III

ENSINOS POR PARÁBOLAS

EADE – LIVRO II | MÓDULO III

ENSINOS POR PARÁBOLAS

Roteiro 1

O SEMEADOR

Objetivos

» Interpretar a Parábola do Semeador segundo o entendimento espírita.

Ideias principais

» A Parábola do Semeador, também conhecida como da semente, mostra que ninguém [...] *julgue fácil a aquisição de um título referente à elevação espiritual. O Mestre recorreu sabiamente aos símbolos vivos da natureza, favorecendo-nos a compreensão.* Emmanuel: *Caminho, verdade e vida.* Cap. 102.

» *A Parábola do Semeador exprime perfeitamente os matizes existentes na maneira de serem utilizados os ensinos do Evangelho.* Allan Kardec: *O evangelho segundo o espiritismo,* cap. XVII, item 6.

Subsídios

1. Texto evangélico

Tendo Jesus saído de casa naquele dia, estava assentado junto ao mar. E ajuntou-se muita gente ao pé dele, de sorte que, entrando num barco, se assentou; e toda a multidão estava em pé na praia. E falou-lhe de muitas coisas por parábolas, dizendo: Eis que o semeador saiu a semear. E, quando semeava, uma parte da semente caiu ao pé do caminho, e vieram as aves e comeram-na; e outra parte caiu em pedregais, onde não havia terra bastante, e logo nasceu, porque não tinha terra funda. Mas, vindo o sol, queimou-se e secou-se, porque não tinha raiz. E outra caiu entre espinhos, e os espinhos cresceram e sufocaram-na. E outra caiu em boa terra e deu fruto: um, a cem, outro, a sessenta, e outro, a trinta. Quem tem ouvidos para ouvir, que ouça (Mt 13:1-9).

A semente, citada no texto evangélico, retrata os ensinamentos de Jesus, contidos no seu Evangelho. Os diferentes locais onde a semente foi semeada simbolizam a diversidade evolutiva dos seres humanos. O semeador é Jesus, nosso orientador maior, guia e modelo da humanidade terrestre.

A Parábola do Semeador exprime perfeitamente os matizes existentes na maneira de serem utilizados os ensinos do Evangelho. Quantas pessoas há, com efeito, para as quais não passa ele de letra morta e que, como a semente caída sobre pedregulhos, nenhum fruto dá! Não menos justa aplicação encontra ela nas diferentes categorias espíritas.[1]

Neste sentido esclarece Emmanuel:

Jesus é o nosso caminho permanente para o divino Amor. Junto dele seguem, esperançosos, todos os Espíritos de boa vontade, aderentes sinceros ao roteiro santificador. Dessa via bendita e eterna procedem as sementes da Luz celestial para os homens comuns. Faz-se imprescindível muita observação das criaturas, para que o tesouro não lhes passe despercebido. A semente santificante virá sempre, entre as mais variadas circunstâncias.[4]

2. Interpretação do texto evangélico

» *Tendo Jesus saído de casa naquele dia, estava assentado junto ao mar* (Mt 13: 1).

A expressão: "Tendo Jesus saído de casa" revela a incansável dinâmica da forma dele agir (levantar-se, sair, dirigir-se, entrar, chegar etc.) e uma lição que nos alerta quanto ao imperativo do trabalho e da perseverança. Refletindo, vemos que o ato de "sair de casa" não se resume a mera rotina externa. Simboliza, também, a saída de nosso casulo mental, onde costumamos permanecer recolhidos, às vezes, por séculos, no culto do egocentrismo, e de onde necessitamos afastar-nos, sob novos fundamentos, para cultuar os legítimos valores de vida.

A outra informação do versículo, "estava assentado junto ao mar", revela o local onde Jesus se posicionou para atender a multidão necessitada. Este local pode ser entendido como o "mar das experiências humanas", ponto propício ao crescimento espiritual do ser humano.

A saída se deu "naquele dia", indicando que sempre surge o momento ou circunstância favorável à renovação individual. Tais ocorrências se manifestam nos acontecimentos corriqueiros, no dia a dia da existência, e representam bênçãos oferecidas pela Bondade superior, mas que dependem da capacidade de a pessoa "ver" e "ouvir" para saber aproveitá-las com êxito.

Assim, "tendo Jesus saído de casa naquele dia, estava assentado junto ao mar", nos revela um episódio perfeitamente natural na vida de um habitante de uma cidade próxima ao Tiberíades. O local — "junto ao mar" — indica, para os que ouvem o chamamento ao trabalho de realização espiritual, o ponto adequado para se viverem novas experiências. Jesus estava assentado junto ao mar, mantendo-se na posição tranquila que lhe caracterizava o Espírito, aguardando o instante de atender os Espíritos necessitados e encaminhá-los aos ajustes necessários, consoante a manifestação da lei de causa e efeito.

» *E ajuntou-se muita gente ao pé dele, de sorte que, entrando num barco, se assentou; e toda a multidão estava em pé na praia* (Mt 13:2).

Eis aqui um atestado fiel das ações de quem possui autoridade moral. Percebemos que todo coração que se lança ao esforço de renovação e trabalho efetivo no bem "ajunta" outros corações em torno de si, sem restrições de qualquer natureza. Dessa forma, a multidão, carente de segurança e amparo, aproxima-se de Jesus, atraída pela sua poderosa vibração de amor.

Da mesma forma, os princípios da caridade nos indicam que os laços de simpatia são importantes nas atividades de auxílio e cooperação com o Cristo. Sendo assim, é normal sejamos solicitados, buscados. Como a caridade extrapola qualquer horário para ser exercida, é imperioso manter o Espírito pulsando na cadência da doação, porque o amor, sustentáculo do universo, pulsa em ritmo de eternidade, onde quer que se manifeste. A Doutrina Espírita nos auxilia esclarecendo.

A vida, pródiga de sabedoria em toda parte, demonstra o princípio da cooperação, em todos os seus planos. [...] Cada criatura é peça significativa na engrenagem do progresso. Todos possuímos destacadas obrigações no aperfeiçoamento do Espírito. Alma sem trabalho digno é sombra de inércia no concerto da harmonia geral.[7]

Naturalmente, o magnetismo de Jesus tinha uma feição não apenas terapêutica, mas de alta ressonância no que diz respeito ao redirecionamento da vida de muitos corações sofredores, oferecendo-lhes diretrizes mais felizes e mais gratificantes na condução da própria existência.

A frase seguinte mostra que Jesus "se assentou, e toda a multidão estava em pé na praia". A multidão, pelo fato de estar em pé, define a sua disposição de aprender, de receber ou acolher as orientações vindas do Mestre: estava em pé, isto é, pronta, preparada para aprender com segurança.

» *E falou-lhe de muitas coisas por parábolas, dizendo: Eis que o semeador saiu a semear* (Mt 13:3).

A utilização de parábolas para ensinar indica que Jesus se encontrava perante uma multidão heterogênea, imbuída do desejo de crescer, mas ainda despreparada para absorver verdades espirituais em toda a sua plenitude. O ensino por parábolas lhes atendia as necessidades imediatas, preservando, porém, as orientações superiores, sem ocultá-las, as quais seriam utilizadas no futuro pelo Espírito, quando estivesse numa posição evolutiva melhor.

"Eis que o semeador saiu a semear" é expressão que encerra profundo magnetismo. Trata-se de um convite dirigido aos Espíritos abertos ao aprendizado, já que a mensagem do Cristo implica o lançamento de sementes nos diferentes "solos humanos", uma vez que o Evangelho de Jesus, assim como a Doutrina Espírita, trabalham sempre a "semente", raramente o "fruto".

O verbo sair implica significativa dinâmica operacional: semear sempre o Evangelho, independentemente dos solos e das circunstâncias, sem aguardar resultados dessa semeadura.

Para tanto, é preciso abrir as portas do coração e sair do casulo cristalizado das conveniências, alimentadas e realimentadas ao longo dos tempos.

» *E, quando semeava, uma parte da semente caiu ao pé do caminho, e vieram as aves e comeram-na* (Mt 13:4).

Este tipo de solo, ou local onde as sementes caíram, simbolizam as pessoas que permanecem à margem das orientações espirituais que lhes chegam durante a existência.

> Aqui vemos os indiferentes; achegam-se ao Evangelho, ouvem as lições e retiram-se; seus corações não sentem os ensinamentos e, por comodismo, acham mais fácil abandoná-los; são terrenos ainda não preparados para a semeadura.[2]

São pessoas que, alheias, "ouvem" falar do Evangelho, mas que se mantém indiferentes aos seus ensinos. Guardam, em si, a promessa de produzir quando as provações ou o conhecimento lhes marcarem a existência.

Independentemente do indiferentismo humano, o semeador continua na sua missão de semear, oferecendo oportunidades a todos os que estiverem dispostos a conhecer o Evangelho.

O texto fala que as sementes caídas ao pé do caminho serviram de alimento às aves. Não chegaram, pois, a germinar. Ou seja, as pessoas representadas pelo terreno situado à beira da estrada foram totalmente refratárias ao Evangelho. Representam, sem dúvida, os materialistas de todos os tempos.

Somente as reencarnações sucessivas associadas ao aprendizado desenvolvido no plano espiritual poderão reajustar os situados ao "pé do caminho" para as realidades espirituais e para a importância do Evangelho.

» *E outra parte caiu em pedregais, onde não havia terra bastante, e logo nasceu, porque não tinha terra funda. Mas, vindo o sol, queimou-se e secou-se, porque não tinha raiz* (Mt 13:5-6).

As pessoas representadas pelo terreno pedregoso se encontram numa situação melhor que as anteriores. As pedras indicam formações mentais cristalizadas ainda existentes em todos nós, Espíritos imperfeitos, mas que precisam ser removidas ou desfeitas, seja pelo conhecimento de verdades imortais seja pela melhoria moral, bênçãos concedidas pela bondade do pai Celestial. As pedras podem, também, ser vistas como condicionamentos ou reflexos dominantes da personalidade que se expressam sob a forma de interesses passageiros e superficiais, e que não cedem espaço a entendimentos mais profundos.

As pessoas simbolizadas pelo terreno pedregoso, são as entusiastas de primeiro momento que, ante os menores obstáculos que surgem no exercício do bem, não conseguem se manter fiéis aos ensinamentos de Jesus, deles se afastando.

O texto informa que as sementes foram semeadas "onde não havia terra bastante". Sabe-se que o terreno existente entre as formações rochosas milenares (pedras) é poroso e leve ("fofo"). São áreas que favorecem rápida germinação e morte das sementes, por lhes faltarem profundidade. Esses terrenos assemelham-se às pessoas que, de imediato, abrigam e desalojam boas intenções: são os pródigos que surgem em muitas frentes e não se mantêm ali; são pessoas que revelam emoções de periferia; são candidatos a todo tipo de cursos; são pessoas que aportam às reuniões com entusiasmo, mas que delas rapidamente se afastam; são companheiros de jornada que desistem ou desanimam ante os mais insignificantes obstáculos.

Percebe-se, pois, que não basta à semente germinar, é preciso que ela cresça e frutifique.

A sabedoria de Jesus acrescenta, em seguida: "e logo nasceu, porque não tinha terra funda, mas, vindo o sol, queimou-se. E secou-se, porque não tinha raiz". A "terra" das boas intenções se revela, muitas vezes, carente de persistência, não conseguindo sobreviver aos desafios da vida. Indica a personalidade dos que se mantêm nos interesses horizontais do conhecimento superficial, sem revelarem maior capacidade de aprofundamento.

O fato de "secar por não ter raiz" mostra que faltam ao terreno, além da terra, nutrientes e água, necessários à germinação e ao equilíbrio da semente. Trazendo este simbolismo para a nossa própria condição espiritual, percebemos que, se não existem raízes nas nossas manifestações de mudança para melhor, é natural que a sementeira fracasse ou que a transformação seja adiada.

> Quando nos reportamos ao problema da transformação espiritual, a comunidade dos discípulos do Evangelho concorda conosco, quanto a semelhante necessidade, mas nem todos demonstram perfeita compreensão do assunto. [...] A renovação indispensável não é a de plano exterior flutuante. Transformar-se-á o cristão devotado, não pelos sinais externos, e sim pelo entendimento, dotando a própria mente de nova luz, em novas concepções. Assim como qualquer trabalho

terrestre pede a sincera aplicação dos aprendizes que a ele se dedicam, o serviço de aprimoramento mental exige constância de esforço no bem e no conhecimento.⁶

Fica claro, assim, que toda disposição de melhoria, não se deve restringir às boas intenções, fáceis de serem dissolvidas nas lutas do cotidiano. É necessário que construamos uma boa base (com "terra funda") de conhecimento doutrinário que possa alimentar a nossa sincera vontade de melhorar, criando empecilhos ao desânimo e ao abandono do trabalho.

» *E outra caiu entre espinhos, e os espinhos cresceram e sufocaram-na* (Mt 13:7).

Os espinhos indicam outro tipo de solo onde as sementes foram semeadas. São viciações, más inclinações ou imperfeições que ainda abrigamos.

Devemos ter cuidado com esses espinhos, já que podem colocar em risco a boa produção da semeadura, além de sufocarem os mais valorosos projetos e as mais nobres intenções.

Temos aqui aqueles que ao ouvirem a palavra divina, comparam as coisas materiais com as espirituais e se decidem pelas materiais, por parecer-lhes um caminho mais fácil e mais cômodo; são almas de pequenino desenvolvimento espiritual, que se acomodam melhor nas facilidades que a matéria proporciona.³

Os espinhos representam, também, o egoísmo, a intolerância, a maledicência, o autoritarismo, o orgulho, a vaidade, o personalismo, entre tantos outros vícios, que criam obstáculos ao processo de evangelização da criatura humana.

» *E outra caiu em boa terra e deu fruto: um, a cem, outro, a sessenta, e outro, a trinta. Quem tem ouvidos para ouvir, que ouça* (Mt 13:8-9).

Quando o terreno está devidamente preparado, a produção está assegurada, num processo contínuo.

A "boa terra" representa a terra fértil que possui condições propícias à germinação da semente, ao surgimento e amadurecimento da planta, assim como a produção do fruto.

Os ensinamentos do Evangelho quando alcançam as pessoas simbolizadas pela "boa terra", são assimilados e difundidos, num processo natural. O terreno fértil produz uma lavoura de significativo valor caracterizada por frutos suculentos e nutritivos.

Entretanto, é importante considerar que nem todo terreno fértil produz igualmente: "E outra caiu em boa terra e deu fruto: um, a cem, outra a sessenta, e outro, a trinta." Esse trecho mostra que toda semente que encontra terreno qualificado pela bondade do Cristo produz incessantemente, por atestar a sua origem. "Outro a sessenta e outro a trinta" revela que o percentual de produção pode ser menor em uns, mas que não deixa de dar a sua resposta, sempre positiva. "Outro a trinta": nesta faixa se localizam aqueles que se posicionam no sublime momento do despertar para as realidades espirituais. Estão dispostos a oferecerem cotas, porém menores, no redirecionamento de sua existência, no plano das lutas evolutivas.

"Quem tem ouvidos para ouvir, ouça", é o alerta que nos informa ser preciso, não apenas escutar orientações, propriamente ditas, mas, aprender a identificar oportunidades de crescimento.

"Quem tem ouvidos para ouvir", não perde tempo com lamentações, gemidos ou clamores. Conhece as dificuldades que envolvem os que produzem bons frutos, mas não se detém: trabalha incessantemente, guiando-se pelas elevadas intuições que lhes inspiram os benfeitores espirituais, sem medos, pressas ou retardamentos. Palmilha o caminho da efetiva libertação, transformando-a em reservas de bom ânimo e encorajamento em bálsamos que aliviam as dores do próximo.

Os adeptos sinceros do Evangelho de Jesus são, assim, a "boa terra", inspirados nos ensinamentos da Boa-Nova, esforçam-se em vivenciá-los, sem medir sacrifícios.

Os quatro campos de semeadura, citados na parábola, simbolizam os diferentes tipos de mentalidade espiritual. A semente é o Evangelho de Jesus, entendido como roteiro de vida, mesmo quando chega até nós e não encontra a devida ressonância. Quando isto acontece, as sementes caídas às margens do caminho servem de alimento aos pássaros, porque os condicionamentos seculares — representados por valores fugidios e vinculados ao plano puramente material — falam mais alto. A segunda situação nos reporta à terra rasa, sem profundidade, que favorece a germinação da semente lançada, mas que não permite que se crie raiz devido à presença de pedras — que são as cristalizações de ideias e de comportamentos, heranças de experiências passadas. As sementes germinadas entre os espinhos, por sua vez, originaram o crescimento de uma frágil planta que logo morre sufocada. Os "espinhos" são os hábitos menos felizes, de feições acentuadamente transitórias. Um pensamento negativo ou a supervalorização de coisas materiais, por exemplo, podem crescer desordenadamente, abafando, por egoísmo ou comodismo, os valores imortais que nos chegam do Alto. A semente que cai no terreno fértil é a que foi semeada num coração mais amadurecido e receptivo ao Evangelho, disposto a acatar novos aprendizados e a renunciar às antigas e infelizes aquisições. Mesmo neste solo fértil, cada um produz de acordo com o seu piso evolutivo ou grau de adiantamento espiritual: uns produzem mais, outros produzem menos.

A propósito, elucida o esclarecido benfeitor espiritual Emmanuel:

> Se o terreno de teu coração vive ocupado por ervas daninhas e se já recebeste o princípio celeste, cultiva-o, com devotamento, abrigando-o nas leiras de tua alma. O verbo humano pode falhar, mas a Palavra do Senhor é imperecível. Aceita-a e cumpre-a, porque, se te furtas ao imperativo da vida eterna, cedo ou tarde o anjo da angústia te visitará o espírito, indicando-te novos rumos.[5]

Referências

1. KARDEC. Allan. *O evangelho segundo o espiritismo*. Tradução de Guillon Ribeiro. 124. ed. Rio de Janeiro: FEB, 2005. Cap. 17, item 6, p. 277.

2. RIGONATTI, Eliseu. *O evangelho dos humildes*. 16. ed. São Paulo: O Pensamento, 2004. Cap. 13 (A parábola do semeador), p. 131.

3. _____._____. p. 132.

4. XAVIER. Francisco Cândido. *Pão nosso*. Pelo Espírito Emmanuel. 27. ed. Rio de Janeiro: FEB, 2006. Cap. 25 (Nas estradas), p. 65.

5. _____._____. p. 66.

6. _____._____. Cap. 167 (Entendimento), p. 349-350.

7. _____. *Roteiro*. Pelo Espírito Emmanuel. 11. ed. Rio de Janeiro: FEB, 2004. Cap. 32 (Colaboração), p.135-136.

Orientações ao monitor

Interpretar, de forma dialogada, a Parábola do Semeador (Mt 13:1-9), constante deste roteiro, correlacionando-a com ideias referenciadas em obras de Emmanuel, Cairbar Schutel, Eliseu Rigonatti, Vinícius e outros.

EADE – LIVRO II | MÓDULO III

ENSINOS POR PARÁBOLAS

Roteiro 2

O BOM SAMARITANO

Objetivos

» Interpretar a Parábola do Bom Samaritano segundo o entendimento espírita.

Ideias principais

» A Parábola do Bom Samaritano é um exemplo de como se deve praticar a caridade.

» *Ser caridoso é ser profundamente humano e aquele que nega entendimento ao próximo pode inverter consideráveis fortunas no campo de assistência social [...], mas terá que iniciar, na primeira oportunidade, o aprendizado do amor cristão, para ser efetivamente* útil. Irmão X: *Lázaro redivivo*, cap. 19.

» A Parábola do Samaritano não [...] *considera, portanto, a caridade apenas como uma das condições para a salvação, mas como a condição* única. Allan Kardec: *O evangelho segundo o espiritismo*. Cap. XV, item 3.

Subsídios

1. Texto evangélico

E, respondendo Jesus, disse: Descia um homem de Jerusalém para Jericó, e caiu nas mãos dos salteadores, os quais o despojaram e, espancando-o, se retiraram, deixando-o meio morto. E, ocasionalmente, descia pelo mesmo caminho certo sacerdote; e, vendo-o, passou de largo. E, de igual modo, também um levita, chegando àquele lugar e vendo-o, passou de largo. Mas um samaritano que ia de viagem chegou ao pé dele e, vendo-o, moveu-se de íntima compaixão. E, aproximando-se, atou-lhe as feridas, aplicando-lhes azeite e vinho; e, pondo-o sobre a sua cavalgadura, levou-o para uma estalagem e cuidou dele. E, partindo ao outro dia, tirou dois dinheiros, e deu-os ao hospedeiro, e disse-lhe: Cuida dele, e tudo o que de mais gastares eu to pagarei, quando voltar (Lc 10:30-35).

A parábola do Bom Samaritano é um exemplo que ilustra a moral do Evangelho, fundamentada na prática da caridade.

> Toda a moral de Jesus se resume na caridade e na humildade, isto é, nas duas virtudes contrárias ao egoísmo e ao orgulho. Em todos os seus ensinos, Ele aponta essas duas virtudes como as que conduzem à eterna felicidade: Bem-aventurados, disse, os pobres de espírito, isto é, os humildes, porque deles é o reino dos Céus; bem-aventurados os que têm puro o coração; bem-aventurados os que são brandos e pacíficos; bem-aventurados os que são misericordiosos; amai o vosso próximo como a vós mesmos; fazei aos outros o que quereríeis vos fizessem; amai os vossos inimigos; perdoai as ofensas, se quiserdes ser perdoados; praticai o bem sem ostentação; julgai-vos a vós mesmos, antes de julgardes os outros. Humildade e caridade, eis o que não cessa de recomendar e o de que dá, Ele próprio, o exemplo. Orgulho e egoísmo, eis o que não se cansa de combater. E não se limita a recomendar a caridade; põe-na claramente e em termos explícitos como condição absoluta da felicidade futura.[3]

2. Interpretação do texto evangélico

» *E, respondendo Jesus, disse: Descia um homem de Jerusalém para Jericó, e caiu nas mãos dos salteadores, os quais o despojaram e, espancando-o, se retiraram, deixando-o meio morto* (Lc 10:30).

Jerusalém (do hebraico *urusalim* que significa "a fundação de Salém") é uma cidade bíblica espalhada entre dois montes (altitude média de 750 m), limitada ao sul e a oeste pelo vale do Enom e a leste pelo vale do Cedron, que a separa do Monte das Oliveiras. Jerusalém começou a ser habitada desde o terceiro milênio a.C. Depois da conquista do local pelos israelitas, Jerusalém foi ocupada pela tribo de Benjamin (uma das doze tribos de Israel) que, sob o comando do rei Davi, subjugou os habitantes nativos, formados por uma população racial heterogênea: os jebuseus, os amorreus e os hinitas. Davi transformou Jerusalém na capital independente das 12 tribos, fez dela um centro de tradição cultural e espiritual do Judaísmo, levando para lá a arca da aliança, a que todas as tribos prestavam vassalagem. O primeiro templo da religião judaica foi erguido nesta cidade por Salomão, em 960 a.C.

Jerusalém sofreu vários ataques de povos conquistadores, os mais importantes foram: o babilônico (587-586 a.C); o do Egito (guerra dos ptolomeus) e da Síria (guerra dos selêucitas), entre os anos 201, 199 e 198 a.C. Em 63 a.C. os romanos dominam a região e designam Herodes rei da Judeia, em 40 a.C.

Espiritualmente falando, Jerusalém é considerada a sede do Monoteísmo, simbolizando para o Judaísmo uma cidade santa, da mesma forma que Meca para os muçulmanos e Roma para os católicos. Nos dias atuais, Jerusalém é a capital de Israel e, também, para os palestinos, a capital do Estado Palestino. Esta situação representa um foco de contínuos conflitos religiosos e políticos, acerbado pelas ideologias fanáticas e extremistas ali existentes.[5]

Jericó (do hebraico *yareath* que significa "lua") situa-se a 12 km ao norte do Mar Morto, a oeste do vale do Jordão. Em termos de altitude, é uma das cidades mais baixas da Terra, localizando-se a 258 metros abaixo do nível o mar... Cidade muito antiga — com vestígios da presença de caçadores mesolíticos nove mil anos antes do Cristo —, sempre mereceu a atenção dos viajantes por ter um dos maiores oásis da região; pelas suas fontes de águas medicinais; pelos palácios construídos no período helenístico e à época de Herodes; pelo enorme aqueduto rodeado de palmeiras e pela beleza e luxo das moradias, erguidas por famílias ricas de Jerusalém.[4]

A rota de Jerusalém para Jericó, no passado e no presente, se caracteriza pela movimentação comercial. A parábola nos relata a história de um homem que viajando de Jerusalém para Jericó foi assaltado, espancado e deixado quase morto à beira da estrada. O episódio nos conduz a algumas reflexões, fundamentadas nas orientações espíritas.

Destaca-se, em primeiro lugar, a violência a que o viajante foi submetido, característica de um mundo de expiações e provas, onde o mal predomina.

> A Terra, conseguintemente, oferece um dos tipos de mundos expiatórios, cuja variedade é infinita, mas revelando todos, como caráter comum, o servirem de lugar de exílio para Espíritos rebeldes à lei de Deus. Esses Espíritos têm aí de lutar, ao mesmo tempo, com a perversidade dos homens e com a inclemência da natureza, duplo e árduo trabalho que simultaneamente desenvolve as qualidades do coração e as da inteligência.[2]

Uma via comercial, como a existente entre Jerusalém e Jericó, de intenso trânsito e movimentação de bens materiais, atrai a presença de trabalhadores honestos que com esforço e dedicação garantem a sua subsistência, quanto a permanência de pessoas inescrupulosas, descomprometidas com o bem, que não hesitam em prejudicar os desavisados que por ali transitam.

Na tentativa de retirar o "espírito da letra" entendemos, em segundo lugar, que a descida de Jerusalém para Jericó pode ser analisada noutro contexto. Indica a queda de um padrão vibratório mais elevado para um plano de vibrações inferiores, em decorrência da invigilância moral. Nesse processo de descida, podemos manter sintonia com entidades perturbadoras que, tomando de assalto a nossa casa íntima, rouba a nossa paz, nos fere profundamente e nos deixa quase mortos à margem da vida.

A descida de um padrão vibratório, de forma invigilante, sempre ocasiona prejuízos. Descer, porém, para auxiliar os que se encontram em planos vibracionais inferiores, é medida de auxílio ao próximo, desde que se concretize num plano harmônico e de entendimento. Sendo assim, aconselha Emmanuel:

Desce elevando aqueles que te comungam a convivência, para que a vida em torno suba igualmente de nível. [...] nesse sentido, não te esqueças do Mestre que desceu, até nós, revelando-nos como sublimar a existência. [...] Todavia, por descer, elevando quantos lhe não podiam compreender a refulgência da altura, é que se fez o caminho de nossa ascensão espiritual, a verdade de nosso gradativo aprimoramento e a vida de nossas vidas, a erguer-nos a alma entenebrecida no erro, para a vitória da luz.[12]

» *E, ocasionalmente, descia pelo mesmo caminho certo sacerdote; e, vendo-o, passou de largo. E, de igual modo, também um levita, chegando àquele lugar e vendo-o, passou de largo* (Lc 10: 31 a 32).

Apesar de ser detentor de vários recursos, o coração desse sacerdote se mantinha fechado à pratica da solidariedade, ensinada por todas as interpretações religiosas, cristãs e não cristãs. "Vendo-o" indica mera observação superficial, desinteresse de quem nada sente, porque não há sentimentos envolvidos.

O [...] sacerdote e o levita significam os padres das religiões que, em vez de tratarem dos interesses da coletividade, tratam dos interesses dogmáticos e do culto de suas igrejas [...].[6] É muito comum encontrarmos pessoas que se declaram cansadas de praticar o bem. Estejamos, contudo, convictos de que semelhantes alegações não procedem de fonte pura. [...] É indispensável muita prudência quando essa ou aquela circunstância nos induz a refletir nos males que nos assaltam, depois do bem que julgamos haver semeado ou nutrido. [...] Se nos entediarmos na prática do bem, semelhante desastre expressará em verdade que ainda nos não foi possível a emersão do mal de nós mesmos.[9]

Daí ser sempre atual a exortação de Paulo: "E vós, irmãos, não vos canseis de fazer o bem" (II Ts 3:13).

"Passar de largo" reflete ociosidade mental, enfatiza postura de quem está acostumado a cultivar o interesse pessoal e a indiferença para com as necessidades dos que sofrem. Cedo ou tarde, esta atitude repercutirá no íntimo do ser, gerando processos de culpa.

Quando fugimos ao dever, precipitamo-nos no sentimento de culpa, do qual se origina o remorso, com múltiplas manifestações, impondo-nos brechas de sombra aos tecidos sutis da alma.[10]

É nesse estado negativo que, martelados pelas vibrações de sentimentos e pensamentos doentios, atingimos o desequilíbrio parcial ou total da harmonia orgânica, enredando corpo e alma nas teias da enfermidade [...]. Cair em culpa demanda, por isso mesmo, humildade viva para o reajustamento tão imediato quanto possível de nosso equilíbrio vibratório, se não desejamos o ingresso inquietante na escola das longas reparações.[11]

» *Mas um samaritano que ia de viagem chegou ao pé dele e, vendo-o, moveu-se de íntima compaixão. E, aproximando-se, atou-lhe as feridas, aplicando-lhes azeite e vinho; e, pondo-o sobre a sua cavalgadura, levou-o para uma estalagem e cuidou dele. E, partindo ao outro dia, tirou dois dinheiros, e deu-os ao hospedeiro, e disse-lhe: Cuida dele, e tudo o que de mais gastares eu to pagarei, quando voltar* (Lc 10:33-35).

Os samaritanos eram os habitantes da Samaria que, após a separação das tribos de Israel, se tornou a capital do reino dissidente.

Os samaritanos estiveram quase que constantemente em guerra com os reis de Judá [que tinham em Jerusalém sua sede]. Aversão profunda, datando da época da separação, perpetuou-se entre os dois povos, que evitavam todas as relações recíprocas. Aqueles, para tornarem maior a cisão e não terem de vir a Jerusalém pela celebração das festas religiosas, construíram para si um templo particular e adotaram algumas reformas. Somente admitiam o Pentateuco, que continha a lei de Moisés, e rejeitavam todos os outros livros que a esse foram posteriormente anexados. Seus livros sagrados eram escritos em caracteres hebraicos da mais alta antiguidade. Para os judeus ortodoxos, eles eram heréticos e, portanto, desprezados, anatematizados e perseguidos.[1]

Na verdade, os samaritanos representavam o grupo conservador dentro da religião judaica; a Samaria pode ser entendida como um símbolo de transição entre o Judaísmo, os gentílicos e o Cristianismo.

É importante considerar porque Jesus escolheu o samaritano como um exemplo da verdadeira prática da caridade, sendo os habitantes da Samaria desprezados e mantidos à distância pelos demais judeus.

Pelo fato de os samaritanos representarem uma minoria, que interpretavam de forma diferente os livros básicos do Judaísmo, e terem práticas religiosas que contrariavam as orientações existentes no templo de Salomão, em Jerusalém, não implicam que eram pessoas más. Ao contrário, as citações evangélicas e as constantes de *Atos dos apóstolos*, indicam que Jesus e seus apóstolos os consideravam pessoas de bem.

Talvez pelo fato de serem tão desprezados pelos seus irmãos de raça, tivessem os samaritanos desenvolvido uma vigilância maior, relativamente ao comportamento e conduta de vida. Entretanto, algo se destaca quando o bom samaritano vê a pessoa ferida, quase morta, caída no caminho. Esse "algo" é o sentimento de compaixão que ele sentiu pelo ferido.

Jesus nos mostra, assim, que a verdadeira caridade só é praticada quando nos compadecemos dos que sofrem. Todos os benefícios que o samaritano produziu ao ferido (atar-lhe as feridas, levá-lo a uma hospedaria e garantir-lhe cuidados suplementares para o restabelecimento da saúde) foram gestos de bondade, desencadeados pela compaixão.

O Espírito Irmão X nos transmite informações sobre os personagens dessa parábola.

> Segundo aprendi, o homem que descia de Jerusalém para Jericó, no episódio do bom samaritano, ao cair em poder dos ladrões, que o deixaram semimorto, apelou, em prece muda, para a bondade de Deus. Compadecido, o Todo-misericordioso expediu, sem detença, um mensageiro, que naturalmente carecia de instrumento humano a fim de expressar-se. O preposto da Providência, colocou-se ao lado da vítima, aguardando, ansiosamente, a chegada de alguém que se dispusesse a colaborar com ele no piedoso mister. Justamente um sacerdote de grande ciência nas Escrituras, educado nos princípios do amor a Deus sobre todas as coisas e ao próximo como a si mesmo, foi o primeiro a aproximar-se... O encarregado da bênção tentou induzi-lo à benevolência; todavia, o titular da Fé, receando atrapalhações, tratou de estugar o passo e seguiu adiante. Logo em seguida, um levita, igualmente culto, apareceu no sítio e o benfeitor das alturas rogou-lhe cooperação, debalde, porque o zelador da Lei, temendo complicar-se, negou-se a considerar o pedido mental, afastando-se, rápido. Mas um samaritano desconhecido, que viajava sem qualquer rótulo que lhe honorificasse a presença, ao passar ali assinalou no coração a rogativa que o Emissário divino lhe endereçava e, deixando-se tomar por súbita compaixão, passou junto dele ao trabalho da assistência imediata. Limpou o infeliz, estancou-lhe o sangue das feridas e, logo após, acomodando-o no cavalo, conduziu-o a uma hospedaria e cuidou dele. No dia seguinte, desembolsou o dinheiro necessário, pagou-lhe a

estalagem e, antes de partir, responsabilizou-se, de modo espontâneo, por todas as despesas que viessem a ocorrer no tratamento exigido, correspondendo, eficientemente, à expectativa do enviado que viera praticar a beneficência em nome de Deus...[7]

Percebemos, na parábola, que o samaritano agiu com critério e bom senso quando atendeu o homem ferido, caído à beira da estrada.

Vemos que a bondade do atendimento não dispensou o conhecimento ou maneira correta de agir. Primeiro prestou os cuidados emergenciais ao doente, limpando e fazendo a assepsia das feridas pela utilização dos recursos disponíveis (vinho e azeite); segundo improvisou um transporte (o cavalo), já que o doente estava incapacitado de andar; terceiro levou-o para uma estalagem onde recebeu alimento e o conforto de um leito, afastando-o das intempéries; quarto cuidou do ferido, auxiliando-o na recuperação da saúde; quinto, e por último, garantiu a continuidade do atendimento, fazendo um adiantamento monetário ao hospedeiro e assumindo uma dívida, se mais recursos financeiros fossem despendidos.

Há, pois uma nítida preocupação do bom samaritano: de que o doente se recupere integralmente, cuidando dele diretamente ou, à distância, por intermédio do hospedeiro. Este é um exemplo de como se pode descer aos planos vibratórios onde a dor reside, sem que ocorra prejuízos de qualquer natureza.

Descer, a serviço do bem é programa de aprendizado e de trabalho. Os benfeitores espirituais fazem isso frequentemente. Saem de suas esferas superiores e descem à Jericó dos nossos corações, ainda presos aos interesses transitórios do mundo.

Nem sempre é possível ajudar na posição em que nos encontramos, daí ser necessário descer aos locais de sofrimento maior, dos desequilíbrios mais intensos, a fim de cooperar com eficiência. Aliás, o processo evolutivo se dá pela subida, caracterizada pela apreensão de conhecimento e, também pela descida aos núcleos de necessidade e dor, a fim de que sejam operacionalizadas as propostas de amor que já visitam o nosso entendimento.

Compreendemos, assim, que, se o papel do samaritano é digno de ser imitado; se o homem caído aprendeu com sua própria queda; se o levita e o sacerdote ainda terão que evoluir nas reencarnações sucessivas, o hospedeiro é alguém que presta ou disponibiliza o seu serviço, ainda que remunerado. Mas nem por isto sem méritos porque o plano de aprendizagem e melhoria espiritual se dá, também, na intimidade de nossa atuação profissional.

A Parábola do Bom Samaritano é lição preciosa que merece ser refletida e aplicada no dia a dia.

> Em todos os tempos, há exércitos de criaturas que ensinam a caridade; todavia, poucas pessoas praticam-na verdadeiramente.[...] É por isso que a caridade, antes de tudo, pede compreensão. Não basta entregar os haveres ao primeiro mendigo que surja à porta, para significar a posse da virtude sublime. É preciso entender-lhe a necessidade e ampará-lo com amor. Desembaraçar-se dos aflitos, oferecendo-lhes o supérfluo, é livrar-se dos necessitados, de maneira elegante, com absoluta ausência de iluminação espiritual. A caridade é muito maior que a esmola. Ser caridoso é ser profundamente humano e aquele que nega entendimento ao próximo pode inverter consideráveis fortunas no campo de assistência social, transformar-se em benfeitor dos famintos, mas terá que iniciar, na primeira oportunidade, o aprendizado do amor cristão, para ser efetivamente útil. [8]

Referências

1. KARDEC. Allan. *O evangelho segundo o espiritismo*. Tradução de Guillon Ribeiro. 124. ed. Rio de Janeiro: FEB, 2005. Introdução, item: Samaritanos, p. 41.

2. _____._____. Cap. 3, item 15, p. 78-79.

3. _____._____. Cap. 15, item 3, p. 246-247.

4. METZGER, Bruce M e COOGAN, Michael D. (orgs). *Dicionário da bíblia*. Tradução de Maria Luiza X. e A. Borges. Rio de Janeiro: Jorge Zahar, 2002, vol 1 (As pessoas e os lugares). Verbete: Jericó, p. 130-131.

5. _____._____. Verbete: Jerusalém, p. 131-135.

6. SCHUTEL, Cairbar. *Parábolas e ensinos de Jesus*. 20. ed. Matão: O clarim, 2000. Item: Parábola do bom samaritano, p. 105.

7. XAVIER. Francisco Cândido. *Cartas e crônicas*. Pelo Espírito Irmão X. 10. ed. Rio de Janeiro: FEB, 2002. Cap. 15 (Auxílio do senhor), p. 70-71.

8. _____. *Lázaro redivivo*. Pelo Espírito Irmão X. 11. ed. Rio de Janeiro: FEB, 2005. Cap. 19 (Caridade), p. 95-97.

9. _____. *Pão nosso*. Pelo Espírito Emmanuel. 27. ed. Rio de Janeiro: FEB, 2006. Cap. 11 (O bem é incansável), p. 37-38.

10. _____. *Pensamento e vida*. Pelo Espírito Emmanuel. 15. ed. Rio de Janeiro: FEB, 2005. Cap. 22 (Culpa), p. 103.

11. ____.____. p. 105-106.

12. ____. *Religião dos espíritos*. Pelo Espírito Emmanuel. 18. ed. Rio de Janeiro: FEB, 2006. Cap. Desce elevando, p. 71-72.

Orientações ao monitor

Proporcionar ampla reflexão sobre a Parábola do Bom Samaritano, se necessário estudando-a em duas reuniões. Utilizar as lições existentes em *O evangelho segundo o espiritismo*, capítulo XVII, item 3 (O homem de bem) e no livro *O espírito da verdade*, psicografia de Francisco Cândido Xavier e Waldo Vieira, edição FEB, item 86 (Os novos samaritanos), mensagem de Eurípedes Barsanulfo.

EADE – LIVRO II | MÓDULO III

ENSINOS POR PARÁBOLAS

Roteiro 3

A REDE

Objetivos

» Interpretar a Parábola da Rede, segundo o entendimento espírita.

Ideias principais

» A Parábola da Rede nos fala do momento de mudanças que a humanidade terrestre deverá passar, decorrentes da lei de progresso. Ocorrerá, então, uma significativa transformação moral.

> *É o fim do mundo velho, com suas confusões, suas discórdias, seus convencionalismos, suas iniquidades sociais, seus ódios, suas lutas armadas, e o advento de um mundo novo, sob a égide da verdade, do bom entendimento, da lisura de caráter, da equidade, do amor, da paz e da fraternidade universal.* Rodolfo Calligaris: *Parábolas evangélicas*, p. 25-26.

Subsídios

1. Texto evangélico

Igualmente, o reino dos Céus é semelhante a uma rede lançada ao mar e que apanha toda qualidade de peixes. E, estando cheia, a puxam para a praia e, assentando-se, apanham para os cestos os bons; os ruins, porém, lançam fora. Assim será na consumação dos séculos: virão os anjos e separarão os maus dentre os justos. E lançá-los-ão na fornalha de fogo; ali, haverá pranto e ranger de dentes (Mt 13:47-50).

A Parábola da Rede nos fala do momento de transformação que a humanidade terrestre deverá passar.

> Significa, [...], o fim deste ciclo evolutivo da humanidade terrena, com o desaparecimento de todos os seus usos, costumes e instituições contrários à moral e à justiça.[4]
>
> A humanidade tem realizado, até o presente incontáveis progressos. Os homens, com a sua inteligência, chegaram a resultados que jamais haviam alcançado, sob o ponto de vista das ciências, das artes e do bem-estar material. Resta-lhes ainda um imenso progresso a realizar: o de fazerem que entre si reinem a caridade, a fraternidade, a solidariedade, que lhes assegurem o bem-estar moral. Não poderiam consegui-lo nem com as suas crenças, nem com as suas instituições antiquadas, restos de outra idade, boas para certa época, suficientes para um estado transitório, mas que, havendo dado tudo o que comportavam, seriam hoje um entrave. Já não é somente de desenvolver a inteligência o de que os homens necessitam, mas de elevar o sentimento e, para isso, faz-se preciso destruir tudo o que superexcite neles o egoísmo e o orgulho.[3]

2. Interpretação do texto evangélico

» *Igualmente, o reino dos Céus é semelhante a uma rede lançada ao mar e que apanha toda qualidade de peixes* (Mt 13:47).

A expressão *reino dos Céus*, muito usada por Jesus em suas lições, têm dois sentidos: o sentido *objetivo* e o sentido *subjetivo*. Quando usada objetivamente designa o mundo exterior, isto é, o universo, do qual a Terra faz parte e onde habitamos. Reserva-se, então, a denominação *reino dos Céus* para os lugares felizes do universo, que são os mundos regenerados, os felizes e os divinos. [...] Tomada no sentido *subjetivo*, a expressão *reino dos Céus* designa a tranquilidade de consciência, a paz interior, a felicidade íntima, a suavidade no coração, a calma interna, a fé viva em Deus, tudo isso originado da perfeita compreensão das leis divinas e de completa submissão à vontade do Senhor.[6]

O religioso tradicional costuma ver "céus" como um lugar específico, a ser conquistado após a morte, de acordo com a sua conduta moral durante a existência física. Para nós, espíritas, abre-se uma nova concepção: o "reino dos Céus" é um estado de alma, reflexo da soma de caracteres positivos que já detemos e operacionalizamos na existência.

Na parábola, o reino dos Céus é comparado a uma rede. Não se trata, porém, de uma rede enrolada e encostada à margem, sem utilidade. Mas de um instrumento em perfeita condição de uso, que é lançado ao mar com técnica e sabedoria. "Lançar" envolve trabalho meticuloso, operação inteligente e bem direcionada. Neste sentido, a rede deve estar sempre pronta e bem cuidada, apta para o trabalho.

> A rede representa a lei de amor, inscrita por Deus em todas as consciências, e os peixes de toda a espécie apanhados por ela são os homens de todas as raças e de todos os credos, que serão jugados de acordo com as suas obras.[5]

De um lado está a rede a ser lançada do barco e, do outro, o mar, precioso celeiro de onde podem emergir elementos valiosos. O barco é a nossa posição perante a vida.

A lei de amor, aqui representada pela rede, nos oferece, em qualquer situação e época, os instrumentos necessários para navegarmos no "mar da vida" com segurança. Tais instrumentos são: a inteligência, a saúde, a palavra, os recursos financeiros, o aprendizado, a família, os amigos, o apoio religioso etc. São elementos que se bem aproveitados e aplicados, poderão suprir o nosso Espírito, concedendo-nos sustentação para ascender a novos patamares de progresso. A rede é "lançada" num plano onde vige a heterogeneidade; num mundo que, além de escola é, também, fonte inesgotável de recursos, onde se pode capturar auxílio de toda natureza.

A arte da convivência pacífica demonstra que é importante saber qual é a condição espiritual das pessoas que nos são apresentadas, trazidas ao nosso barco existencial. Dentre elas, encontramos as de caráter digno, ilibado. Outras, mais despreparadas, ainda estão presas aos interesses materiais. Algumas, entretanto, já se identificam com os processos de melhoria espiritual. É lógico que todos os que compartilham, direta e indiretamente, a jornada de nossa vida, devem merecer compreensão e serem vistos como irmãos. Devemos estar sempre atentos ao que cada pessoa tem a nos oferecer.

Entretanto, ainda que guiados pelos valores da moralidade e do conhecimento, temos a liberdade para agir, fato que define a nossa conduta perante a sociedade. O correto é seguir as diretrizes do bem, realizando escolhas acertadas, observando com atenção as pessoas e os acontecimentos, como nos orienta Emmanuel.

> Observa em derredor de ti e reconhecerás onde, como e quando Deus te chama em silêncio a colaborar com ele, seja no desenvolvimento das boas obras, na sustentação da paciência, na intervenção caridosa em assuntos inquietantes para que o mal não interrompa a construção do bem, na palavra iluminativa ou na seara do conhecimento superior, habitualmente ameaçada pelo assalto das trevas. Sem dúvida, em lugar algum e em tempo algum, nada conseguiremos, na essência, planejar, organizar, conduzir, instituir ou fazer sem Deus; no entanto, em atividade alguma não nos é lícito olvidar que Deus igualmente espera por nós.[7]

» *E, estando cheia, a puxam para a praia e, assentando-se, apanham para os cestos os bons; os ruins, porém, lançam fora* (Mt 13:48).

Uma vez arregimentados os valores evolutivos dessa pesca simbólica, a rede é puxada a fim de dar início ao esforço seletivo. Isto é fato rotineiro no encaminhamento da existência. A cada momento fazemos nossas escolhas, operando nas mais variadas frentes, pela seleção de companhias, situações, interesses e desejos. Em consequência, nos deparamos sempre com os resultados do uso do livre-arbítrio: positivos ou negativos.

Os pontos positivos são vitórias espirituais que nos fazem ascender a mais um degrau na escada evolutiva. Os resultados negativos serão "lançados fora", no mar da existência, para que ocorram as devidas retificações, no momento apropriado, determinado pela lei de causa e efeito.

Essa é uma contextualização da parábola no plano individual. Entretanto, o processo de seleção — simbolizado na triagem dos peixes bons e ruins que o texto evangélico especifica — pode ser aplicado às transformações que, coletivamente acontecem na humanidade.

> Fisicamente, o globo terráqueo há experimentado transformações que a Ciência tem comprovado e que o tornaram sucessivamente habitável por seres cada vez mais aperfeiçoados. Moralmente, a humanidade progride pelo desenvolvimento da inteligência, do senso moral e do abrandamento dos costumes. [...] De duas maneiras se executa esse duplo progresso: uma lenta, gradual e insensível; a outra, caracterizada por mudanças bruscas, a cada uma das quais corresponde um movimento ascensional mais rápido, que assinala, mediante impressões bem acentuadas, os períodos progressivos da humanidade. Esses movimentos, subordinados, *quanto às particularidades*, ao livre-arbítrio dos homens, são, de certo modo, fatais em seu conjunto [...].[2]

As convulsões físicas e morais que presentemente assolam o planeta são indicativas da existência de um estado de transição que a humanidade passa. É preciso, pois, muita prudência no agir, uma vez que "as redes" do Evangelho foram lançadas há tempo. Se nos mantivermos fiéis aos ensinamentos do Cristo, agora esclarecidos pela Doutrina Espírita, não há razão de temermos os acontecimentos futuros: o bem prevalecerá na Terra.

A propósito, Jesus nos orienta: "Pedi e dar-se-vos-á; buscai, e achareis; batei, e abrir-se-vos-á" (Lc 11:9). Emmanuel, por sua vez, analisando esta orientação de Jesus esclarece:

> Pedi, buscai, batei... Estes três imperativos da recomendação de Jesus não foram enunciados sem um sentido especial. No emaranhado de lutas e débitos da experiência terrestre, é imprescindível que o homem aprenda a pedir caminhos de libertação da antiga cadeia de convenções sufocantes, preconceitos estéreis, dedicações vazias e hábitos cristalizados. É necessário desejar com força e decisão a saída do escuro cipoal em que a maioria das criaturas perdeu a visão dos interesses eternos. Logo após, é imprescindível buscar. A procura constitui-se de esforço seletivo. O campo jaz repleto de solicitações inferiores, algumas delas recamadas de sugestões brilhantes. É indispensável localizar a ação digna e santificadora [...]. É imperativo aprender a buscar o bem legítimo. Estabelecido o roteiro edificante, é chegado

o momento de bater à porta da edificação; sem o martelo do esforço metódico e sem o buril da boa vontade, é muito difícil transformar os recursos da vida carnal em obras luminosas de arte divina, com vistas à felicidade espiritual e ao amor eterno.⁸

» *Assim será na consumação dos séculos: virão os anjos e separarão os maus dentre os justos* (Mt 13:49).

À primeira vista, este versículo sugere que estamos destinados a aguardar o momento da consumação ou julgamento final, sempre de sentido punitivo. Mas a "consumação dos séculos" é um fato de natureza evolutiva.

Significa, apenas, o fim de um período e início do outro, marcados pelas inevitáveis transições.

Tendo que reinar na Terra o bem, necessário é sejam dela excluídos os Espíritos endurecidos no mal e que possam acarretar-lhe perturbações. Deus permitiu que eles aí permanecessem o tempo que precisavam para se melhorarem; mas, chegado o momento em que, pelo progresso moral de seus habitantes, o globo terráqueo tem de ascender na hierarquia dos mundos, interdito será ele, como morada, a encarnados e desencarnados que não hajam aproveitado os ensinamentos que uns e outros se achavam em condições de aí receber. Serão exilados para mundos inferiores, como o foram outrora para a Terra os da raça adâmica, vindo substituí-los Espíritos melhores.¹

Jesus, como governador do Planeta, presidirá essas transformações, auxiliado pelos seus servidores diretos, os Espíritos puros, citados como "anjos" na parábola.

Esses prepostos celestiais, por sua vez, contam com o apoio de Espíritos esclarecidos, benfeitores e entidades amigas que, assumindo missões e compromissos, como encarnados ou desencarnados, saberão aliviar dores, administrar perturbações e conflitos.

Ser-nos-á sempre fácil discernir a presença dos mensageiros divinos, ao nosso lado, pela rota do bem a que nos induzam. Ainda mesmo que tragam consigo o fulgor solar da Vida celeste, sabem acomodar-se ao nosso singelo degrau nas lides da evolução, ensinando-nos o caminho da Esfera superior. E ainda mesmo se alteiem a culminâncias sublimes na ciência do universo, ocultam a própria grandeza para guiar-nos no justo aproveitamento das possibilidades em nossas mãos. Sem ferir-nos de leve, fazem luz em nossas almas, a fim de que vejamos as chagas de nossas deficiências, de modo a que venhamos saná-las na luta do esforço próprio.⁹

» *E lançá-los-ão na fornalha de fogo; ali, haverá pranto e ranger de dentes* (Mt 13:50).

Efetivamente, a humanidade terrestre passa por ocorrências difíceis, vivendo sob o impacto de dores e de sacrifícios. Neste sentido, é sempre válida esta advertência de Paulo aos coríntios: "E não murmureis, como também alguns deles murmuraram e pereceram pelo destruidor. Ora, tudo isso lhes sobreveio como figuras, e estão escritas para aviso nosso, para quem já são chegados os fins dos séculos" Paulo (I Co 10:10-11).

O "pranto" e o "ranger de dentes" são as provações amargas que os Espíritos endividados, perante Deus e si mesmos, deverão passar. O fogo depurador das reencarnações reparadoras, determinado pela lei de causa e efeito, lhes reajustarão a marcha evolutiva.

No momento de transição por que passa o Planeta, caracteriza-se uma aferição de valores morais e de impulsos progressivos da inteligência humana, marcados, sim, por prantos e ranger de dentes, necessários ao processo de transformação da humanidade.

Nesse sentido, é preciso aprender a glorificar as tribulações, evitando lamentá-las.

Recordemos que a tribulação produz fortaleza e paciência e, em verdade, ninguém encontra o tesouro da experiência, no pântano da ociosidade. É necessário acordar com o dia, seguindo-lhe o curso brilhante de serviço, nas oportunidades de trabalho que ele nos descortina. A existência terrestre é passagem para a luz eterna. E prosseguir com o Cristo é acompanhar-lhe as pegadas, evitando o desvio insidioso.¹⁰

Referências

1. KARDEC, Allan. *A gênese*. 48. ed. Rio de Janeiro: FEB, 2005. Cap. 17, item 63, p. 397-398.
2. _____._____. Cap. 18, item 2, p. 402.
3. _____._____. Item 5, p. 403-404.

4. CALLIGARIS, Rodolfo. *Parábolas evangélicas*. 8. ed. Rio de Janeiro: FEB, 2004. Cap. Parábolas da rede, p. 25.

5. _____._____. p. 26.

6. RIGONATTI, Eliseu. *O evangelho dos humildes*. 16. ed. São Paulo: Pensamento-Cultrix, 2004. Cap. 13, item: O reino dos Céus, p. 139.

7. XAVIER. Francisco Cândido. *Encontro marcado*. Pelo Espírito Emmanuel. 11. ed. Rio de Janeiro: FEB, 2005. Cap. 16 (Deus e nós), p. 60.

8. _____. *Pão nosso*. Pelo Espírito Emmanuel. 27. ed. Rio de Janeiro: FEB, 2006. Cap. 109 (Três imperativos), p. 233-234.

9. _____. *Religião dos espíritos*. Pelo Espírito Emmanuel. 18. ed. Rio de Janeiro: FEB, 2006. Cap. Mensageiros divinos, p. 87.

10. _____. *Vinha de luz*. Pelo Espírito Emmanuel. 24. ed. Rio de Janeiro: FEB, 2006. Cap. 142 (Tribulações), p. 318.

Orientações ao monitor

Possibilitar ampla análise da parábola e complementar o estudo com uma breve exposição sobre os capítulos XVII e XVIII, de *A gênese*, que tratam, respectivamente, do "Juízo final" e dos "Sinais dos tempos".

ENSINOS POR PARÁBOLAS

Roteiro 4

O TRIGO E O JOIO

Objetivos

» Interpretar a Parábola do Trigo e do Joio à luz do entendimento espírita.

Ideias principais

» A Parábola do Trigo e do Joio simboliza a luta entre o bem e o mal, ainda existente no nosso planeta.

» *Quando Jesus recomendou o crescimento simultâneo do joio e do trigo, não quis senão demonstrar a sublime tolerância celeste, no quadro das experiências da vida.*

  O Mestre nunca subtraiu as oportunidades de crescimento e santificação do homem e, nesse sentido, o próprio mal, oriundo das paixões menos dignas, é pacientemente examinado por seu infinito amor, sem ser destruído de pronto.

  Importa considerar, portanto, que o joio não cresce por relaxamento do Lavrador divino, mas sim porque o otimismo do celeste Semeador nunca perde a esperança na vitória final do bem. Emmanuel: *Vinha de luz.* Cap. 107.

Subsídios

1. Texto evangélico

Propôs-lhes outra parábola, dizendo: O reino dos Céus é semelhante ao homem que semeia boa semente no seu campo; mas, dormindo os homens, veio o seu inimigo, e semeou o joio no meio do trigo, e retirou-se. E, quando a erva cresceu e frutificou, apareceu também o joio. E os servos do pai de família, indo ter com ele, disseram-lhe: Senhor, não semeaste tu no teu campo boa semente? Por que tem, então, joio? E ele lhes disse: Um inimigo é quem fez isso. E os servos lhe disseram: Queres, pois, que vamos arrancá-lo? Porém ele lhes disse: Não; para que, ao colher o joio, não arranqueis também o trigo com ele. Deixai crescer ambos juntos até à ceifa; e, por ocasião da ceifa, direi aos ceifeiros: colhei primeiro o joio e atai-o em molhos para o queimar; mas o trigo, ajuntai-o no meu celeiro (Mt 13:24-30).

Esta parábola tem um significado que pode ser assim expresso:

O campo somos nós, a humanidade; o semeador é Jesus; a semente de trigo — o Evangelho; a erva má — as interpretações capciosas de seus textos; e o inimigo — aqueles que as tem lançado de permeio com a lídima doutrina cristã.[2]

O crescimento do joio junto ao trigo representa a luta entre o bem e o mal, comum em mundos de expiação e provas como o nosso. Indica também as dificuldades e as bênçãos existentes na luta cotidiana. Importa considerar que muitos "joios" encontrados na pauta da existência ocorrem como produto da nossa invigilância ou decorrentes de processos atávicos ainda não superados.

2. Interpretação do texto evangélico

» *Propôs-lhes outra parábola, dizendo: O reino dos Céus é semelhante ao homem que semeia boa semente no seu campo; mas, dormindo os homens, veio o seu inimigo, e semeou o joio no meio do trigo, e retirou-se* (Mt 13:24-25).

Os ensinamentos: "Propôs-lhes outra parábola, dizendo: O reino dos Céus é semelhante ao homem que semeia boa semente no seu campo" indicam que o homem que semeia é Jesus, nosso orientador maior e agricultor divino. A boa semente é o seu Evangelho de luz e amor que nos concede os meios de nos libertarmos das nossas imperfeições. A humanidade, representada pelo campo, indica os Espíritos, encarnados e desencarnados, em processo de aperfeiçoamento no Planeta.

O "homem que semeia a semente no seu campo" é uma assertiva, aplicada a nós próprios, noutro sentido. Demonstra que possuímos um campo de atuação, característico do nosso nível evolutivo, onde desenvolvemos experiências importantes de aprimoramento espiritual. À medida que evoluímos descobrimos a necessidade da seleção de valores que devem ser aplicados nesse campo. A "boa semente" representa, pois, a semeadura de valores morais e intelectuais.

> Jesus tem o seu campo de serviço no mundo inteiro.
> Nele, naturalmente, como em todo o campo de lavoura, há infinito potencial de realizações, com faixas de terra excelente e zonas necessitadas de arrimo, corretivo e proteção.[12]

Semelhantemente, nos esforços de semear a boa semente devemos estabelecer condições propícias ao surgimento e manutenção da harmonia, da segurança e da paz na própria vida.

A outra assertiva: "Mas, dormindo os homens, veio o seu inimigo, e semeou joio no meio do trigo, e retirou-se," nos conduz a duas reflexões: uma relativa à necessidade de repouso, após as atividades laborais. Outra, associada à preguiça. Em *O livro dos espíritos* aprendemos que o descanso físico e mental é lei da natureza: "[...] O repouso serve para a reparação das forças do corpo e também é necessário para dar um pouco mais de liberdade à inteligência, a fim de que se eleve acima da matéria."[1] Entretanto, devemos aprender discernir descanso de ociosidade.

> Urge, pois, que saibamos fugir, desassombrados, aos enganos da inércia, porque o espelho ocioso de nossa vida em sombra pode ser longamente viciado e detido pelas forças do mal que, em nos vampirizando, estendem sobre os outros as teias infernais da miséria e do crime.[9]

"Veio o seu inimigo..." pode simbolizar adversário, pessoa que não simpatiza conosco ou paixões e vícios que ainda albergamos. A despeito de ambos serem um instrumento avaliador do progresso que tenhamos alcançado, não devem ser objeto de inquietações. Perante qualquer tipo de inimigo devemos dar "[...] sempre o bem pelo mal, a verdade pela mentira e o amor pela indiferença..."[7] O adversário, em qualquer contexto, representa as perigosas infiltrações do mal.

> O mundo está cheio de enganos dos homens abomináveis que invadiram os domínios da política, da ciência, da religião e ergueram criações chocantes para os Espíritos menos avisados
> [...].
> Mas o discípulo de Jesus, bafejado pelos benefícios do Céu todos os dias, que se rodeia de esclarecimentos e consolações, luzes e bênçãos, esse deve saber, de antemão, quanto lhe compete realizar em serviço e vigilância e, caso aceite as ilusões dos homens abomináveis, agirá sob responsabilidade que lhe é própria, entrando na partilha das aflitivas realidades que o aguardam nos planos inferiores.[10]

As imperfeições morais são ferrenhos adversários. Quando menos esperamos, somos envolvidos pelas tramas das próprias imperfeições. Daí a importância do conselho de Jesus sobre o "vigiai e orai" (Mt 26:41).

> Mencionamos com muita frequência que os inimigos exteriores são os piores expoentes de perturbação que operam em nosso prejuízo. Urge, porém, olhar para dentro de nós, de modo a descobrir que os adversários mais difíceis são aqueles que não nos podemos afastar facilmente, por se nos alojarem no cerne da própria alma. Dentre eles, os mais implacáveis são o egoísmo, que nos tolhe a visão espiritual, impedindo vejamos as necessidades daqueles que amamos; o orgulho que não nos permite acolher a luz do entendimento [...]; a vaidade, que nos sugere superestimação do próprio valor [...]; o desânimo, que nos impele aos princípios da inércia; a intemperança mental que nos situa na indisciplina; o medo de sofrer, que nos subtrai as melhores oportunidades de progresso, e tantos outros agentes nocivos que se nos instalam no Espírito, corroendo-nos as energias e depredando-nos a estabilidade mental.[4]

É importante estarmos atentos porque as investidas do mal, alheias ou próprias, não marcam hora: surgem subitamente. O joio, caracterizado pela erva daninha, representa a ação contrária ao bem. Semeado quando estivermos desatentos ("dormindo") pode gerar resultados funestos.

> O homem enxerga sempre, através da visão interior.
> Com as cores que usa por dentro, julga os aspectos de fora.
> Pelo que sente, examina os sentimentos alheios.
> [...]
> Daí, o imperativo de grande vigilância para que a nossa consciência não se contamine pelo mal.[6]

A frase: "E semeou joio no meio do trigo" tem significado específico. Jesus poderia ter escolhido outra semente, que não o joio, para ilustrar o adversário do bem. O joio, porém, é uma erva daninha que se parece com o trigo, e que se desenvolve no meio dele. Assim também acontece na vida: encontramos ações infelizes ao lado de sublimes realizações humanas.

> Quando Jesus recomendou o crescimento simultâneo do joio e do trigo, não quis senão demonstrar a sublime tolerância celeste, no quadro das experiências da vida.
> O Mestre nunca subtraiu as oportunidades de crescimento e santificação do homem e, nesse sentido, o próprio mal, oriundo das paixões menos dignas, é pacientemente examinado por seu infinito amor, sem ser destruído de pronto.
> Importa considerar, portanto, que o joio não cresce por relaxamento do Lavrador divino, mas sim porque o otimismo do celeste Semeador nunca perde a esperança na vitória final do bem.[13]

A luta da vida, como processo educativo, nos oferece contínuas oportunidades para semearmos o bem, evitando o mal. Empenhados nesse propósito, é comum termos que enfrentar padrões menos edificantes da própria personalidade, que surgem no caminho como poderosos adversários.

> Jesus, porém, manda aplicar processos defensivos com base na iluminação e na misericórdia. O tempo e a bênção do Senhor agem devagarinho e os propósitos inferiores se transubstanciam.[14]

O texto de Mateus nos fala que após a semeadura do joio o inimigo "retirou-se". Percebemos, assim, que em todos os acontecimentos infelizes e decorrentes da invigilância ou da insinuação de forças inferiores, o mal opera às escondidas. Instaurado o processo de desarmonia, o agente causador da perturbação "retira-se", observando, à distância, os seus efeitos.

> Ante as devastações do mal, apoia o trabalho que objetive o retorno ao bem.
> [...]
> Onde haja desastre, auxilia a restauração.
> [...]
> Se a maldade enodoa essa ou aquela situação, faze o melhor que possas para que a bondade venha a surgir.[8]

» *E, quando a erva cresceu e frutificou, apareceu também o joio. E os servos do pai de família, indo ter com ele, disseram-lhe: Senhor, não semeaste tu no teu campo boa semente? Por que tem, então, joio? E ele lhes disse: Um inimigo é quem fez isso. E os servos lhe disseram: Queres, pois, que vamos arrancá-lo? Porém ele lhes disse: Não; para que, ao colher o joio, não arranqueis também o trigo com ele. Deixai crescer ambos juntos até à ceifa; e, por ocasião da ceifa, direi aos ceifeiros: colhei primeiro o joio e atai-o em molhos para o queimar; mas o trigo, ajuntai-o no meu celeiro* (Mt 13:26-30).

Na natureza não há saltos evolutivos: semeia-se, germina-se, cresce e frutifica-se. O mesmo ocorre com o bem e o mal. Quem planta, colhe a seu tempo, segundo a qualidade da sua semeadura. Toda semente semeada irá crescer e frutificar, cedo ou tarde. Por este motivo devemos ter cuidado com nossos pensamentos, palavras, gestos e ações, pois receberemos da vida aquilo que oferecemos a ela. Nem sempre, todavia, conseguimos perceber a presença do mal, sendo necessário, então, que este cresça para que possa ser enxergado. Por esta razão, nos alerta Jesus: "E quando a erva cresceu e frutificou, apareceu também o joio".

Vemos, assim, que no plano evolutivo onde nos situamos é preciso que o bem esteja ao lado do mal. Não somente para que possamos exercitar a capacidade de discernimento, entre um e outro, mas permitir que os bons exemplos ajam sobre o mal, tornando-o melhor.

A parábola nos relata que os servos, surpreendidos com a presença do joio no meio do trigo, indagaram ao Senhor se deveriam arrancá-lo. A orientação que o Senhor lhe ofereceu foi sábia: "não, deixai-os crescer juntos até a ceifa".

Analisando este trecho do registro de Mateus, percebemos que "os servos" citados são os trabalhadores da seara divina. O "pai de família" é Deus, o Criador supremo. Neste sentido, os servos são os instrumentos utilizados por Jesus, o semeador da boa semente, nas múltiplas expressões de serviço existentes em sua seara bendita. Metaforicamente, os servos podem ser entendidos também como mãos operantes ou inteligência sublimada, subordinadas aos ditames da lei de amor.

> A gleba imensa do Cristo reclama trabalhadores devotados, que não demonstrem predileções pessoais por zonas de serviço ou gênero de tarefa.
> Apresentam-se muitos operários ao Senhor do Trabalho, diariamente, mas os verdadeiros servidores são raros.
> A maioria dos tarefeiros que se candidatam à obra do Mestre não seguem além do cultivo de certas flores, recuam à frente dos pântanos desprezados, temem os sítios desertos ou se espantam diante da magnitude do serviço, recolhendo-se a longas e ruinosas vacilações ou fugindo das regiões infecciosas.
> Em algumas ocasiões costumam ser hábeis horticultores ou jardineiros, no entanto, quase sempre repousam nesses títulos e amedrontam-se perante os terrenos agressivos e multiformes.[11]

A ceifa expressa o momento final da produção agrícola. No plano individual, trata-se do momento em que a criatura colhe o que cultivou. Gratificados seremos quando os frutos positivos puderem superar, na colheita, os valores menos felizes que a invigilância permitiu crescessem no transcurso das experiências.

Merece destaque a seguinte afirmativa de Jesus: "E, por ocasião da ceifa, direi aos ceifeiros: colhei primeiro o joio". Observemos que antes da colheita os trabalhadores eram denominados "servos". Por ocasião da ceifa, porém, o Mestre os nomeia de "ceifeiros". Os segundos são diferentes dos primeiros. Ceifeiros, no conceito geral, são trabalhadores que exercem atividades específicas. São, no contexto interpretativo do ensinamento de Jesus, os cooperadores conscientes, detentores de responsabilidades maiores. O plantio pode ser feito por qualquer um de nós, a ceifa, porém, cabe a tarefeiros sintonizados com as fontes do eterno bem.

Essa ceifa tem um significado especial, considerando o sentido não literal do texto evangélico.

O joio, ao brotar, é muito parecido com o trigo e arrancá-lo antes de estar bem crescido seria inconveniente, por motivos óbvios. Na hora de produção de frutos, em que será perfeita a distinção entre ambos, já não haverá perigo de equívoco: será ele, então, atado em feixes para ser queimado.

Coisa semelhante irá ocorrer com a humanidade.

Aproxima-se a época em que a Terra deve passar por profundas modificações, física e socialmente, a fim de transformar-se num mundo regenerador, mais pacífico e, consequentemente, mais feliz.[3]

A seguinte orientação de Jesus define o programa que deverá ser executado pelos Espíritos ceifeiros, na ocasião propícia: "e, por ocasião da ceifa, direi aos ceifeiros: colhei primeiro o joio e atai-o em molhos para o queimar; mas o trigo, ajuntai-o no meu celeiro". Chegada a inevitável hora da colheita, joio — representado pelas lágrimas, dores e amarguras, decepções, desilusões e conturbações — é reunido e expurgado da seara do Senhor, pelo funcionamento natural da engrenagem de quitação dos débitos adquiridos. A lei de causa e efeito, agindo de forma inderrogável, encaminha o ser a novas experiências.

O joio, reunido em feixes para ser queimado, simboliza os momentos de real aferição do aprendizado desenvolvido pelo Espírito. Percebe-se, então, que as dificuldades não vêm isoladas, mas formam, quase sempre, um conjunto de apreensões e desafios que devemos superar.

> [...] Muitas plantas espinhosas ou estéreis são modificadas em sua natureza essencial pelos filtros amorosos do Administrador da Seara, que usa afeições novas, situações diferentes, estímulos inesperados ou responsabilidades ternas que falem ao coração; entretanto, se chega a época da ceifa, depois do tempo de expectativa e observação, faz-se então necessária a eliminação do joio em molhos.
> [...]
> Eis por que, aparecendo o tempo justo, de cada homem e de cada coletividade exige-se a extinção do joio, quando os processos transformadores de Jesus foram recebidos em vão. Nesse instante, vemos a individualidade ou o povo a se agitarem em razão de aflições e hecatombes diversas, em gritos de alarme e socorro, como se estivessem nas sombras de naufrágio inexorável.[...][15]

O último ensino de Jesus ("Mas o trigo, ajuntai-o no meu celeiro") do texto em estudo, mostra que no Celeiro divino só há espaço para o bem, para o Evangelho do Reino, representado pela semente de trigo. Praticando o bem estaremos dando expansão ao que há de divino em nós, e, em consequência, experimentando a felicidade plena. É imperioso guardar confiança no Senhor, tendo fé em suas promessas e contando com a sua proteção, sobretudo nos momentos de sofrimento em que se faz necessário separar o joio do trigo e aquele seja atado em molhos para serem queimados.

O seguinte cântico-oração de Davi expressa a confiança no Senhor, concedendo-nos a fortaleza moral para superar os obstáculos que surgem na nossa caminhada evolutiva:

O Senhor é o meu pastor; nada me faltará. Deitar-me faz em verdes pastos, guia-me mansamente a águas tranquilas. Refrigera a minha alma; guia-me pelas veredas da justiça por amor do seu nome. Ainda que eu andasse pelo vale da sombra da morte, não temeria mal algum, porque tu estás comigo; a tua vara e o teu cajado me consolam. Preparas uma mesa perante mim na presença dos meus inimigos, unges a minha cabeça com óleo, o meu cálice transborda. Certamente que a bondade e a misericórdia me seguirão todos os dias da minha vida; e habitarei na Casa do Senhor por longos dias (Sl 23:1-6).

Referências

1. Kardec, Allan. *O livro dos espíritos*. Tradução de Guillon Ribeiro. 86. ed. Rio de Janeiro: FEB, 2005. Questão 682, p. 330.

2. CALLIGARIS, Rodolfo. *Parábolas evangélicas*. 8 ed. Rio de Janeiro: FEB, 2004. Item Parábola do joio e do trigo. p. 14.

3. _____._____. p. 15-16.

4. XAVIER, Francisco Cândido. *Almas e coração*. São Paulo: Pensamento, 1969. Cap. 31 (Inimigos outros), p. 71.

5. _____. *Dicionário da alma*. Por diversos Espíritos. 5 ed. Rio de Janeiro: FEB, 2004. Verbete: Inimigo (mensagem do Espírito Agar), p. 210.

6. _____. *Fonte viva*. Pelo Espírito Emmanuel. 34. ed. Rio de Janeiro: FEB, 2006. Cap. 34 (Guardemos cuidado).

7. _____._____. Cap. 152 (Vem!), p. 373.

8. _____. *Justiça divina*. Pelo Espírito Emmanuel. 11. ed. Rio de Janeiro: FEB, 2006. Cap. 67 (Falibilidade), p. 157-158.

9. _____. *Pensamento e vida*. Pelo Espírito Emmanuel. 14. ed. Rio de Janeiro: FEB, 2005. Cap. 27 (Obsessão), p. 126.

10. _____. *Vinha de luz*. Pelo Espírito Emmanuel. 24. ed. Rio de Janeiro: FEB, 2006. Cap. 43 (Vós, portanto...), p. 105-106.

11. _____._____. Cap. 68 (No campo), p.157-158.

12. _____._____. p. 157.

13. _____. _____. Cap. 107 (Joio), p. 243.
14. _____. _____. p. 244.
15. _____. _____. p. 244-245.

Orientações ao monitor

Após a análise do texto evangélico, em plenária ou em grupo, fazer uma reflexão sobre o texto *Parábola do servo*, do Espírito Irmão X, constante do livro de *Estante da vida*, capítulo 36, psicografia de Francisco Cândido Xavier, edição FEB.

EADE – LIVRO II | MÓDULO III

ENSINOS POR PARÁBOLAS

Roteiro 5

A CANDEIA

Objetivos

» Interpretar a Parábola da Candeia (Lc 11: 33-36), à luz da Doutrina Espírita.

Ideias principais

» *É de causar admiração diga Jesus que a luz não deve ser colocada debaixo do alqueire, quando ele próprio constantemente oculta o sentido de suas palavras sob o véu da alegoria, que nem todos podem compreender. Ele se explica, dizendo a seus apóstolos: "Falo-lhes por parábolas, porque não estão em condições de compreender certas coisas. Eles veem, olham, ouvem, mas não entendem. Fora, pois, inútil tudo dizer-lhes, por enquanto. Digo-o, porém, a vós, porque dado vos foi compreender estes mistérios". Procedia, portanto, com o povo, como se faz com crianças cujas ideias ainda se não desenvolveram. Desse modo, indica o verdadeiro sentido da sentença: "Não se deve pôr a candeia debaixo do alqueire, mas sobre o candeeiro, a fim de que todos os que entrem a possam ver. Tal sentença não significa que se deva revelar inconsideradamente todas as coisas. Todo ensinamento deve ser proporcionado à inteligência daquele a quem se queira instruir, porquanto há pessoas a quem uma luz por demais viva deslumbraria, sem as esclarecer."* Allan Kardec: *O evangelho segundo o Espiritismo.* Cap. XXIV item 4.

Subsídios

1. Texto evangélico

E ninguém, acendendo uma candeia, a põe em oculto, nem debaixo do alqueire, mas no velador, para que os que entram vejam a luz. A candeia do corpo é o olho. Sendo, pois, o teu olho simples, também todo o teu corpo será luminoso; mas, se for mau, também o teu corpo será tenebroso. Vê, pois, que a luz que em ti há não sejam trevas. Se, pois, todo o teu corpo é luminoso, não tendo em trevas parte alguma, todo será luminoso, como quando a candeia te alumia com o seu resplendor (Lc 11:33 a 36).

A Parábola da Candeia revela o quanto é importante fazer a divulgação de verdades espirituais.

Descendo o Cristo das esferas de luz da Espiritualidade superior à Terra, teve por escopo orientar a humanidade na direção do aperfeiçoamento. "Brilhe a vossa luz" — eis a palavra de ordem, enérgica e suave, de Jesus, a quantos lhe herdaram o patrimônio evangélico, trazido ao mundo ao preço do seu próprio sacrifício. A infinita ternura de sua angelical alma sugere-nos, incisiva e amorosamente, o esforço benéfico: "Brilhe a vossa luz". O interesse do Senhor é o de que os seus discípulos, de ontem, de hoje e de qualquer tempo, sejam enobrecidos por meio de uma existência moralizada, esclarecida, fraterna.
O Evangelho aí está, como presente dos céus, para que o ser humano se replete com as suas bênçãos, se inunde de suas luzes, se revigore com as suas energias, se enriqueça com os seus ensinos eternos. O Espiritismo, em particular, como revivescência do Cristianismo, também aí está, ofertando-nos os oceânicos tesouros da Codificação. Pode-se perguntar: de que mais precisa o homem, para engrandecer-se, pela cultura e pelo sentimento, se lhe não faltam os elementos de renovação, plena, integral e positiva?!...[5]

2. Interpretação do texto evangélico

» *E ninguém, acendendo uma candeia, a põe em oculto, nem debaixo do alqueire, mas no velador, para que os que entram vejam a luz* (Lc 11:33).

Está claro, neste versículo, que pessoas conscientes sabem que todo o conhecimento destinado à melhoria moral e intelectual do ser humano não deva permanecer oculto, mas ser amplamente divulgado. A candeia simboliza instrumento de iluminação cuja chama, alimentada pelo óleo que a abastece, afasta a escuridão reinante. Do ponto de vista espiritual, a candeia assemelha-se à mente esclarecida e enobrecida de valores morais que afasta as trevas da ignorância existentes na humanidade. O Espíritos superiores não mantêm ocultos os conhecimentos que possuem, mas disponibiliza-os a qualquer pessoa.

Mantêm-se na retaguarda espiritual quem acredita que conhecimentos superiores, destinados à melhoria humana, devam permanecer ocultos, em círculos fechados, inacessíveis às massas populares. Por força da lei do progresso a verdade chega, à medida que o ser humano evolui.

> Se, pois, em sua previdente sabedoria, a Providência só gradualmente revela as verdades, é claro que as desvenda à proporção que a humanidade se vai mostrando amadurecida para as receber. Ela as mantém de reserva e não sob o alqueire. Os homens, porém, que entram a possuí-las, quase sempre as ocultam do vulgo com o intento de o dominarem. São esses os que, verdadeiramente, colocam a luz debaixo do alqueire. [...] Não podem existir mistérios absolutos e Jesus está com a razão quando diz que nada há secreto que não venha a ser conhecido. Tudo o que se acha oculto será descoberto um dia e o que o homem ainda não pode compreender lhe será sucessivamente desvendado, em mundos mais adiantados, quando se houver purificado. Aqui na Terra, ele ainda se encontra em pleno nevoeiro.[1]

A palavra alqueire, citada no texto, é antiga medida de capacidade (13,8 litros para cereais e 8 litros para óleo e líquidos) que servia também para guardar a reserva do óleo destinada a abastecer a candeia. Segundo Jesus, a candeia acesa deve ser colocada no velador, utensílio formado de uma haste de madeira apoiada numa base, tendo na parte superior uma espécie de disco onde se coloca o candeeiro, candeia ou uma vela. Colocando a candeia no velador a luz se espalha de maneira uniforme, facilitando a visão das pessoas. Tais ensinamentos do Mestre "[...] dão-nos a entender, claramente, que as leis divinas devem ser expostas por aqueles que tiveram a felicidade de conhecê-las, pois sem esse conhecimento paralisar-se-ia a marcha da evolução humana."[3]

Sabemos que nem todos estão predispostos a acolher a luz. Por isso, quem mais sabe ou quem mais possui valores morais deve, com naturalidade, irradiar pensamentos, palavras, ações, atitudes e gestos que atinjam os circunstantes de modo agradável e edificante, como chama abençoada.

Manda a prudência, entretanto, que se gradue a transmissão de todo e qualquer ensinamento à capacidade de assimilação daquele a quem se quer instruir, uma vez que uma luz intensa demais o deslumbraria, ao invés de o esclarecer. Cada ideia nova, cada progresso, tem que vir na época conveniente. Seria uma insensatez pregar elevados códigos morais a quem ainda se encontrasse em estado de selvageria, tanto quanto querer ministrar regras de álgebra a quem mal dominasse a tabuada.[4]

Esta é a razão de Jesus colocar parte dos seus ensinos, os mais complexos, sob o véu do símbolo.

> O Espiritismo, hoje, projeta luz sobre uma imensidade de pontos obscuros; não a lança, porém, inconsideradamente. Com admirável prudência se conduzem os Espíritos, ao darem suas instruções. Só gradual e sucessivamente consideraram as diversas partes já conhecidas da Doutrina, deixando as outras partes para serem reveladas à medida que se for tornando oportuno fazê-las sair da obscuridade. Se a houvessem apresentado completa desde o primeiro momento, somente a reduzido número de pessoas se teria ela mostrado acessível; houvera mesmo assustado as que não se achassem preparadas para recebê-la, do que resultaria ficar prejudicada a sua propagação. Se, pois, os Espíritos ainda não dizem tudo ostensivamente, não é porque haja na Doutrina mistérios em que só alguns privilegiados possam penetrar, nem porque eles coloquem a lâmpada debaixo do alqueire; é porque cada coisa tem de vir no momento oportuno. Eles dão a cada ideia tempo para amadurecer e propagar-se, antes que apresente outra, e aos acontecimentos o de preparar a aceitação dessa outra.[2]

» *A candeia do corpo é o olho. Sendo, pois, o teu olho simples, também todo o teu corpo será luminoso; mas, se for mau, também o teu corpo será tenebroso. Vê, pois, que a luz que em ti há não sejam trevas. Se, pois, todo o teu corpo é luminoso, não tendo em trevas parte alguma, todo será luminoso, como quando a candeia te alumia com o seu resplendor* (Lc 11:34-36).

O benfeitor Emmanuel assim se expressa a respeito da candeia do corpo:

Atentemos para o símbolo da candeia. A claridade na lâmpada consome força ou combustível. Sem o sacrifício da energia ou do óleo não há luz. Para nós, aqui, o material de manutenção é a possibilidade, o recurso, a vida. Nossa existência é uma candeia viva. É um erro lamentável despender nossas forças, sem proveito para ninguém, sob a medida de nosso egoísmo, de nossa vaidade ou de nossa limitação pessoal. Coloquemos nossas possibilidades ao dispor dos semelhantes. Ninguém deve amealhar as vantagens da experiência terrestre somente para si. Cada Espírito provisoriamente encarnado, no círculo humano, goza de imensas prerrogativas, quanto à difusão do bem, se persevera na observância do amor universal.

Prega, pois, as revelações do Alto, fazendo-as mais formosas e brilhantes em teus lábios; insta com parentes e amigos para que aceitem as verdades imperecíveis; mas, não olvides que a candeia viva da iluminação espiritual é a perfeita imagem de ti mesmo. Transforma as tuas energias em bondade e compreensão redentoras para toda gente, gastando, para isso, o óleo de tua boa vontade, na renúncia e no sacrifício, e tua vida, em Cristo, passará realmente a brilhar.[7]

O Espírito que já amealhou recursos no bem retira dos acontecimentos cotidianos, preciosas lições, inacessíveis ao cidadão comum. Isso acontece porque ele tem desenvolvida a visão interior, resultante das inúmeras experiências acumuladas ao longo das reencarnações. O seu centro coronário refulge à distância, consoantes os valores intelectuais e morais incorporados ao seu Espírito.

No que diz respeito ao centro coronário, esclarece André Luiz:

Temos particularmente no centro coronário o ponto de interação entre as forças determinantes do Espírito e as forças fisiopsicossomáticas organizadas. Dele parte, desse modo, a corrente de energia vitalizante formada de estímulos espirituais com ação difusível sobre a matéria mental que o envolve, transmitindo aos demais centros da alma os reflexos vivos de nossos sentimentos, ideias e ações, tanto quanto esses mesmos centros, interdependentes entre si, imprimem semelhantes reflexos nos órgãos e demais implementos de nossa constituição particular, plasmando em nós próprios os efeitos agradáveis ou desagradáveis de nossa influência e conduta.[6]

Jesus destaca, porém, a importância de termos todo "o corpo luminoso não tendo em trevas parte alguma". Ou seja, é preciso saber que há "[...] ciência e há sabedoria, inteligência e conhecimento, intelectualidade e luz espiritual."[8]

A pessoa que não sabe fazer essa distinção está sujeita a muitos reveses na existência.

Geralmente, todo homem de raciocínio fácil é interpretado à conta de mais sábio, no entanto, há que distinguir. O homem não possui ainda qualidades para registrar a verdadeira luz. Daí a necessidade de prudência e vigilância. Em todos os lugares, há industriosos e entendidos, conhecedores e psicólogos. Muitas vezes, porém, não passam de oportunistas prontos para o golpe do interesse inferior. Quantos escrevem livros abomináveis, espalhando veneno nos corações? Quantos se aproveitam do rótulo da própria caridade visando extrair vantagens à ambição? Não bastam o engenho e a habilidade. Não satisfaz a simples visão psicológica. É preciso luz divina.[9]

Perante o desejo de auxiliar o próximo, devemos aprender a irradiar o bem de forma contínua, independentemente da pessoa ou situação, libertando-nos das manifestações nebulosas do personalismo.

Nem sempre a luz reside onde a opinião comum pretende observá-la. Sagacidade não chega a ser elevação, e o poder expressivo apenas é respeitável e sagrado quando se torna ação construtiva com a luz divina. Raciocina, pois, sobre a própria vida. Vê, com clareza, se a pretensa claridade que há em ti não é sombra de cegueira espiritual.[10]

Na medida em que há perseverança na luta educativa, as sugestões negativas do mal não atingem a criatura humana. Caminhando em direção ao bem, o Espírito se liberta pouco a pouco das paixões inferiores, revelando um corpo luminoso de virtudes. Perseverante. Por outro lado, mantendo-se envolvido pela túnica da humildade, da benevolência, do perdão e da fé, aprende a incorporar a luz em si mesmo.[1]

Referências

1. KARDEC. Allan. *O evangelho segundo o espiritismo*. Tradução de Guillon Ribeiro. 124. ed. Rio de janeiro: FEB, 2005. Cap. 24, item 5, 347.

2. _____._____. Item 7, p. 348.

3. CALLIGARIS, Rodolfo. *Parábolas evangélicas*. 8. ed. Rio de janeiro: FEB, 2004. Cap. Parábola da candeia, p. 58.

4. _____._____. p. 59.

5. PERALVA, Martins. *Estudando o evangelho*. 8. ed. Rio de janeiro: FEB, 2005. Cap. 3 (Renovação), p. 30-31.

6. XAVIER, Francisco Cândido; VIEIRA, Waldo. *Evolução em dois mundos*. Pelo Espírito André Luiz. 23. ed. Rio de Janeiro: FEB, 2005. Primeira parte, cap 2 (Corpo espiritual), item: Centro coronário, p. 32.

7. XAVIER, Francisco Cândido. *Fonte viva*. Pelo Espírito Emmanuel. 33. ed. Rio de Janeiro: FEB, 2005. Cap. 81 (A candeia viva), p. 213-214.

8. _____. *Vinha de luz*. Pelo Espírito Emmanuel. 24. ed. Rio de Janeiro: FEB, 2006. Cap. 33 (Vê, pois), p. 85.

9. _____._____. p. 85-86.

10. _____._____. p. 86.

Orientações ao monitor

Pedir aos participantes que analisem o texto do evangelista Lucas, citado neste Roteiro, tendo como base as ideias desenvolvidas nos *Subsídios*. Contar, ao final da reunião, a história "Parábola simples", escrita pelo Irmão X, existente no livro *Contos e apólogos*, cap. 10, psicografia de Francisco Cândido Xavier e editado pela FEB. Correlacionar as ideias desenvolvidas no conto com as existentes no texto evangélico estudado.

EADE – LIVRO II | MÓDULO III

ENSINOS POR PARÁBOLAS

Roteiro 6

O FARISEU E O PUBLICANO

Objetivos

» Interpretar a Parábola do Fariseu e do Publicano à luz do entendimento espírita.

Ideias principais

» Os fariseus (do hebreu *parush*, divisão, separação) formavam uma das mais influentes seitas judaicas à época de Jesus. *Tomavam parte ativa nas controvérsias religiosas. Servis cumpridores das práticas exteriores do culto e das cerimônias; cheios de um zelo ardente de proselitismo, inimigos dos inovadores, afetavam grande severidade de princípios* [...]. Allan Kardec: *O evangelho segundo o espiritismo*. Introdução, p. 38.

» Os publicanos eram, à mesma época, cobradores de impostos. Os [...] *riscos a que estavam sujeitos faziam que os olhos se fechassem para as riquezas que muitas vezes adquiriam e que, da parte de alguns, eram frutos de exações e de lucros escandalosos*. Allan Kardec: *O evangelho segundo o espiritismo*. Introdução, p. 40.

» A Parábola do Fariseu e do Publicano destaca os malefícios do orgulho e os benefícios da humildade. Esclarece também a respeito das qualidades da prece.

Subsídios

1. Texto evangélico

E disse também esta parábola a uns que confiavam em si mesmos, crendo que eram justos, e desprezavam os outros: Dois homens subiram ao templo, a orar; um, fariseu, e o outro, publicano. O fariseu, estando em pé, orava consigo desta maneira: Ó Deus, graças te dou, porque não sou como os demais homens, roubadores, injustos e adúlteros; nem ainda como este publicano. Jejuo duas vezes na semana e dou os dízimos de tudo quanto possuo. O publicano, porém, estando em pé, de longe, nem ainda queria levantar os olhos ao céu, mas batia no peito, dizendo: Ó Deus, tem misericórdia de mim, pecador! Digo-vos que este desceu justificado para sua casa, e não aquele; porque qualquer que a si mesmo se exalta será humilhado, e qualquer que a si mesmo se humilha será exaltado (Lc 18:9-14).

A Parábola do Fariseu e do Publicano coloca em evidência os malefícios do orgulho e os benefícios da humildade. Ilustra também a maneira correta de orar.

A parábola nos faz refletir que o processo evolutivo existente em nosso planeta segue um mecanismo básico de autovalorização e autopreservação das experiências humanas que, em síntese, se caracterizam por uma marcha horizontal de aquisição de conhecimento e uma caminhada na verticalidade, necessária à apreensão de valores morais. Por meio das inúmeras experiências reencarnatórias, o ser humano desenvolve os valores da inteligência e o seu aperfeiçoamento moral. Este último passa a ser buscado como processo evolutivo natural a partir do momento que o Espírito começa a valorizar os bons sentimentos, a conduta reta, o respeito ao semelhante e às suas necessidades. Nesse cenário a humildade, reconhecida como um componente essencial à felicidade faz oposição ao orgulho e à vaidade.

O processo da espiritualização humana é marco evolutivo de grande significância. O Espírito, nestas condições, volta-se para Deus buscando vivenciar a religião no sentido pleno e verdadeiro, que é a ligação da criatura com o Criador, assim conceituada por Emmanuel:

Religião é o sentimento divino, cujas exteriorizações são sempre o Amor, nas expressões mais sublimes. Enquanto a Ciência e a Filosofia operam o trabalho da experimentação e do raciocínio [características da caminhada horizontal], a Religião edifica e ilumina os sentimentos [caminhada vertical]. As primeiras se irmanam na Sabedoria, a segunda personifica o Amor, as duas asas divinas com que a alma humana penetrará, um dia, nos pórticos sagrados da espiritualidade.[10]

A maneira correta de orar, outro aspecto relevante no estudo da parábola, indica que uma prece deve estar sempre revestida de humildade, tal como agiu "[...] o publicano, e não com orgulho, como o fariseu".[3]

A prece é recurso divino em nosso benefício. Não basta, porém, orar é preciso saber como nos dirigir ao Senhor da vida, sintonizando com a falange de Espíritos superiores que, agindo em seu nome, nos concedem o necessário conforto moral para enfrentar as dificuldades e desafios inerentes ao processo ascensional.

> A prece deve ser cultivada, não para que sejam revogadas as disposições da lei divina, mas a fim de que a coragem e a paciência inundem o coração de fortaleza nas lutas ásperas, porém necessárias. A alma, em se voltando para Deus, não deve ter em mente senão a humildade sincera na aceitação de sua vontade superior.[11]

2. Interpretação do texto evangélico

» *E disse também esta parábola a uns que confiavam em si mesmos, crendo que eram justos, e desprezavam os outros* (Lc 18:9).

Confiar em si mesmo não representa algo condenável. Ao contrário, demonstra confiança no que se sabe e na fé que se abraça. A ponderação de Jesus registrada nesse versículo nos fala, entretanto, do excesso de confiança que conduz a pessoa a julgar-se como referência de justiça. Este tipo de comportamento, em geral alimentado pelo orgulho e pela vaidade, nos transformam em pessoas presunçosas e arrogantes, a ponto de desprezar os outros, o que pensam e o que fazem.

Do orgulho procedem todas as megalomanias, das mais grotescas às mais perigosas, como aquela que tem por escopo o domínio do mundo. São incontáveis os malefícios que o orgulho engendra no coração humano, ocultando-se e disfarçando-se de todas as formas. É assim que vemos pessoas cujas palavras, escritas ou faladas, são amenas e cheias de doçura; ao sentirem-se, porém, melindradas no seu excessivo amor-próprio, ei-las transformadas em verdadeiras feras, insultando e agredindo, na defesa do que chamam — dignidade.[9]

» *Dois homens subiram ao templo, a orar; um, fariseu, e o outro, publicano (Lc 18:10).*

Jesus montou um cenário que nos auxilia o entendimento da sua parábola, selecionando o local e personagens bastante conhecidos, para ilustrar os malefícios do orgulho e os benefícios da humildade.

O templo, lugar onde ocorreu o encontro do fariseu e do publicano, é usualmente entendido como um espaço sagrado, destinado às práticas religiosas; ao louvor, agradecimento e súplicas dirigidas a Deus. É sempre visto como um local de oração. Quando alguém, religioso ou não, adentra um templo assume, de forma espontânea, uma postura contrita e respeitosa. Posição esta que foi rejeitada pelo fariseu e assumida pelo publicano.

Templo, porém, tem outro significado, mais subjetivo: indica o centro ou a essência das nossas cogitações íntimas e autênticas, onde trazemos gravados nossos sonhos e ideais. O Espiritismo ensina que à medida que evoluímos santificamos também este templo íntimo, aperfeiçoando sentimentos, pensamentos, palavras e ações.

Os personagens, da parábola, o fariseu e o publicano, eram elementos de destaque na sociedade judaica, à época de Jesus. Identificamos na figura do fariseu as pessoas que não se misturam com as demais, por escrúpulo ou por temor de serem por elas influenciadas. Em geral, são detalhistas, personalistas, isoladas em ideias e posições, inclusive na prática da lei de Deus. Por trazerem a visão focada, passam pela vida quase sempre indiferentes às necessidades dos semelhantes. Costumam ser, também, indivíduos cultos, mas vaidosos do saber que possuem. Mostram-se autoritários e exigentes em relação às pessoas que lhes estão subordinadas. O fariseu ou o espírito do farisaísmo retrata, infelizmente, muitos de nós, estudantes empenhados na luta do crescimento, mas ainda distanciados da capacidade operacional do amor.

Em termos históricos, porém, sabemos que existiram fariseus notáveis, homens piedosos e de grande influência, que souberam superar os limites do farisaísmo, como é o caso de Nicodemos (Jo 3:1), do homem que acolheu Simão (Lc 7:36), de Gamaliel (At 5:34-35) e do próprio Paulo de Tarso (At 3:5).

Os fariseus (do hebreu *parush*, divisão, separação) formavam uma das mais influentes seitas judaicas à época de Jesus.

> Entre essas seitas, a mais influente era a dos *fariseus*, que teve por chefe *Hillel*, doutor judeu nascido na Babilônia, fundador de uma escola célebre, onde se ensinava que só se devia depositar fé nas Escrituras. Sua origem remonta a 180 ou 200 anos antes de Jesus Cristo [...]. Tomavam parte ativa nas controvérsias religiosas. Servis cumpridores das práticas exteriores do culto e das cerimônias; cheios de um zelo ardente de proselitismo, inimigos dos inovadores, afetavam grande severidade de princípios; mas, sob as aparências de meticulosa devoção, ocultavam costumes dissolutos, muito orgulho e, acima de tudo, excessiva ânsia de dominação. Tinham a religião mais como meio de chegarem a seus fins, do que como objeto de fé sincera. Da virtude nada possuíam, além das exterioridades e da ostentação; entretanto, por umas e outras, exerciam grande influência sobre o povo, a cujos olhos passavam por santas criaturas. Daí o serem muito poderosos em Jerusalém.[1]

Os publicanos, por outro lado, não representavam uma casta sacerdotal, mas, sim, cobradores de impostos ou de tributos definidos pelo domínio romano na Palestina.

> Os riscos a que estavam sujeitos faziam que os olhos se fechassem para as riquezas que muitas vezes adquiriam e que, da parte de alguns, eram frutos de exações e de lucros escandalosos. O nome de publicano se estendeu mais tarde a todos os que superintendiam os dinheiros públicos e aos agentes subalternos. Hoje esse termo se emprega em sentido pejorativo, para designar os financistas e os agentes pouco escrupulosos de negócios. Diz-se por vezes: "Ávido como um publicano, rico como um publicano", com referência a riquezas de mau quilate. [...] Os judeus de destaque consideravam um comprometimento ter com eles intimidade.[2]

A opção de Jesus de ilustrar a parábola com esses dois personagens sugere ser proposital, nos permitindo refletir se, face o programa de melhoria que estamos empenhados, estamos colocando em prática as lições edificantes que nos chegam continuamente do plano maior. O nosso desejo, obviamente, é seguir o comportamento do publicano, devemos, porém, ficar atentos de que ainda trazemos muitas características da postura do fariseu nos meandros do nosso psiquismo.

» *O fariseu, estando em pé, orava consigo desta maneira: Ó Deus, graças te dou, porque não sou como os demais homens, roubadores, injustos e adúlteros; nem ainda como este publicano. Jejuo duas vezes na semana e dou os dízimos de tudo quanto possuo* (Lc 18:11 a 12).

A oração do fariseu tem expressões infelizes que refletem, sobretudo, orgulho religioso, considerado como vaidade perniciosa, já que pode conduzir à falsa crença de que, sendo religioso ou praticante de uma religião, é uma criatura melhor, superior, iluminada ou escolhida por Deus. A vaidade de alguns religiosos pode ser entendida como uma exacerbação do amor-próprio, confiantes de que Deus se sente honrado em tê-los como adeptos.

A posição de pé indica a forma de demonstrar respeito, comum entre os religiosos da Antiguidade. Nos dias atuais, encontramos essa prática nos templos religiosos quando se faz, por exemplo, a leitura de um texto considerado sagrado para os cristãos e para os não cristãos. Na verdade, sabemos que a posição do corpo não confere maior ou menor respeito ao ato de orar, mas, sim, a postura íntima de quem ora.

> O [...] objetivo da prece consiste em elevar a nossa alma a Deus; a diversidade das fórmulas nenhuma diferença deve criar entre os que nele creem, nem, ainda menos, entre os adeptos do Espiritismo, porquanto Deus as aceita todas quando sinceras. [...] O espiritismo reconhece boas as preces de todos os cultos, quando ditas de coração e não de lábios somente. Nenhuma impõe, nem reprova nenhuma. Deus, segundo ele, é sumamente grande para repelir a voz que lhe suplica ou lhe entoa louvores, porque o faz de um modo e não de outro. [...] A qualidade principal da prece é ser clara, simples e concisa, sem fraseologia inútil, nem luxo de epítetos, que são meros adornos de lentejoulas. Cada prece deve ter um alcance próprio, despertar uma ideia, pôr em vibração uma fibra da alma. Numa palavra: *deve fazer refletir*. Somente sob essa condição pode a prece alcançar o seu objetivo; de outro modo *não passa de ruído*.[4]

O fariseu não proferiu uma prece, propriamente dita, mas uma vaidosa autolouvação, identificada nas seguintes frases do texto evangélico: "Ó Deus, graças te dou, porque não sou como os demais homens, roubadores, injustos e adúlteros; nem ainda como este publicano". A propósito, esclarece Allan Kardec como devemos orar:

> Jesus definiu claramente as qualidades da prece. Quando orardes, diz Ele, não vos ponhais em evidência; antes, orai em secreto. Não afeteis orar muito, pois não é pela multiplicidade das palavras que sereis escutados, mas pela sinceridade delas. Antes de orardes, se tiverdes qualquer coisa contra alguém, perdoai-lhe, visto que a prece não pode ser agradável a Deus, se não parte de um coração purificado de todo sentimento contrário à caridade. Orai, enfim, com humildade, como o publicano, e não com orgulho, como o fariseu. Examinai os vossos defeitos, não as vossas qualidades e, se vos comparardes aos outros, procurai o que há em vós de mau.[3]

O que vale, dentro das técnicas preconizadas, é o sentimento vigorante. Ironizar, fazer comparações infelizes é fugir aos padrões de que se deve revestir. Orando, devemos nos colocar em estado de humildade e receptividade.

A personalidade orgulhosa e vaidosa do fariseu revela também preconceito e discriminação quando se compara ao publicano. Trata-se de um religioso distanciado do seu papel de orientador espiritual. Este trecho nos faz lembrar o apóstolo Paulo que dizia: "Eu sou devedor tanto a gregos como a bárbaros, tanto a sábios como a ignorantes" (Rm 1:14).

> De todos os males o orgulho é o mais temível, pois deixa em sua passagem o germe de quase todos os vícios. [...] Desde que penetra as almas, como se fossem praças conquistadas, ele tudo se assenhoreia, instala-se à vontade e fortifica-se até se tornar inexpugnável. Ai de quem se deixou apanhar pelo orgulho! [...] Não poderá libertar-se desse tirano senão a preço de terríveis lutas, depois de dolorosas provações e de muitas existências obscuras, depois de bastantes insultos e humilhações, porque nisso somente é que está o remédio eficaz para os males que o orgulho engendra.[6]

A postura do fariseu transmite significativa lição. Devemos ter cuidado para não nos julgarmos melhores, apenas porque ocupamos posição de destaque no meio social ou profissional que estamos inseridos. O que diferencia uma pessoa da outra são as qualidades do seu Espírito.

Sim, porque aos olhos de Deus não basta que nos abstenhamos do mal e nos mostremos rigorosos no cumprimento de determinadas regrazinhas do bom comportamento social; acima disso, é-nos necessário reconhecer que todos somos irmãos, não nos julgamos superiores a nossos semelhantes, por mais culpados e miseráveis que pareçam, nem tampouco desprezá-los, porque isso constitui, sempre, falta de caridade.[5]

A afirmativa do fariseu: não sou como os demais homens [...] nem ainda como este publicano", além de ser improcedente, indica o desprezo que ele tinha pelos cobradores de impostos. Revela imaturidade espiritual não aprovar alguém em razão da profissão, até porque, no caso, existiram publicanos que se destacaram no bem, como foi o caso do evangelista Mateus (Lc 5:27-29) ou de Zaqueu, o publicano (Lc 19:1 a 10).

No seu monólogo com o Senhor, o fariseu se vê também como pessoa justa quando afirma: "Jejuo duas vezes na semana e dou os dízimos de tudo quanto possuo". Percebe-se que o seu foco de interesse não era difusão e vivência da palavra de Deus, mas as manifestações de culto externo.

As práticas religiosas da lei moisaica determinavam o jejum e o pagamento do dízimo como regras de condutas dos fiéis. O jejum, definido como uma abstinência de alimentos por prescrição religiosa ou por espírito de mortificação, ainda é utilizado nos tempos modernos. As igrejas cristãs incorporaram essa prática ancestral em sua ortodoxia como forma de exercitar a disciplina quanto a privação de algo que produz prazer ou alegria, procurando domar os impulsos fisiológicos relativos à alimentação e ao sexo. Figuradamente, o jejum pode ser entendido como qualquer abstinência ou privação física, moral ou intelectual estabelecida por livre iniciativa. Isto é, jejum de maus pensamentos, de palavras e ações contrárias ao bem. É certo que para realizarmos a nossa transformação moral é necessário definirmos um "regime de jejum" contra as imperfeições que ainda possuímos.

Jesus, entretanto, não prescreveu jejum de alimentos aos seus discípulos, como está claramente identificado nesta citação: "Por que jejuamos nós, e os fariseus, muitas vezes, e os teus discípulos não jejuam?" (Mt 9:14).

» *O publicano, porém, estando em pé, de longe, nem ainda queria levantar os olhos ao céu, mas batia no peito, dizendo: Ó Deus, tem misericórdia de mim, pecador! Digo-vos que este desceu justificado para sua casa, e não aquele; porque qualquer que a si mesmo se exalta será humilhado, e qualquer que a si mesmo se humilha será exaltado* (Lc 18:13-14).

Percebe-se que o publicano mantinha-se numa posição de humilde respeito ("de longe") ao se dirigir, em prece, a Deus.

> É certo que todo trabalho sincero de adoração espiritual nos levanta a alma, elevando-nos os sentimentos. [...] A oração refrigera, alivia, exalta, esclarece, eleva, mas, sobretudo, afeiçoa o coração ao serviço divino. Não olvidemos, porém, de que os atos íntimos e profundos da fé são necessários e úteis a nós próprios. Na essência não é o Senhor quem necessita de nossas manifestações votivas, mas somos nós mesmos que devemos aproveitar a sublime possibilidade da repetição, aprendendo com a sabedoria da vida.[13]

Jesus aprova o comportamento do publicano e diz que este retornou justificado para casa. Além da atitude humilde, o publicano demonstra que conhece os seus defeitos, sabe que é pecador, daí nem ousar levantar os olhos para o céu.

> Em [...] seu sentido estritamente etimológico, *humilde* provém de *húmus* — rente com a terra. Entretanto, muitos interpretam o vocábulo como sinônimo de baixeza, servilismo, falta de brio, ausência de dignidade pessoal etc. Ora, é claro que Jesus jamais desejaria que um cristão se tornasse sem dignidade e fosse capaz de rebaixar a condição humana, tornando-se servil. É preciso, portanto, que se entenda *humildade* e *humilde* como condição de pessoa *modesta, sóbria, recatada, discreta, moderada nas atitudes e nas palavras*. Nunca, porém, como baixo de caráter, sem dignidade moralmente rasteiro. Humilde é antônimo de arrogante, presunçoso, parlapatão, agressivo, intrometido, insolente, orgulhoso e atrevido. Humilde é aquele que sabe calar, quando poderia gritar; que sabe tolerar e suportar com grandeza de ânimo o excesso alheio, para depois, serenamente, restabelecer a normalidade de uma situação. É aquele que compreende a superioridade da calma sobre a irritação, a ascendência da tolerância sobre a intolerância, o valor da modéstia sobre a insolência, a coragem da paciência sobre a irritação, a ascendência da tolerância sobre a intolerância, o valor da modéstia sobre a insolência, a coragem da paciência sobre a irritação, a elevação do comportamento ponderado sobre a atuação agressiva.[8]

A humildade é, possivelmente, a mais difícil das virtudes a ser conquistada no mundo atual que, governado pelo materialismo, enfatiza o orgulho e a vaidade.

A humildade se opõe ao orgulho, à vaidade, à presunção, à autossuficiência, causa de tanta ruína, de tanto desespero, de tanta desilusão. Acreditamos que a humildade possa ser conquistada pelo esforço cotidiano pela melhoria do caráter. [...] Para que sejamos fundamentalmente humildes [...] temos que educar a nossa alma, de modo que a ação de cada dia nos favoreça um exame rigoroso do comportamento adotado e, de confronto em confronto, possamos eliminar os pontos fracos e revigorar aqueles que nos mostramos coerentes com Doutrina. Humildade dirigida nem sempre adquire autenticidade. Ela tem de ser espontânea, exercendo-se naturalmente, sem que nos apercebamos que ela se desenvolve à revelia do controle da vontade. A humildade controlada, mas não livre, pode facilitar benefícios, mas não tem a força, o poder de expansão da humildade autêntica, como a que foi revelada por Jesus e praticada por numerosos Espíritos que, na Terra, seguiram de perto, ou tanto quanto possível, o exemplo do Mestre de Nazaré.[7]

O último versículo do texto de Lucas ("porque qualquer que a si mesmo se exalta será humilhado, e qualquer que a si mesmo se humilha será exaltado") nos faz refletir que a humildade deve e pode ser exercitada por meio de serviço ao semelhante, em nome de Jesus, como bem nos esclarece o Espírito Irmão X:

> Onde está a humildade, há disposição para servir fielmente a Jesus. O verdadeiro humilde, embora conheça a insuficiência própria, declara-se escravo da vontade do Senhor, para atender-lhe aos sublimes desígnios, seja onde for.[12]

Referências

1. KARDEC. Allan. *O evangelho segundo o espiritismo*. Tradução de Guillon Ribeiro. 124. ed. Rio de Janeiro: FEB, 2005. Introdução, item: Fariseus, p. 38-39.
2. _____._____. Item: Publicanos, p. 40.
3. _____._____. Cap. 27, item 4, p. 370.
4. _____._____. Cap. 28, item 1, p. 385-386.

5. CALLIGARIS, Rodolfo. *Parábolas evangélicas*. 8. ed. Rio de Janeiro: FEB, 2004. Cap. Parábola do fariseu e do publicano. p. 122.

6. DENIS, Léon. *Depois da morte*. 25. ed. Rio de Janeiro: FEB, 2005. Parte quinta (O caminho reto), cap. 45 (Orgulho, riqueza e pobreza), p. 262.

7. MENDES, Indalício. *Rumos doutrinários*. 3. ed. Rio de Janeiro: FEB, 2005. Cap. Humildade sempre, p.84.

8. _____._____. Cap. Somente os fortes são humildes, p. 91-92.

9. VINÍCIUS (Pedro de Camargo). *Na seara do mestre*. 9. ed. Rio de Janeiro: FEB, 2000. Cap. (Bem-aventurados os humildes de coração), p. 65-66.

10. XAVIER. Francisco Cândido. *O consolador*. Pelo Espírito Emmanuel. 26. ed. Rio de Janeiro: FEB, 2005. Questão 260, p. 157.

11. _____. *Pérolas do além*. Pelo Espírito Emmanuel. 6. ed. Rio de Janeiro: FEB, 2004. Verbete "prece", p. 194.

12. _____. *Pontos e contos*. Pelo Espírito Irmão X. 10. ed. Rio de Janeiro: FEB, 1999. Cap. 41 (A tarefa recusada), p. 220.

13. _____. *Vinha de luz*. Pelo Espírito Emmanuel. 24. ed. Rio de Janeiro: FEB, 2006. Cap. 21 (Oração e renovação), p. 61-62.

Orientações ao monitor

Realizar uma exposição dialogada a respeito das ideias desenvolvidas nos *Subsídios*, tendo como base o texto de Lucas, promovendo amplo debate sobre o assunto. Ao final, pedir aos participantes que indiquem como as pessoas podem desenvolver a humildade no mundo atual, governado pelo materialismo.

EADE LIVRO II | MÓDULO IV

APRENDENDO COM AS CURAS

APRENDENDO COM AS CURAS

Roteiro 1

O PARALÍTICO DE CAFARNAUM

Objetivos

» Explicar a cura do paralítico de Cafarnaum (Mc 2:3-12), à luz da Doutrina Espírita.

Ideias principais

» O paralítico de Cafarnaum [...] *era um Espírito em expiação. Num corpo entrevado, resgatava os erros do passado. O sofrimento resignado lhe abrira o coração para o amor e despertara-lhe o desejo de viver nobremente. E por fim, desenvolveu em seu íntimo a fé na bondade divina.* Eliseu Rigonatti: *O evangelho dos humildes.* Cap. 9.

» A afirmação de Jesus, "filho, perdoados estão os teus pecados", indica o término da expiação do doente, em decorrência da manifestação da lei de causa e efeito.

Subsídios

1. Texto evangélico

E vieram ter com Ele, conduzindo um paralítico, trazido por quatro. E, não podendo aproximar-se dele, por causa da multidão, descobriram o telhado onde estava e, fazendo um buraco, baixaram o leito em que jazia o paralítico. E Jesus, vendo-lhes a fé, disse ao paralítico: Filho, perdoados estão os teus pecados. E estavam ali assentados alguns dos escribas, que arrazoavam em seu coração, dizendo: Por que diz este assim blasfêmias? Quem pode perdoar pecados, senão Deus? E Jesus, conhecendo logo em seu espírito que assim arrazoavam entre si, lhes disse: Por que arrazoais sobre estas coisas em vosso coração? Qual é mais fácil? Dizer ao paralítico: Estão perdoados os teus pecados, ou dizer-lhe: Levanta-te, e toma o teu leito, e anda? Ora, para que saibais que o Filho do Homem tem na Terra poder para perdoar pecados (disse ao paralítico), a ti te digo: Levanta-te, e toma o teu leito, e vai para tua casa. E levantou-se e, tomando logo o leito, saiu em presença de todos, de sorte que todos se admiraram e glorificaram a Deus, dizendo: Nunca tal vimos (Mc 2:3-12).

> Relata-nos o Evangelho de Marcos a curiosa decisão do paralítico que, localizando a casa em que se achava o Senhor, plenamente sitiada pela multidão, longe de perder a oportunidade, amparou-se no auxílio de amigos, deixando-se resvalar por um buraco, levado a efeito no telhado, de maneira a beneficiar-se no contato do Salvador, aproveitando fervorosamente o ensejo divino.[12]

A leitura atenta do relato de Marcos nos revela alguns ensinamentos que merecem ser destacados: a) o desejo de ser curado acalentado pelo paralítico; b) o dedicado apoio dos quatro amigos; c) as dificuldades que o doente e os seus amigos tiveram que enfrentar; d) a bênção da cura realizada por Jesus; e) a oportuna lição que o Mestre forneceu aos escribas em resposta à crítica que deles recebera.

À época de Jesus as curas tinham um caráter religioso ou mágico, devido ao pouco desenvolvimento da Ciência. Evoluindo esta, afastou-se radicalmente da religião por considerar as suas práticas supersticiosas. Nos dias atuais, porém, sabemos que o apoio espiritual está sendo, aos poucos, aceito pela Ciência e, em "[...] sua luta contra a doença, a medicina utiliza os mais variados procedimentos e sistemas para a recuperação da saúde e restauração do equilíbrio de um organismo doente."[8]

Neste sentido, assinala o Espírito Bezerra de Menezes:

> Raia uma madrugada nova em que a Ciência e a religião dão-se as mãos em benefício da criatura humana. Amanhece dia novo para a sociedade terrestre, cansada de sofrer, voltando-se para Jesus Cristo, *o modelo e guia da humanidade*, a fim de transformar *o mundo de provas e de expiações* em um planeta de *regeneração*. Já não é possível, postergar o surgimento desses gloriosos dias, porque o Consolador que Jesus prometeu encontra-se na Terra para arrancar, pelas raízes, os fatores que levam ao desespero e à alucinação, não apenas para enxugar as lágrimas que os olhos vertem, senão para extirpar as causas das problemáticas aflitivas da criatura humana.[5]

As curas realizadas por Jesus têm como base a sua poderosa vontade, suas elevadíssimas energias magnéticas e o grande amor demonstrado pelos sofredores e desvalidos de todos os tempos.

> Como em outros casos, a um impulso de sua vontade poderosíssima, a que se mesclava grande piedade pelo sofrimento daquele homem, as disfunções orgânicas que lhe causavam a paralisia desapareceram por completo, podendo ele levantar-se de pronto e sair caminhando com desenvoltura, sem que subsistissem quaisquer resquícios da doença que até então o retinha preso no leito.[6]

2. Interpretação do texto evangélico

> *E vieram ter com Ele, conduzindo um paralítico, trazido por quatro. E, não podendo aproximar-se dele, por causa da multidão, descobriram o telhado onde estava e, fazendo um buraco, baixaram o leito em que jazia o paralítico* (Mc 2:3-4).

No passado como no presente, continuam chegando até Jesus os doentes do corpo e da alma, dele recebendo o amparo para que possam suportar ou solucionar os tormentos que lhes marcam a existência.

O paralítico era um Espírito em expiação. Num corpo entrevado, resgatava os erros do passado. O sofrimento resignado lhe abrira o coração para o amor e despertara-lhe o desejo de viver nobremente. E por fim desenvolveu em seu íntimo a fé na bondade divina.[9]

A frase: "E vieram ter com ele conduzindo um paralítico, trazido por quatro", destaca a ação caridosa de quatro amigos que, superando todos os obstáculos, chegam até Jesus. Ainda hoje, sabemos da existência de pessoas que, imbuídas de amor e solidariedade, continuam "conduzindo" ao Mestre os portadores de doenças, algumas tão graves que, à semelhança do paralítico de Cafarnaum, não podem sair em busca de auxílio, por si mesmos.

O texto evangélico mostra também que a vida na Terra se caracteriza pela presença de sofredores, de um lado, e de benfeitores, em número reduzido, de outro. Estes benfeitores, representados pelos quatro trabalhadores anônimos, formam uma pequena equipe, unindo esforços para que os obstáculos sejam vencidos, segundo os princípios da lei de cooperação. Trabalham em uníssono, sem medir sacrifícios, garantindo equilíbrio e atendimento aos que se encontram sob o jugo da dor e do desajuste, carentes de tratamento.

A expressão "e vieram ter com Ele" revela que o título de benfeitor é concedido apenas aos que vivem na órbita do Cristo, que sabem conduzir os que sofrem até Ele, encaminhando-os na direção do bem verdadeiro. Nem todas as pessoas conseguem, pelos próprios recursos, caminhar diretamente até o Cristo. Contam, então, com a boa vontade e a dedicação de amigos que por elas intercedem junto ao Senhor.

> Há enfermidades que permitem a seus portadores buscar auxílio necessário por si mesmos, outras, no entanto, devido ao agravamento do estado inicial, só podem ser superadas com o auxílio de outrem.[7]

Entretanto, independentemente do tipo de enfermidade, o processo de cura só se concretiza com a devida superação dos obstáculos, simbolizada na palavra "multidão" existente nesta frase: "E não podendo aproximar-se dele, por causa da multidão".

Não são poucas as dificuldades que a luta renovadora oferece. Às vezes, os obstáculos se revelam como intransponíveis, em razão dos bloqueios que impomos a nós mesmos quando, na busca do equilíbrio, devemos nos ajustar aos lances da cooperação fraterna ou à orientação das medidas terapêuticas. Com perseverança e confiança no amor do Cristo conseguiremos, porém, superar a "multidão" de dificuldades que surge no nosso caminho.

Existe grande distância entre a mentalidade paralisada, nos processos de reajustes e o auxílio operante do Mestre. É importante considerar que esta situação (mente paralisada *versus* auxílio operante) se conjuga perfeitamente, não só no plano das relações interpessoais como no íntimo de cada um. Isto acontece porque as viciações geradas pelas experiências infelizes do passado, imprimem um padrão comportamental que desencoraja o esforço de se obter a cura que, muitas vezes, deve ocorrer na forma de decisões ousadas e significativas. Na conquista deste objetivo, não se pode prescindir da vontade que alimenta pensamentos, palavras e ações edificantes, por meio dos quais angariamos forças para superar obstáculos.

O texto do evangelista Marcos informa que os amigos do paralítico não se deixaram abater quando, conduzindo o doente até Jesus, depararam com a multidão. Usando da criatividade, abriram um buraco no telhado por onde baixaram o leito em que jazia o doente.

Extraindo o espírito da letra, podemos afirmar que em todo processo de auxílio encontraremos, de forma natural uma "multidão" de desafios. Entretanto, se existir sinceridade de propósitos, saberemos superar as dificuldades, identificando medidas alternativas. Outro ponto que merece comentário diz respeito à solução, encontrada pelos quatro amigos, para conduzirem o paralítico até onde Jesus se encontrava.

Fica evidente que para socorrer os necessitados devemos elevar o nosso padrão vibratório, a fim de que sentimentos inferiores (decepção, ansiedade, angústia etc.) não invalidem as nossas ações. "Subir ao telhado" significa manter-se em sintonia elevada com os benfeitores que se encontram em planos superiores. O buraco no telhado pode indicar uma brecha que foi aberta nos condicionamentos mentais do doente, necessária para conduzi-lo, definitivamente, a Jesus.

Esta abertura mental (no "telhado"), libera concepções cristalizadas e assegura o encontro com o Mestre, cognominado de "a luz do mundo". Percebemos, assim, que a firme vontade do paralítico encontrou ressonância na louvável disposição dos seus amigos.

A sabedoria dos ensinos do Cristo mostra que em todo processo de cura ocorre, primeiramente, uma subida. No caso do paralítico, esta subida foi facilitada pelo auxílio dos seus quatro amigos. Quer isto dizer que é preciso o Espírito oferecer condições (vontade firme) para se libertar do seu passado de erro, claramente evidenciado na paralisia, resultante da manifestação da lei de causa e efeito.

Há, no versículo quatro, a informação de "baixaram o leito em que jazia o paralítico". Fica claro que o trabalho dos benfeitores foi o de elevar o padrão vibratório do doente, mas como este não possuía recursos espirituais suficientes para se manter num plano de vibrações elevadas, prenderam-no ao leito e, cercando-o de cuidados, puderam levá-lo aos pés do Mestre.

O paralítico, por sua vez, posicionado no piso evolutivo que lhe era próprio, mas mantido sob assistência espiritual superior, consegue assimilar, com equilíbrio, o auxílio que lhe chega.

Vemos, então, que a renovação mental, com base nos enunciados da Boa-Nova e da Doutrina Espírita, é a chave capaz de abrir esta passagem superior, de que nos fala Marcos, para que ocorra nossa "descida" no plano da cura definitiva. Subindo, captamos as vibrações do Alto, conquistáveis e aplicáveis quando se "desce" aos campos operacionais das lutas cotidianas.

> A fim de que o operário de Jesus funcione como expressão de claridade na vida, é indispensável que se eleve ao monte de exemplificação, apesar das dificuldades da subida angustiosa, apresentando-se a todos na categoria da construção cristã.[10]

» *E Jesus, vendo-lhes a fé, disse ao paralítico: Filho, perdoados estão os teus pecados* (Mc 2:5).

Jesus atendeu o paralítico, fundamentando-se na fé revelada por este e na dos seus intercessores, manifestada em atos de coragem e de abnegação. A fé do enfermo e dos cooperadores, tendo como base a misericórdia divina, culminou em concessão de nova oportunidade para a superação de débitos contraídos em existências pretéritas. Assim, a expressão: "disse ao paralítico", atravessa os séculos e chega ao presente, nos fazendo ponderar a respeito da força do magnetismo do Cristo que, agindo com amor e sabedoria, concede nova oportunidade àquele companheiro.

> Muitas pessoas confessam a necessidade do Cristo, mas frequentemente alegam obstáculos que lhes impedem a sublime aproximação [...]. Todavia, para que nos sintamos na vizinhança do Mestre, como legítimos interessados em seus benefícios imortais, faz-se imprescindível estender a capacidade, dilatar os recursos próprios e marchar ao encontro dele, sob a luz da fé viva.[11]

A afirmação de Jesus ao paralítico: "Filho, perdoados estão os teus pecados..." expressa que Ele, o Cristo, estava ciente do novo estado de alma do enfermo. "Filho" é expressão carinhosa aplicada ao homem renovado pelas provações, mas capaz de refletir os ensinamentos de Jesus nas suas ações e exemplificações no bem. Sabe este que pela sua atividade no bem, pode provocar efetiva mudança de comportamento, desvinculando-se dos fulcros de sofrimento que o mantém prisioneiro na esteira das vibrações cármicas. Neste sentido, o perdão só pode ser decretado quando se conhece a extensão das causas e dos efeitos, dos agravantes e dos atenuantes que marcam o processo evolutivo de cada pessoa. A este respeito, informam os Espíritos superiores que o perdão é medida de inteligência e bom senso que nos desoneram de vinculações complexas e indesejáveis.

Allan Kardec nos dá uma explicação clara do significado das palavras do Cristo "perdoados estão os teus pecados".

> Por meio da pluralidade das existências, ele [o Espiritismo] ensina que os males e aflições da vida são muitas vezes expiações do passado, bem como que sofremos na vida presente as consequências das faltas que cometemos em existência anterior e, assim, até que tenhamos pago a dívida de nossas imperfeições, pois que as existências são solidárias *umas com as outras. Se, portanto, a enfermidade daquele homem era uma expiação do mal que ele praticara, o dizer-lhe Jesus: Teus pecados te são redimidos equivalia a dizer-lhe: pagaste a tua dívida; a fé que agora possuis elidiu a causa da tua enfermidade; conseguintemente, mereces ficar livre dela.*[3]

» *E estavam ali assentados alguns dos escribas, que arrazoavam em seu coração, dizendo: Por que diz este assim blasfêmias? Quem pode perdoar pecados, senão Deus?* (Mc 2:6-7).

Quem se dedica ao esforço de superação das próprias imperfeições, se defronta com as reações voltadas contra os propósitos de melhoria. Tais reações caracterizam os interesses imediatistas, as tradições ou o apego, simbolizadas nos "escribas assentados", citados no texto.

Sabemos que não é fácil desativar tais elementos, muitos dos quais já fixaram moradia em nossa mente, ao longo dos séculos. Acrescentamos que as manifestações de desânimo, de rebeldia e de resistência às mudanças também nos mantém acomodados, realizando observações interesseiras ou fomentando intolerâncias. Esse estado de acomodação representa outra forma de imobilidade, além da física, observada no paralítico. Os outros, os "escribas assentados", ainda que parcialmente imobilizados pela vida que levavam ou pelas aquisições que possuíam, poderiam ainda fazer escolhas mais acertadas, abrindo o templo da alma a uma melhor compreensão da vida, pelo culto do bem e do amor, favorecido pelo trabalho regenerador.

Vemos, de um lado, Jesus conclamando a criatura ao serviço de melhoria espiritual, do outro, as insinuações da própria inferioridade moral plantadas e arraigadas no psiquismo, expressas no "arrazoavam entre si". A discussão era uma tentativa de abafar os propósitos de edificação espiritual que o Cristo lhes disponibilizava naquele momento. Este raciocínio se confirma na seguinte indagação, proferida pelos escribas: "Por que diz este assim blasfêmias?". Incapazes de atentar para os mais elevados valores espirituais, adotam atitudes próprias de Espíritos cristalizados em ideias, atitudes e convenções mundanas, desprezando a mais bela expressão do amor que, misericordiosamente, lhes oferecia o Cristo.

Ignorando tal bênção, faz-se logo presente, em consequência, a pressão do homem velho, inconformado e desinformado, mas que se insurge contra a legitimidade dos valores nobres, perguntando: "Quem pode perdoar pecados, senão Deus?". Esta indagação revela que os escribas estavam fechados ao entendimento espiritual. Na verdade, é justo admitir, as perguntas proferidas por eles podem também ser indicativas de dúvidas.

Acreditamos que a presença de Jesus no templo, acompanhado da multidão, e os esforços do paralítico e dos seus abençoados intercessores, causaram algum impacto naqueles cultores das leis mosaicas, caso contrário eles não teriam proferido as perguntas. É oportuno observar que, da mesma forma que o doente se apoiou nos amigos para colocá-lo no caminho da cura, os escribas se apoiaram, mutuamente, para neutralizar o esforço de mudança suscitado pelas palavras do Cristo, preferindo continuar presos à interpretação literal dos ensinamentos da lei de Moisés.

De certa forma, esta atitude encontra respaldo no tipo de trabalho executado pelos escribas.

Nome dado, a princípio, aos secretários dos reis de Judá e a certos intendentes dos exércitos judeus. Mais tarde, foi aplicado especialmente aos doutores que ensinavam a lei de Moisés e as interpretavam para o povo. Faziam causa comum com os fariseus, de cujos princípios partilhavam, bem como da antipatia que aqueles votavam aos inovadores. Daí o envolvê-los Jesus nas reprovações que lançava aos fariseus.[1]

» *E Jesus, conhecendo logo em seu espírito que assim arrazoavam entre si, lhes disse: Por que arrazoais sobre estas coisas em vosso coração? Qual é mais fácil? Dizer ao paralítico: Estão perdoados os teus pecados, ou dizer-lhe: Levanta-te, e toma o teu leito, e anda?* (Mc 2:8-9).

Apesar da ressonância que as palavras de Jesus "amar a Deus e ao próximo como a si mesmo" provocam em nossa consciência, preferimos, em geral, o "arrazoado" das palavras vãs que abordam os problemas da lei e das tradições, e que nos mantém desinteressados de conquistas sublimes. Jesus, o Mestre por excelência, lê com clareza o pensamento dos escribas, daí ter-lhes perguntado: "Por que arrazoais estas coisas em vossos corações?".

Este tipo de indagação pode, perfeitamente, nos ser encaminhada nos dias atuais. Se encorajados pelas tarefas de superação das próprias imperfeições — representadas nas expressivas oportunidades de melhoria espiritual — permitimos que longos diálogos e deduções interfiram na tarefa, revelamos, na verdade, que ainda nos encontramos presos a conceitos errôneos e a pontos de vista, capazes de estiolarem as mais puras e esperançosas sementes de renovação.

O desconhecimento dos mecanismos que regem a manifestação da lei de causa e efeito, por parte dos escribas, permitiu que Jesus lhes perguntasse: "Qual é mais fácil? Dizer ao paralítico: Estão perdoados os teus pecados, ou dizer-lhe: levanta-te e toma o teu leito e anda?".

Sabemos que a cura foi efetivada porque Jesus percebeu que o tempo de expiação da doença tinha chegado ao fim. "Estão perdoados os teus pecados" indica também que as causas geradoras da paralisia deixavam de existir, a partir daquele momento, e que a expiação chegava ao seu término. As verdades espíritas nos orientam que nada acontece por acaso e que um axioma governa nossa existência: todo efeito tem uma causa geradora.

> Ora, ao efeito precede sempre a causa, se esta não se encontra na vida atual, há de ser anterior a essa vida, isto é, há de estar numa existência precedente. Por outro lado, não podendo Deus punir alguém pelo bem que fez, nem pelo mal que não fez, se somos punidos, é que fizemos o mal; se esse mal não o fizemos na presente vida, tê-lo-emos feito

noutra. É uma alternativa a que ninguém pode fugir e em que a lógica decide de que parte se acha a justiça de Deus. O homem, pois, nem sempre é punido, ou punido completamente, na sua existência atual; mas não escapa nunca às consequências de suas faltas. A prosperidade do mau é apenas momentânea; se ele não expiar hoje, expiará amanhã, ao passo que aquele que sofre está expiando o seu passado. O infortúnio que, à primeira vista, parece imerecido tem a sua razão de ser, e aquele que se em encontra em sofrimento pode sempre dizer: *perdoa-me, Senhor, porque pequei*.[2]

O espírita sabe, pois, que o seu comportamento será sempre atestado pelas ações que desenvolve e, de modo mais autêntico, pelos esforços que emprega no sentido de domar as suas más inclinações. Exercitando a lógica (razão) e o bom senso, fundamentados na fé raciocinada, verificamos que os ensinos de Jesus nos conduzem a questionamentos sobre o nosso próprio comportamento.

O Espiritismo nos estimula responder: "que", "porque", "qual", "quem", "onde" etc., necessários à análise, comparação e comprovação dos fatos. Sendo assim, a ideia da reencarnação explica como e porque o enfermo adquiriu a paralisia, e como fazer para dela se libertar. Não é a reencarnação o ensejo de reconstrução do passado delituoso, um verdadeiro perdão de Deus? Entregar-se ao trabalho, dedicar-se ao próximo, amar e compreender, não tangem a mente como auspicioso ensejo de liquidação dos débitos escabrosos, acumulados no decorrer dos séculos?

Perdoando os pecados cometidos pelo paralítico ou, simplesmente, dizendo-lhe: "Levanta-te, e toma o teu leito, e anda", Jesus nos faz lembrar questões relativas ao livre-arbítrio, à lei de causa e efeito, ao arrependimento, às provas e expiações, à reencarnação, ao trabalho de melhoria espiritual, às manifestações de solidariedade, à misericórdia e à reparação de faltas cometidas, dentre outras.

A expressão imperativa: "Levanta-te" está carregada de grande magnetismo e determinação. A partir daquele momento não existe mais um paralítico e, sim, um Espírito que deve adotar nova atitude, dispor-se ao labor, não esquecendo, no entanto, de que carrega consigo resíduos ou reflexos de uma experiência menos feliz, vivida anteriormente.

A palavra "leito", inserida na interrogação "e toma o teu leito, e anda?", revela que é importante transportarmos, com humildade, as experiências vivenciadas e as lições aprendidas, até que esse "leito" não seja mais necessário à nossa vida.

> *Ora, para que saibais que o Filho do Homem tem na Terra poder para perdoar pecados (disse ao paralítico), a ti te digo: Levanta-te, e toma o teu leito, e vai para tua casa. E levantou-se e, tomando logo o leito, saiu em presença de todos, de sorte que todos se admiraram e glorificaram a Deus, dizendo: Nunca tal vimos* (Mc 2:10-12).

Recordemos que, antes de o enfermo ser colocado à frente de Jesus, ele se encontrava "paralítico" "deitado", preso num leito. Agora, porém, após a cura operada pelo Mestre, a situação é outra: vemos o beneficiário "andando", isto é, empreendendo a caminhada em direção ao seu glorioso porvir. Vemos, também, a manifestação de um dos mais sublimes mecanismos de reparação da justiça divina: o perdão. A paralisia simboliza, ao mesmo tempo, o autoperdão (expiação aceita e a busca para remediá-la) e perdão de Deus (chance de reparação de erros em nova experiência reencarnatória). O perdão e a misericórdia divinos, em sua sublimidade, não tiram da criatura o mérito da própria reabilitação, mas se revelam como fator de aprendizado, os quais, registrados na memória do Espírito, servirão de base para as suas novas conquistas evolutivas.

"Ora, para que saibais que o Filho do Homem tem na Terra poder para perdoar pecados", é uma frase que determina a importância de estarmos conscientes ("para que saibais") de ser o Cristo o guia e modelo da humanidade terrestre.

> Para o homem, Jesus constitui o tipo da perfeição moral a que a humanidade pode aspirar na Terra. Deus no-lo oferece como o mais perfeito modelo e a doutrina que ensinou é a expressão mais pura da lei do Senhor, porque, sendo Ele o mais puro de quantos têm aparecido na Terra, o Espírito divino o animava.[4]

Conhecedor das deficiências do homem, o Mestre visita o "orbe de sombras", e, descendo de sua culminância espiritual, sem medir esforços e sacrifícios, aporta no campo do aprendizado terrestre para que "saibamos" a extensão da grandeza e da misericórdia do Criador. Como construtor e diretor do Planeta, identificado como "Filho do Homem", Ele nos revela a lei de amor. Mostra, também, que como guia e modelo o "Filho do Homem" é o que está à frente, imagem representativa da espécie humana do futuro, cujo conhecimento e identificação com o Pai será atingida e sentida pela humanidade.

É digna de nota a frase: "A ti te digo: Levanta-te". A despeito desta citação evangélica revelar um comando de ordem pessoal dirigido, na ocasião, ao paralítico, ela também nos atinge.

Jesus se dirigiu, diretamente, ao paralítico falando: "A ti te digo", firmando o propósito de conduzi-lo a um processo de análise mais profunda e que, perpassando os séculos, são captados pelos nossos olhos e ouvidos.

A autoridade do Mestre se evidencia na sua palavra e no exemplo. Esta é a fórmula que devemos aplicar em todo processo de melhoria espiritual. Quando Jesus determina: "toma o teu leito, e vai para tua casa", expressa orientação segura, como se Ele dissesse ao doente: "aproveita o instrumento de expiação que a reencarnação concedeu, aqui simbolicamente representado pelo leito, e continua no teu progresso espiritual (vai para casa)."

Ao final do relato da história do paralítico de Cafarnaum, o evangelista Marcos registra: "E, levantou-se, e tomando logo o leito, saiu em presença de todos, de sorte que todos se admiraram e glorificaram a Deus, dizendo: Nunca tal vimos".

Há dois fatos que merecem ser destacados: o primeiro diz respeito à cura do paralítico, manifestada nas afirmativas "levantou-se", "tomando logo o leito" e "saiu em presença de todos". O segundo está relacionado à "admiração" que a cura provocou aos circunstantes. A atitude do enfermo que, após ouvir Jesus, levantou-se, pegou o leito e saiu, revela o processo educativo estabelecido pela evolução: quando o aprendizado é efetivo (ouvir Jesus) existe a indicação de que a lição (expiação ou provação) não só foi aprendida como também impulsionou a pessoa a partir para novas conquistas ("levantou-se"). A postura do enfermo de Cafarnaum mostra, igualmente, que Jesus o deixou livre para agir por si mesmo, conferindo-lhe a disposição de caminhar e conduzir, consigo, o instrumento de provação ("o leito"), onde se recolhera por algum tempo.

A "admiração" de todos indica que, de certa forma, a multidão que cercava Jesus aprendeu alguma coisa. O ensino verdadeiro sempre provoca este tipo de reação. Entretanto, o nível de aprendizado é variável: em uns causará apenas a admiração, propriamente dita, em outros provocará reflexão e noutros, finalmente, resultará em transformação espiritual. De qualquer forma, porém, a lição fundamentada no bem deixa marcas eternas, e, por provocar "admiração" se transforma em um exemplo ("nunca tal vimos") que poderá ser seguido por todos, no momento oportuno.

Referências

1. KARDEC. Allan. *O evangelho segundo o espiritismo.* Tradução de Guillon Ribeiro. 124. ed. Rio de janeiro: FEB, 2005. Introdução, item: Escribas, p. 37.
2. _____._____. Cap. 5, item 6, p. 101-102.
3. _____. *A gênese.* Tradução de Guillon Ribeiro. 48. ed. Rio de janeiro: FEB, 2005. Cap. 15, item 15, p. 318.
4. _____. *O livro dos espíritos.* Tradução de Guillon Ribeiro. 86. ed. Rio de janeiro: FEB, 2005. Questão 625, p. 308.
5. ASSOCIAÇÃO MÉDICO-ESPÍRITA DE MINAS GERAIS. *Das patologias aos transtornos mentais.* 1. ed. Belo Horizonte: INEDE. Prefácio, p. 11
6. CALLIGARIS, Rodolfo. *Páginas de espiritismo cristão.* 5. ed. Rio de janeiro: FEB, 2001. Cap. 47 (O paralítico de Cafarnaum), p. 151.
7. FAJARDO, Cláudio. *Jesus terapeuta.* EDIAME. Belo Horizonte: 2002. Cap. 9 (Cura de um paralítico), p. 227.
8. MARTIN CLARET. *A essência das terapias.* 1. ed. São Paulo: Martin Claret, 2002. Item Terapêutica, p. 10.
9. RIGONATTI, Eliseu. *O evangelho dos humildes.* 15.ed. São Paulo: Pensamento-Cultrix, 2003. Cap. 9 (O paralítico de Cafarnaum), p. 72.
10. XAVIER. Francisco Cândido. *Caminho, verdade e vida.* Pelo Espírito Emmanuel. 26. ed. Rio de Janeiro: FEB, 2006. Cap. 76 (Edificações), p. 168.
11. _____._____. Cap. 118 (O paralítico), p. 251.
12. _____._____. p. 251-252.

Orientações ao monitor

Pedir aos os participantes que se reúnam em grupos, realizem o exercício indicado em seguida, e, em plenária, promovam um debate relacionado às conclusões do trabalho em grupo.

Exercício

» Analisar o papel dos quatro amigos no processo de cura do paralítico, assim como a fé por este demonstrada.

» Explicar, à luz do entendimento espírita, o que significam estas palavras de Jesus: "Filho, perdoados estão os teus pecados".

» Responder à pergunta, justificando-a: Por que Jesus "tem na Terra poder para perdoar pecados"?

» Extrair do texto novas lições e reflexões.

EADE – LIVRO II | MÓDULO IV

APRENDENDO COM AS CURAS

Roteiro 2

O CEGO DE BETSAIDA

Objetivos

» Explicar a cura do cego de Betsaida (Mc 8:22-26), à luz da Doutrina Espírita.

Ideias principais

» O processo de cura do cego de Betsaida arregimentou a ação intercessora de benfeitores anônimos e a utilização de original terapia: antes de se fazer a imposição de mãos, como usualmente procedia, Jesus aplicou saliva nos olhos do doente.

» A cura operada por Jesus nos faz colher [...] *uma lição de inestimável proveito em tudo isso, e refere-se à passagem do Espírito da materialidade em que está, para a espiritualidade, da ignorância para a sabedoria, das trevas para a luz. Ele não adquire, como o cego não adquiriu, repentinamente a vidência da Verdade; passa por um estado de confusão, assim como o cego — vendo, mas vendo homens como árvores, até que possa distinguir claramente a realidade.* Cairbar Schutel: *O espírito do cristianismo.* Cap. 62.

» É óbvio *que o mundo inteiro reclama visão com o Cristo, mas não basta ver simplesmente; [...] para ver e glorificar o Senhor é indispensável marchar nas pegadas do Cristo, escalando, com Ele, a montanha do trabalho e do testemunho.* Emmanuel: *Vinha de luz.* Cap. 34.

Subsídios

1. Texto evangélico

E chegou a Betsaida; e trouxeram-lhe um cego e rogaram-lhe que lhe tocasse. E, tomando o cego pela mão, levou-o para fora da aldeia; e, cuspindo-lhe nos olhos e impondo-lhe as mãos, perguntou-lhe se via alguma coisa. E, levantando ele os olhos, disse: Vejo os homens, pois os vejo como árvores que andam. Depois, tornou a pôr-lhe as mãos nos olhos, e ele, olhando firmemente, ficou restabelecido e já via ao longe e distintamente a todos. E mandou-o para sua casa, dizendo: Não entres na aldeia (Mc 8:22-26).

2. Interpretação do texto evangélico

» *E chegou a Betsaida; e trouxeram-lhe um cego e rogaram-lhe que lhe tocasse* (Mc 8:22).

Betsaida ("casa da pesca" em hebraico), uma aldeia situada a nordeste do mar da Galileia e a alguns quilômetros de Cafarnaum, terra dos apóstolos Pedro, Felipe e André, foi palco de curiosa cura realizada por Jesus.

A chegada a humilde comunidade de Betsaida representa uma pausa num ambiente acomodado, de acolhimento aos viajantes cansados e desencorajados em prosseguir a jornada, mas que recebe o Mestre que por ali transitava na busca das "ovelhas perdidas" de Israel.

A misericórdia de Jesus se faz presente quando ele encontra uma dessas ovelhas, identificada na figura do cego de Betsaida ("E trouxeram-lhe um cego"). A chegada de Jesus evidencia seu trabalho dinâmico no bem, disposto a auxiliar os necessitados que, à semelhança do cego, abrigam a esperança de serem curados dos seus males.

Importa destacar o gesto de solidariedade de alguns amigos que conduzem o cego, pedindo auxílio ao Senhor. São criaturas humanas, anônimas no texto evangélico, que agem como intercessores junto ao Senhor. São Espíritos benevolentes identificados com a mensagem de amor, que nos ensinam como ajustar a própria vida ao trabalho de cooperação e de caridade.

A propósito, elucida um Espírito protetor, em mensagem ditada na cidade de Bordeaux, em 1861:

> Qual é, meus amigos, esse bálsamo soberano, que possui tão grande virtude, que se aplica a todas as chagas do coração e as cicatriza? É o amor, é a caridade! Se possuís esse fogo divino, que é o que podereis temer? [...] Se tendes amor, tereis colocado o vosso tesouro lá onde os vermes e a ferrugem não o podem atacar e vereis apagar-se da vossa alma tudo o que seja capaz de lhe conspurcar a pureza; sentireis diminuir dia a dia o peso da matéria e, qual pássaro que adeja nos ares e já não se lembra da Terra, subireis continuamente, subireis sempre, até que vossa alma, inebriada, se farte do seu elemento de vida no seio do Senhor.[1]

O nome e o número dos amigos que conduziram o cego ficaram escondidos na palavra "trouxeram". Entretanto, a sublime manifestação de amor ao próximo, citado no texto, atravessa os tempos e deixa as suas marcas, revelando o caráter, a solidariedade e o senso de caridade desses benfeitores que souberam aproveitar a feliz oportunidade da presença de Jesus entre eles ("e trouxeram-lhe um cego e rogaram-lhe que lhe tocasse").

Similarmente, podemos dizer que a mesma dinâmica do amor se evidencia no trabalho de incansáveis amigos que encontramos ao longo da nossa caminhada evolutiva, os quais visitando a "Betsaida de nossos corações", ainda cristalizados no comodismo das deficiências que trazemos das experiências passadas, nos estimulam ao bem.

> Não é fácil apartar-se do mal, consubstanciado nos desvios inúmeros de nossa alma através de consecutivas reencarnações, e é muito difícil praticar o bem, dentro das nocivas paixões pessoais que nos empolgam a personalidade, cabendo-nos ainda reconhecer que, se nos conservamos envolvidos na túnica pesada de nossos velhos caprichos, é impossível buscar a paz e segui-la. Cegaram-nos males numerosos, aos quais nos inclinamos nas sendas evolutivas, e acostumados ao exclusivismo e ao atrito inútil, no desperdício de energias sagradas, ignoramos como procurar a tranquilidade consoladora.[9]

A frase: "E rogaram-lhe que lhe tocasse" fala do valor da intercessão. Fundamentados na fé raciocinada, os anônimos benfeitores rogaram a Jesus que tocasse aquele companheiro destituído de visão.

O exemplo é elucidativo para todos nós que atuamos na seara espírita. Perante a criatura em sofrimento, temos o dever cristão de consolá-la. Se estivermos impossibilitados de atendê-la diretamente, podemos nos valer do recurso da intercessão que, por vezes, funciona com mais eficiência se fossemos nós o prestador do benefício. Rogando a quem possa, sob os auspícios da caridade, o sofredor é atendido nas suas necessidades. Entretanto, auxiliar requer, sempre, disposição discernimento e confiança. Tal como os amigos citados nesta passagem do Evangelho, não podemos curar alguém, mas agir como intermediário das forças do bem, aplicando os usuais recursos que a Doutrina Espírita nos disponibiliza: o passe, a prece, a conversa fraterna, o amparo material, o esclarecimento espiritual, o apoio solidário etc.

> *E tomando o cego pela mão, levou-o para fora da aldeia; e, cuspindo-lhe nos olhos e impondo-lhe as mãos, perguntou-lhe se via alguma coisa. E, levantando ele os olhos, disse: Vejo os homens, pois os vejo como árvores que andam. Depois, tornou a pôr-lhe as mãos nos olhos, e ele, olhando firmemente, ficou restabelecido e já via ao longe e distintamente a todos. E mandou-o para sua casa, dizendo: Não entres na aldeia* (Mc 8:23-26).

Podemos observar que Jesus, ao iniciar o paciente processo de cura, manifestado na frase: "tomando o cego pela mão, levou-o para fora da aldeia", o faz com carinho ("tomando o cego pela mão") afastando-o do foco de dificuldades ("levou-o para fora da aldeia").

O gesto de pegar o doente pela mão revela a base em que se fundamenta o trabalho com o Cristo: atenção, simpatia, cuidado, ação eficiente. Por este motivo, as mãos de Jesus são sempre operantes, espalhando o amor de modo incansável.

> O trabalho é sempre instrutor do aperfeiçoamento. [...] Em todos os lugares do vale humano, há recursos de ação e aprimoramento para quem deseja seguir adiante. Sirvamos em qualquer parte, de boa vontade, como ao Senhor e não às criaturas, e o Senhor nos conduzirá para os cimos da vida.[4]

O versículo destaca, igualmente, a manifestação de misericórdia pelo cego, sentimento que antecede o auxílio, propriamente dito. Sabemos que a cegueira tem suas raízes nas ações pretéritas, em geral, desencadeada pela inércia, indiferença e desinteresse na prática do bem.

A grande maioria das doenças tem a sua causa profunda na estrutura semimaterial do corpo perispiritual. Havendo o Espírito agido erradamente, nesse ou naquele setor da experiência evolutiva, vinca o corpo espiritual com desequilíbrios ou distonias, que o predispõem à instalação de determinadas enfermidades, conforme o órgão atingido.[5]

O processo de cura se estabelece quando o enfermo começa a se desligar das causas geradoras da doença, sobretudo quando é apoiado pela família e amigos. A estratégia terapêutica utilizada por Jesus estabeleceu que, de imediato, era necessário afastar o cego dos seus problemas, da influência negativa do ambiente psíquico em que se encontrava mergulhado, por este motivo "levou-o para fora da aldeia".

O processo de cura comporta, basicamente, três etapas: renovação mental do doente, aplicação de recursos terapêuticos para eliminar a doença e o desenvolvimento de ações mantenedoras da saúde. Jesus promove a renovação mental do cego quando, conduzindo-o "para fora da aldeia", desvincula-o dos elementos perturbadores que lhe alimentava a enfermidade. Os recursos terapêuticos utilizados pelo Mestre estão representados nos fluidos ou energias magnético-espirituais, presentes na sua saliva e nos seus fluidos magnéticos. As ações promotoras da saúde estão indicadas no versículo 26, registrado por Marcos: "E mandou-o para sua casa, dizendo: Não entres na aldeia". Significa dizer que a saúde estaria garantida se o atendido guardasse a devida vigilância da sua casa mental ("mandou-o para a sua casa"), mantendo-se harmonizado no bem e afastado do foco dos antigos problemas ("não entres na aldeia").

A cura da cegueira surge como mera possibilidade quando o cego se apoia na benevolência de amigos, os quais, por sua vez, o conduzem até Jesus. Somente com o Mestre a cura se concretiza. Este processo: desejo de ser curado, apoio de benfeitores, encaminhamento a Jesus, permite ao enfermo compreender que as ações individuais, por menores que sejam, repercutem na própria existência, sendo pois necessário desenvolver a capacidade de se fazer escolhas sensatas. Neste sentido, sabemos que "ninguém pode servir a dois senhores, porque ou há de odiar um e amar o outro ou se dedicará a um e desprezará o outro. Não se pode servir a Deus e a Mamon" (Mt 6:24). Mamon representa as paixões inferiores e as coisas materiais supérfluas que, pelo fascínio que exercem sobre as criaturas, podem arrastá-las a grandes desarmonias espirituais e a quedas morais significativas.

Assim, a saída da aldeia, propiciada por Jesus, apresenta também outro significado: coloca o doente no rumo do bem, a serviço de Deus, dando condições ao seu Espírito de acessar outro campo de vibrações, de valores substancialmente diferentes, favoráveis à neutralização do mal.

Trazendo a lição para o campo das nossas cogitações íntimas, percebemos que por muito tempo estivemos prisioneiros de hábitos infelizes e de viciações, antes do entendimento espírita surgir em nossa vida. Isto nos faz refletir o quanto é importante investir na aquisição de valores morais, desenvolvendo virtudes e combatendo o mal. Este processo de mudança pode ser favorecido pelas práticas espíritas, simples, mas eficientes, tais como: reuniões evangélico-doutrinárias ou de estudo; trabalho de assistência e promoção social, de atendimento aos necessitados, encarnados ou desencarnados. São frentes de trabalho que nos fazem manter a mente atenta em interesses edificantes, e que nos desvinculam de antigas conexões geradoras de desconforto espiritual. Agindo assim, estaremos promovendo a desativação de sofrimentos e patologias equivocadamente nutridos pelo nosso Espírito.

O texto de Marcos mostra que Jesus utilizou dois recursos terapêuticos na cura do cego: a saliva e a imposição de mãos. O registro evangélico diz que "e, cuspindo-lhe nos olhos, e impondo-lhe as mãos, perguntou-lhe se via alguma coisa." O uso da saliva indica que a enfermidade daquele companheiro exigia, por suas características, uma providência de ordem bastante material. É importante ressalvar que somente ao Cristo coube a utilização da saliva como elemento curativo, em razão da sua elevada pureza e sublimado magnetismo. Não se trata de prática que devemos imitar ou incentivar, uma vez que a nossa saliva não possui a desejável pureza química e biológica, em função de hábitos alimentares, deficiências fisiológicas, energéticas etc.

A saliva é um produto que contribui para a manutenção de certas atividades no corpo físico. É um fluido aquoso e transparente secretado pelas glândulas salivares, tendo a água como o seu maior componente (99%) e uma pequena porcentagem de substâncias orgânicas e minerais (substâncias inorgânicas). Alguns elementos biológicos existentes na saliva, como anticorpos e enzimas, protegem o organismo de infecções e intoxicações. É uma substância encontrada na boca e em toda a extensão do aparelho digestivo e orofaríngeo, hidratando-o e tendo como função adicional controlar o nível de água no organismo.

O passe, transmitido pela imposição de mãos, foi outro recurso que o Mestre utilizou na cura do cego. Este, sim, é naturalmente utilizado por nós. A imposição de mãos produz uma transmissão magnética dos nossos fluidos animalizados (fluido vital) que, associados às energias dos benfeitores espirituais, canalizam elementos de cura ao necessitado, envolvendo-o em vibrações de amor e bem-estar.

Após a transmissão magnético-fluídica, Jesus "perguntou-lhe se via alguma coisa". A pergunta é significativa: o cego é chamado a reagir, a despertar, sair do estado psíquico em que se encontrava e acordar para a vida, exercitando a visão espiritual que se lhe abria. A magnificência da lição nos mostra como deve ser o processo de auxílio: o enfermo não foi constrangido a ver segundo a ótica de Jesus — que, por efeito contrário, manteria o doente no estado de cegueira, já que a luz excessiva também cega —, mas de acordo com a condição evolutiva do próprio Espírito beneficiado.

Percebemos, então, que em todo processo de auxílio é mais importante que o necessitado não se firme apenas nos recursos de quem o ampara, mas que desenvolva os próprios, ativando-os em benefício da sua felicidade. É preciso não esquecer o respeito que devemos ter pelo livre-arbítrio do beneficiado.

A pergunta do Cristo (vê "alguma coisa?") demonstra que, sob o influxo do amor, há liberdade integral para o necessitado usar do seu livre-arbítrio, vendo o que deseja e discernir sobre o que lhe é lícito ou conveniente.

> Homens comuns, habitualmente, pousam os olhos em determinada situação apenas para fixarem os ângulos mais apreciáveis aos interesses inferiores que lhes dizem respeito. [...] Olhos otimistas saberão extrair motivos sublimes de ensinamento, nas mais diversas situações do caminho em que prosseguem. [...] O homem cristianizado e prudente sabe contemplar os problemas de si mesmo, contudo, nunca enxerga o mal onde o mal ainda não exista.[6]

No versículo 24 temos a resposta do cego a Jesus: "E, levantando ele os olhos, disse: vejo os homens: pois os vejo como árvores que andam". Esta expressão: "levantando ele os olhos" traduz-se como um inequívoco propósito de elevação, atestado pela sua disposição íntima de curar-se. Se a indagação anterior de Jesus — se o enfermo via alguma coisa — afere o desejo de efetiva transformação moral do necessitado, o gesto, caracterizado por "levantando ele os olhos", confirma a determinação do atendido em seguir as orientações do Cristo.

Que esse processo de cura nos sirva de exemplo, pois o mínimo que se espera de todos nós, Espíritos enfermos, é nos mantermos unidos a Jesus, seguindo os seus ensinamentos, sendo beneficiados pela bondade do Alto que nos cumula de bênçãos. Neste sentido, é preciso superar as manifestações de desânimo e de pessimismo que corriqueiramente nos atingem, enfrentando os desafios da vida com ânimo forte ("levantando os olhos").

Continuando em sua determinação de se libertar da cegueira, diz o cego: "Vejo os homens, pois os vejo como árvores que andam". Esta informação mostra que a visão distorcida da realidade pode estar relacionada a diferentes causas.

> A primeira sensação que o homem teve foi exatamente a que experimentam os cegos ao recobrarem a vista. Por um efeito de óptica, os objetos lhes parecem de tamanho exagerado.[2]

Verifica, porém, que a distorção visual poderia estar relacionada, não a problemas no globo ocular, mas à visão espiritual. *Ver homens que parecem árvores que andam*, indica visão aparente, superficial e embaçada. Estamos conscientes que cada Espírito é um mundo por si. O ambiente ao qual nos vinculamos não é uma floresta de criaturas aparentemente iguais, como sugere a expressão "árvores que andam". O espírita consciente sabe que o lar, o trabalho, o ambiente em que vive e atua é uma sociedade heterogênea formada de Espíritos portadores de valores e necessidades diferentes.

Cairbar Schutel nos lembra o seguinte:

> Colhemos [...] uma lição de inestimável proveito em tudo isso, e refere-se à passagem do Espírito, da materialidade em que está, para a espiritualidade, da ignorância para a sabedoria, das trevas para a luz. Ele não adquire, como o cego não adquiriu, repentinamente a vidência da Verdade; passa por um estado de confusão, assim como o cego — vendo, mas vendo homens como árvores, até que possa distinguir claramente a realidade.[3]

Na primeira etapa do atendimento espiritual, realizado por Jesus, percebemos que a visão do cego se revelou deficiente. Mesmo não enxergando com nitidez, a revelação que prestou a Jesus foi sincera, expressando o que efetivamente estava vendo. Não se enganou, movimentando recursos de superfície, se dizendo curado, mas, ao contrário, ao afirmar que não via plenamente, expõe a sua real deficiência por se sentir seguro e amparado em Jesus. Esta informação foi importante para que o Mestre lhe agraciasse com nova assistência ("tornou a pôr-lhe as mãos nos olhos").

À semelhança do cego que deseja enxergar com nitidez, devemos dilatar a nossa visão espiritual, buscando de forma incessante o melhor que a vida oferece em termos de conquistas morais e intelectuais. Os valores que dispomos hoje podem ser insuficientes para a realização de empreendimentos elevados. Entretanto, a experiência da vida, se firmada no amor, oferece novos e apropriados ensinamentos que nos impulsionam para a frente. Adotar ação no bem é angariar conhecimentos pelas vias naturais do progresso espiritual, fugindo do impositivo milenar do aprender pelo sofrimento.

Pessoas há que iniciam bons empreendimentos, mas, por falta de perseverança, não concluem as tarefas. Outras, de forma irrefletida, assumem o compromisso de realizar muitas coisas, mas pouco ou nada executam. O Espírito revela progresso efetivo quando passa a ser mais resoluto e constante no seu propósito de melhoria, atestando, assim, assimilação do "olhando firmemente", indicado no ensinamento evangélico, sob análise. Devemos considerar também que, a despeito das nossas mais nobres e firmes disposições, somente sob o amparo constante de Jesus é que conseguimos forças para, como o cego de Betsaida, saber "olhar firmemente, ficar restabelecido, vendo distintamente a todos."

A expressão verbal "ficou restabelecido" pode ser interpretada como o retorno do equilíbrio e pela capacidade de retomar à posição de criaturas simples e bem-dispostas. As pessoas simples já não perdem nem se mantém presas no emaranhado de complicações, caracterizado pela indiferença, egoísmo, vaidade etc.

Aprendemos que ver, segundo os padrões determinados por Jesus, significa ser humilde e conhecer a verdade, como está demonstrado na frase: "e já via ao longe e distintamente a todos." Ver ao "longe" e "distintamente" tem o significado de ver além ou acima das aparências, enxergando o próximo como irmão, já que todos somos filhos do mesmo Pai. Não se trata, pois, de visualizarmos as pessoas como caricaturas humanas ("como árvores que andam"), mas como companheiros em processo de caminhada para Deus, portadores de peculiaridades e valores próprios, os quais nos concedem a oportunidade de colocar em prática a orientação de Jesus, registrada pelo apóstolo João: "Que vos ameis uns aos outros como eu vos amei a vós [...]. Nisto todos conhecerão que sois meus discípulos, se vos amardes uns aos outros" (Jo 13:34-35).

» *E mandou-o para sua casa, dizendo: Não entres na aldeia* (Mc 8:26).

A frase: "mandou-o para sua casa, dizendo", nos conduz a dupla interpretação. A primeira é literal e está relacionada ao ambiente doméstico, onde convivemos com os familiares e amigos próximos. Trata-se do local apropriado para a execução das responsabilidades e dos deveres definidos pela reencarnação. A segunda diz respeito à casa íntima, à mente do Espírito, plano onde se opera as aquisições necessárias ao progresso espiritual.

Recomenda também Jesus: "não entres na aldeia." Nada há de complexo ou incoerente nessa instrução, se fizermos uma análise não literal, extraindo o espírito da letra. Trata-se de uma recomendação justa e prudente, indicando que o doente, para se manter permanentemente livre da cegueira, não deve retornar à posição anterior, antes de ser curado. "Não entres na aldeia" é ordenação precisa do Senhor que mostra ao convalescente a necessidade de vibrar em planos mais elevados. A cura só se concretiza quando o imperativo de Jesus "não entres na aldeia" é, de fato, assimilado. Quando o Espírito entende que é preciso recolher-se à própria intimidade (sua "casa") deve fazer reflexões apropriadas e elaborar estratégias de redenção. Se a mente renovada eleger como padrão de comportamento o manter-se em sintonia com o Alto, é para aí que deve canalizar seus esforços.

A propósito esclarece Emmanuel:

> Quase [...] todos os doentes reclamam a atuação do Cristo, exigindo que a dádiva desça aos caprichos perniciosos que lhe são peculiares, sem qualquer esforço pela elevação de si mesmos à bênção do Mestre. Raros procuram o Cristo à luz meridiana; e, de quantos lhe recebem os dons, raríssimos são os que lhe seguem os passos no mundo. Daí procede a ausência da legítima glorificação a Deus e a cura incompleta da cegueira que os obscurecia, antes do primeiro contato com a fé. Em razão disso, a Terra está repleta dos que creem e descreem, estudam e não aprendem, esperam e desesperam, ensinam e não sabem, confiam e duvidam. Aquele que recebe dádivas pode ser

somente beneficiário. O que, porém, recebe o favor e agradece-o, vendo a luz e seguindo-a, será redimido. É óbvio que o mundo inteiro reclama visão com o Cristo, mas não basta ver simplesmente [...] para ver e glorificar o Senhor é indispensável marchar nas pegadas do Cristo, escalando, com Ele, a montanha do trabalho e do testemunho.[10]

A interpretação espírita da cura do cego de Betsaida nos faz recordar Saulo de Tarso que, ao encontrar o Cristo na estrada de Damasco, precisou perder temporariamente a visão física para que pudesse enxergar as claridades espirituais. Eis o que aconteceu ao valoroso apóstolo dos gentios, segundo o relato de Emmanuel.

> Aqueles três dias em Damasco foram de rigorosa disciplina espiritual. Sua personalidade dinâmica havia estabelecido uma trégua às atividades mundanas, para examinar os erros do passado, as dificuldades do presente e as realizações do futuro. Precisava ajustar-se à inelutável reforma do seu eu. [...] Ninguém acreditaria no ascendente da conversão inesperada; entretanto, havia que lutar contra todos os céticos, uma vez que Jesus, para falar-lhe ao coração, escolhera a hora mais clara e rutilante do dia, em local amplo e descampado e na só companhia de três homens muito menos cultos do que ele, e, por isso mesmo, incapazes de algo compreenderem na sua pobreza mental. [...] Agora compreendia aquele Cristo que viera ao mundo principalmente para os desventurados e tristes de coração. Antes, revoltava-se contra o Messias Nazareno, em cuja ação presumia tal ou qual incompreensível volúpia de sofrimento; todavia, chegava a examinar-se melhor, agora, haurindo na própria experiência as mais proveitosas ilações. Não obstante os títulos do Sinédrio, as responsabilidades públicas, o renome que o faziam admirado em toda parte, que era ele senão um necessitado da proteção divina? As convenções mundanas e os preconceitos religiosos proporcionavam-lhe uma tranquilidade aparente; mas, bastou a intervenção da dor imprevista para que ajuizasse de suas necessidades imensas. Abismalmente concentrado na cegueira que o envolvia, orou com fervor, recorreu a Deus para que o não deixasse sem socorro, pediu a Jesus lhe clareasse a mente atormentada pelas ideias de angústias e desamparo.[7]

Sabemos que passados três dias em que o apóstolo se encontrava cego, Jesus enviou o idoso Ananias que, em seu nome, curou a cegueira de Paulo. O diálogo que acontece entre o beneficiado e o benfeitor revela o que acontece quando a cura ocorre sob o amparo do Cristo:

> Ressuscitastes-me para Jesus — exclamou jubiloso —; serei dele eternamente. Sua misericórdia suprirá minhas fraquezas, compadecer-se-á de minhas feridas, enviará auxílios à miséria da minha alma pecadora, para que a lama do meu espírito se converta em ouro do seu amor.
>
> Sim, somos do Cristo — ajuntou o generoso velhinho com a alegria a transbordar dos olhos.[8]

Referências

1. KARDEC. Allan. *O evangelho segundo o espiritismo*. Tradução de Guillon Ribeiro. 124. ed. Rio de janeiro: FEB, 2005. Cap. 8, item 19, p. 156-157.

2. _____. *A gênese*. Tradução de Guillon Ribeiro. 48. ed. Rio de janeiro: FEB, 2005. Cap. 15, item 13, p. 317.

3. SCHUTEL, Cairbar. *O espírito do cristianismo*. 8. ed. Matão: O Clarim, 2001. Cap. 62 (O cego de Betsaida), p. 319.

4. XAVIER. Francisco Cândido. *Fonte viva*. Pelo Espírito Emmanuel. 33. ed. Rio de Janeiro: FEB, 2006. Cap. 29 (Sirvamos), p. 76.

5. _____. *Leis de amor*. Pelo Espírito Emmanuel. 4. ed. São Paulo: LAKE, 1972. Pergunta 2, p. 13-14.

6. _____. *Pão nosso*. Pelo Espírito Emmanuel. 27. ed. Rio de Janeiro: FEB, 2006. Cap. 169 (Olhos), p. 353-354.

7. _____. *Paulo e Estêvão*. Pelo Espírito Emmanuel. 42. ed. Rio de Janeiro: FEB, 2006. Segunda parte, cap. 1 (Rumo ao deserto), p. 257-258.

8. _____._____. p. 261.

9. _____.*Vinha de luz*. Pelo Espírito Emmanuel. 24. ed. Rio de Janeiro: FEB, 2006. Cap. 27 (Indicação de Pedro), p. 73-74.

10. _____._____. Cap. 34 (Não basta ver), p. 87-88.

Orientações ao monitor

Pedir aos participantes que façam uma leitura reflexiva do texto e que realizem o exercício que se segue.

Exercício

» Analisar, à luz do Espiritismo, as frases:

a) "E lhe trouxeram um cego, rogando-lhe que o tocasse";

b) "E o mandou-o para sua casa, dizendo: não entres na aldeia."

» Esclarecer por que a cura da cegueira exigiu duas ações subsequentes, por parte de Jesus: aplicar saliva e fazer imposição de mãos sobre os olhos do doente.

» Explicar a importância da cura a ser realizada sob o amparo de Jesus.

EADE – LIVRO II | MÓDULO IV

APRENDENDO COM AS CURAS

Roteiro 3

A CURA DA SOGRA DE PEDRO E DOS ENDEMONIADOS

Objetivos

» Explicar, à luz do entendimento espírita, a cura da sogra de Pedro e a dos endemoniados, realizadas por Jesus.

Ideias principais

» *De todos os fatos que dão testemunhos do poder de Jesus, os mais numerosos são, não há contestar, as curas. Queria Ele provar dessa forma que o verdadeiro poder é o daquele que faz o bem.* Allan Kardec: *A gênese.* Cap. XV, item 27.

» *Aliviemos a dor, mas não nos esqueçamos de que o sofrimento é criação do próprio homem, ajudando-o a esclarecer-se para a vida mais alta.* Irmão X: *Contos e apólogos.* Cap. 6.

» Ninguém reuniu sobre a Terra tão elevadas expressões de recursos desconhecidos quanto Jesus. Aos doentes, bastava tocar-lhe as vestiduras para que se curassem de enfermidades dolorosas; suas mãos devolviam o movimento aos paralíticos, a visão aos cegos. [...] Havendo cumprido a lei sublime do amor, no serviço do Pai, entregou-se à sua vontade, em se tratando dos interesses de si mesmo. Emmanuel: *Caminho, verdade e vida.* Cap. 70.

Subsídios

1. Texto evangélico

Ora, levantando-se Jesus da sinagoga, entrou em casa de Simão; e a sogra de Simão estava enferma com muita febre; e rogaram-lhe por ela. E, inclinando-se para ela, repreendeu a febre, e esta a deixou. E ela, levantando-se logo, servia-os (Lucas, 4:38-39).

E, chegada a tarde, trouxeram-lhe muitos endemoninhados, e ele, com a sua palavra, expulsou deles os espíritos e curou todos os que estavam enfermos... (Mateus, 8:16).

Os dois textos evangélicos fazem referências a dois tipos de enfermidades que usualmente atingem o ser humano: as de natureza orgânicas e as psíquicas (obsessivas e mentais). Todas as doenças são provações que, para suportá-las com coragem, é importante estarmos informados a respeito de suas causas.

De duas espécies são as vicissitudes da vida, ou se preferirem, promanam de duas fontes bem diferentes, que importa distinguir. Umas têm sua causa na vida presente; outras, fora desta vida. Remontando-se à origem dos males terrestres, reconhecer-se-á que muitos são consequência natural do caráter e do proceder dos que os suportam.[1] Mas, se há males nesta vida cuja causa primária é o homem, outros há também aos quais, pelo menos na aparência, ele é completamente estranho e que parecem atingi-lo como por fatalidade. [...] Todavia, por virtude do axioma segundo o qual *todo efeito tem uma causa*, tais misérias são efeitos que hão de ter uma causa e, desde que se admita um Deus justo, essa causa também há de ser justa. Ora, ao efeito precedendo sempre a causa, se esta não se encontra na vida atual, há de ser anterior a essa vida, isto é, há de estar numa existência precedente.[2]

2. Interpretação do texto evangélico

» *Ora, levantando-se Jesus da sinagoga, entrou em casa de Simão; e a sogra de Simão estava enferma com muita febre; e rogaram-lhe por ela* (Lc 4:38).

Percebemos que a vinda de Jesus ao Orbe estabelece uma nova ordem nos processos evolutivos da humanidade pois, alicerçado na lei de amor, o Mestre nos clareia o entendimento e nos ensina a vivenciá-la em sua plenitude. Neste sentido, os breves registros de Lucas e de Mateus nos anunciam preceitos básicos do Evangelho: a compaixão, a solidariedade, a caridade. Em ambos os textos identificamos o gesto de atenção, ou o cuidado desenvolvidos por pessoas amigas, em geral, permanecidas no anonimato, mas que agem como intercessoras dos sofredores, junto a Jesus.

Relata-nos o Irmão X que à época de Jesus, quanto na atualidade, as doenças sempre foram consideradas um gênero de provas de difícil aceitação. O seguinte diálogo ocorrido entre Jesus e seus apóstolos é elucidativo.

> Em face da pausa natural que se fizera, espontânea, na exposição do Mestre, Pedro interferiu, perguntando:
> Senhor, as tuas afirmativas são sempre imagens da verdade. Compreendo que o ensino da Boa-Nova estenderá a felicidade sobre a Terra... No entanto, não concordas que as enfermidades são terríveis flagelos para a criatura? E se curássemos todas as doenças? Se proporcionássemos duradouro alívio a quantos padecem aflições do corpo? Não acreditas que, assim, instalaríamos as bases mais seguras ao reino de Deus?
> E Filipe ajuntou, algo tímido:
> Grande realidade!... Não é fácil concentrar ideias no Alto, quando o sofrimento físico nos incomoda. É quase impossível meditar problemas da alma, se a carne permanece abatida por achaques... [...]
> Jesus deixou que a serenidade reinasse de novo, e, louvando a piedade, comunicou aos amigos que, no dia imediato, a título de experiência, todos os enfermos seriam curados, antes da pregação. Com efeito, no outro dia, desde manhãzinha, o Médico celeste, acolitado pelos apóstolos, impôs suas milagrosas mãos sobre os doentes de todos os matizes. No curso de algumas horas, foram libertados mais de cem prisioneiros da sarna, do cancro, do reumatismo, da paralisia, da cegueira, da obsessão... [...].
> O Mestre, em breves instantes, falaria com respeito à beleza da Eternidade e à glória do Infinito; demonstraria o amor e a sabedoria do Pai [...]. Os alegres beneficiados, contudo, se afastaram, céleres, entre frases apressadas de agradecimento e desculpa. [...] Com a cura do último feridento, a vasta margem do lago contava apenas com a presença do Senhor e dos doze apóstolos. Desagradável silêncio baixou

sobre a reduzida assembleia. O pescador de Cafarnaum endereçou significativo olhar de tristeza e desapontamento ao Mestre, mas o Cristo falou, compassivo:

Pedro, estuda a experiência e guarda a lição. Aliviemos a dor, mas não nos esqueçamos de que o sofrimento é criação do próprio homem, ajudando-o a esclarecer-se para a vida mais alta. E sorrindo, expressivamente, arrematou:

A carne enfermiça é remédio salvador para o espírito envenenado. Sem o bendito aguilhão da enfermidade corporal é quase impossível tanger o rebanho humano do lodaçal da terra para as culminâncias do Paraíso.[10]

Vê-se, pois, que os gestos de solidariedade, assim como o permanente amparo de Jesus, não nos libera do trabalho de melhoria espiritual que nos é próprio, encontrando na prática do bem a prevenção de doenças.

Identificamos em vários grupos espíritas abnegados companheiros que, em trabalho conjunto com benfeitores espirituais, se dedicam ao alívio das enfermidades dos irmãos encarnados, seja pela aplicação dos recursos magnéticos seja pelas das manipulações de fluidos salutares. Este tipo de atividade, porém, não produz a cura verdadeira, uma vez que nem mesmo Jesus "[...] prometeu curar, prometeu apenas aliviar. Ora, aliviar não é curar; a cura completa depende do próprio paciente, do seu progresso moral-espiritual [...]".[7] É o próprio Senhor que afirma: "Vinde a mim, todos os que estais cansados e oprimidos, e eu vos aliviarei" (Mt 11:28).

A frase: "Ora, levantando-se Jesus da Sinagoga" indica que o ato de "levantar-se" reflete uma disposição íntima para o trabalho, de quem está disposto a servir.

A sinagoga representa, no Judaísmo, não só um local de observância religiosa, mas também uma instituição comunal. Com ela, a natureza do culto oficial apresenta características especiais, tendo a prece, a leitura e o estudo da Torá substituído o sacrifício como maneira de servir a Deus. Simboliza também o centro de cogitações espirituais, lugar apropriado à abordagem dos assuntos que tangem os terrenos da vida em termos de imortalidade, abrindo caminhos para apropriação de conhecimentos ou para as realizações no bem. Significa dizer que todo trabalho de auxílio para ser bem-sucedido, deve ter como referência padrões espirituais elevados.

"Entrou em casa de Simão" tem duas interpretações: a literal, no sentido de local da habitação de Pedro e dos seus familiares; e a não literal, que extrapola a letra, relacionada à casa mental do apóstolo, isto é, ao campo das suas influências e vibrações espirituais. Neste sentido, podemos afirmar que Jesus e os demais benfeitores utilizam as boas disposições dos que com eles estão sintonizados para socorrer os necessitados.

Este texto: "a sogra de Simão estava enferma com muita febre e rogaram-lhe por ela" demonstra que a doença era de natureza orgânica ("com muita febre"), talvez uma infecção passageira, mas que mereceu a atenção de pessoas vigilantes, mantidas em anonimato no texto, mas que souberam agir, rogando a intercessão do coração magnânimo de Jesus. Esta é a atitude dos amigos leais que, em nome do Senhor, estão sempre prestando serviço aos que sofrem.

> As doenças fazem parte das provas e das vicissitudes da vida terrena; são inerentes à grosseria da nossa natureza material e à inferioridade do mundo que habitamos. As paixões e os excessos de toda ordem semeiam em nós germens malsãos, às vezes hereditários. Nos mundos mais adiantados, física ou moralmente, o organismo humano, mais depurado e menos material, não está sujeito às mesmas enfermidades e o corpo não é minado surdamente pelo corrosivo das paixões.[3]

A expressão "rogaram-lhe" mostra o envolvimento de criaturas humanas sensibilizadas com a necessidade de agir no bem, de auxiliar, de efetivar no campo prático da existência, a lei da solidariedade e, que, perante a própria incapacidade terapêutica, buscaram o auxílio de quem, efetivamente, tinha poder de amparar.

A febre no adulto, citada no texto, é um distúrbio orgânico caracterizado pela elevação da temperatura do corpo acima de 37ºC, considerada, neste patamar, como padrão de normalidade. Ocorre, em geral, como consequência da luta dos elementos de defesa do organismo contra invasores microbianos ou contra as suas toxinas, geradores de enfermidade ou do desequilíbrio orgânico. A palavra febre, entretanto, pode simbolicamente significar elevação das emoções, exarcebações de paixões ou de conflitos íntimos, provocadores de perturbações espirituais.

Realizando uma autorreflexão, a respeito do assunto, perguntamos: poderíamos afirmar que, na nossa movimentação por algo fazer de bom, intercedemos, de fato, pelas pessoas necessitadas? Estaríamos, ao contrário, cegos ou indiferentes à dor do próximo? Ou será que já podemos nos colocar na posição de Simão Pedro, guardadas as devidas proporções, de ser um instrumento utilizado pelo Alto para socorrer os que sofrem?

» *E, inclinando-se para ela, repreendeu a febre, e esta a deixou. E ela, levantando-se logo, servia-os* (Lc 4:39).

"E, inclinando-se para ela," é atitude cuidadosa, atenta, de quem sabe auxiliar. Inclinando-se para a doente, Jesus a envolve nas vibrações elevadas do seu poderoso magnetismo curador e, ao mesmo tempo, desce até o nível das necessidades da enferma, identificando suas dificuldades, sem se afastar do próprio plano de superioridade e autoridade espirituais. Essa forma de agir representa o modelo de auxílio: o benfeitor desce ao nível do sofrimento do doente, socorre-o, mas não se deixa contaminar pela enfermidade do doente.

"Repreendeu a febre, e esta a deixou", mostra que Jesus aplicou uma transfusão de fluidos curativos, ou passe, à sogra de Pedro. "Repreender a febre" é forma de dizer que o Mestre direcionou os seus recursos para neutralizar a ação do mal, o agente da perturbação, manifestado pela febre. Toda doença exige tratamento eficaz, ao passo que o enfermo, a fim de se livrar de novos envolvimentos, carece de esclarecimento, compreensão, paciência e, sobretudo, de amor, a fim de não incorrer em novas enfermidades ou em recaídas.

Sob a força magnética do Cristo, revestida por valores morais, pôde a sogra de Pedro assimilar o auxílio, encontrando novas forças para a restauração da sua saúde e do seu bem-estar.

"E ela, levantando-se logo, servia-os", indica que o tratamento dos males físicos ou psíquicos é bem-sucedido quando traz a moldura do amor. Ocorrendo a cura, o enfermo saiu do estado de perturbação ou de prostração que se encontrava levantando-se para a vida e continua a sua caminhada evolutiva, brevemente interrompida. O sentido reflexivo do verbo (levantando-se) denota que o Mestre, atuando diretamente na raiz do mal, fortaleceu a enferma, colocando-a no caminho do franco restabelecimento.

Analisando de perto a questão, poderíamos nos indagar se, durante a recuperação de uma enfermidade, conseguimos levantar por conta própria ou se foi preciso contar com algum apoio externo, vindo de alma generosa?

"Servia-os" é a dinâmica sublimada de um coração que efetivamente foi curado, a pessoa está pronta para tocar a vida, trabalhando em benefício próprio e do próximo.

> *E, chegada a tarde, trouxeram-lhe muitos endemoninhados, e Ele, com a sua palavra, expulsou deles os Espíritos e curou todos os que estavam enfermos...* (Mt 8:16).

"Os endemoniados aqui referidos eram pessoas obsidiadas; Jesus, com sua palavra, afastava espíritos obsessores."[8]

Encontramos também nesse texto do Evangelho outra alusão a benfeitores espirituais anônimos, os quais, num esforço de cooperação e de solidariedade auxiliam os que se encontram sob o jugo de entidades perturbadoras e perturbadas.

> Parece que, ao tempo de Jesus, eram em grande número, na Judeia, os obsidiados e os possessos, a oportunidade que Ele teve de curar a muitos.[...] Sem apresentarem caráter epidêmico, as obsessões individuais são muitíssimo frequentes e se apresentam sob os mais variados aspectos que, entretanto, por um conhecimento amplo do Espiritismo, facilmente se descobrem. Podem, não raro, trazer consequências danosas à saúde, seja agravando afecções orgânicas já existentes, seja ocasionando-as.[6]

As manifestações obsessivas têm uma razão de ser, não ocorrendo por acaso, como bem nos esclarece o Espírito Dias da Cruz.

> É que pelo ímã do pensamento doentio e descontrolado, o homem provoca sobre si a contaminação fluídica de entidades em desequilíbrio, capazes de conduzi-lo à escabiose e à ulceração, à dipsomania [desejo mórbido e incontrolável por bebidas alcoólicas] e à loucura, à cirrose e aos tumores benignos ou malignos de variada procedência, tanto quanto aos vícios que corroem a vida moral, e, através do próprio pensamento desgovernado, pode fabricar para si mesmo as mais graves eclosões de alienação mental, como sejam as psicoses de angústia e ódio, vaidade e orgulho, usura e delinquência, desânimo e egocentrismo, impondo ao veículo orgânico processos patológicos indefiníveis, que lhe favoreçam a derrocada ou a morte.[11]

O versículo 16 do texto registrado por Mateus, esclarece que Jesus "curou todos os que estavam enfermos", merecendo de Allan Kardec os comentários que se seguem.

De todos os fatos que dão testemunhos do poder de Jesus, os mais numerosos são, não há contestar, as curas. Queria Ele provar dessa forma que o verdadeiro poder é o daquele que faz o bem; que o seu objetivo era ser útil e não satisfazer à curiosidade dos indiferentes, por meio de coisas extraordinárias. Aliviando os sofrimentos, prendia a si as criaturas pelo coração e fazia prosélitos mais numerosos e sinceros, do que se apenas os maravilhasse com espetáculos para os olhos. Daquele modo, fazia-se amado, ao passo que se limitasse a produzir surpreendentes fatos materiais, conforme os fariseus reclamavam, a maioria das pessoas não teria visto nele senão um feiticeiro, ou um mágico hábil, que *os desocupados iriam apreciar para se distraírem*.[4]

A Doutrina Espírita, na sua posição de Cristianismo Redivivo, procura seguir os exemplos do Cristo.

O Espiritismo, igualmente, pelo bem que faz é que prova a sua missão providencial. Ele cura os males físicos, mas cura, sobretudo, as doenças morais e são esses os maiores prodígios que lhe atestam a procedência. Seus mais sinceros adeptos não são os que se sentem tocados pela observação de fenômenos extraordinários, mas os que dele recebem a consolação para as suas almas; os a quem liberta das torturas da dúvida; aqueles a quem levantou o ânimo na aflição, que hauriram forças na certeza, que lhes trouxe, acerca do futuro, no conhecimento do seu ser espiritual e de seus destinos. Esses os de fé inabalável, porque sentem e compreendem. Os que no Espiritismo unicamente procuram efeitos materiais, não lhes podem compreender a força moral.[5]

Realmente, o Cristo foi e é incomparável. Trouxe-nos lições sublimes, doando-nos o seu Evangelho como roteiro de luz a ser seguido por todos os que desejam atingir as culminâncias da espiritualidade superior.

Ninguém reuniu sobre a Terra tão elevadas expressões de recursos desconhecidos quanto Jesus. Aos doentes, bastava tocar-lhe as vestiduras para que se curassem de enfermidades dolorosas; suas mãos devolviam o movimento ao paralíticos, a visão aos cegos. Entretanto, no dia do Calvário, vemos o Mestre ferido e ultrajado, sem recorrer aos poderes que lhe constituíam apanágio divino, em benefício da própria situação. Havendo cumprido a lei sublime do amor, no serviço do Pai, entregou-se à sua vontade, em se tratando dos interesses de si mesmo.

A lição do Senhor é bastante significativa. É compreensível que o discípulo estude e se enriqueça de energias espirituais, recordando-se, porém, de que, antes do nosso, permanece o bem dos outros e que esse bem, distribuído no caminho da vida, é voz que falará por nós a Deus e aos homens, hoje ou amanhã.⁹

Referências

1. KARDEC. Allan. *O evangelho segundo o espiritismo*. Tradução de Guillon Ribeiro. 124. ed. Rio de Janeiro: FEB, 2005. cap. 5, item 4, p. 98-99.

2. ____.____. Item: 6, p. 101-102.

3. ____.____. Cap. 28, item 77, p. 430.

4. ____. *A gênese*. Tradução de Guillon Ribeiro. 48. ed. Rio de Janeiro: FEB, 2005. Cap. 15, item 27, p. 326.

5. ____.____. Item 28, p. 327.

6. ____.____. Item 35, p. 330.

7. PEREIRA, Yvonne A. *À luz do consolador*. 3. ed. Rio de Janeiro: FEB, 1998. Cap. Convite ao estudo, p. 190.

8. RIGONATTI, Eliseu. *O evangelho dos humildes*. 15. ed. São Paulo: Pensamento-Cultrix, 2003. Cap. 8, item: A sogra de Pedro, p. 68.

9. XAVIER. Francisco Cândido. *Caminho, verdade e vida*. Pelo Espírito Emmanuel. 26. ed. Rio de Janeiro: FEB, 2006. Cap. 70 (Poderes ocultos), p. 156.

10. ____. *Contos e apólogos*. Pelo Espírito Irmão X. 11. ed. Rio de Janeiro: FEB, 2006. Cap. 6 (O bendito aguilhão), p. 32-34.

11. ____. *Instruções psicofônicas*. Por diversos Espíritos. 8. ed. Rio de Janeiro: FEB, 2005. Cap. 34 (Parasitose mental), p. 160.

Orientações ao monitor

Organizar a turma em um grande círculo e, em conjunto, realizar análise exploratória do assunto, após leitura reflexiva do texto.

EADE – LIVRO II | MÓDULO IV

APRENDENDO COM AS CURAS

Roteiro 4

O HOMEM DA MÃO MIRRADA

Objetivos

» Explicar a cura do homem que tinha a mão mirrada de acordo com as ideias espíritas.

Ideias principais

» A cura do homem com a mão mirrada é considerada, em diferentes interpretações religiosas, como um milagre. O Espiritismo interpreta de forma diferente, entendendo que o fato foi aceito como milagroso porque era algo excepcional, incomum. Por ignorar o caráter das manifestações espirituais, a teologia acredita que a cura operada por Jesus derroga as leis da natureza, daí ser vista como um milagre.

» *Jesus como que fazia questão de operar suas curas em dia de sábado, para ter ensejo de protestar contra o rigorismo dos fariseus no tocante à guarda desse dia.* Allan Kardec: *A gênese*. Cap. XV, item 23.

» *Observemos, todavia, o socorro do Mestre ao paralítico. Jesus determina que ele estenda a mão mirrada e, estendida essa, não lhe confere as bolsas de ouro nem fichas de privilégio. Cura-a. Devolve-lhe a oportunidade de serviço.* Emmanuel: *Fonte viva*. Cap. 174.

Subsídios

1. Texto evangélico

E aconteceu também, em outro sábado, que entrou na sinagoga e estava ensinando; e havia ali um homem que tinha a mão direita mirrada. E os escribas e fariseus atentavam nele, se o curaria no sábado, para acharem de que o acusar. Mas ele, conhecendo bem os seus pensamentos, disse ao homem que tinha a mão mirrada: Levanta-te e fica em pé no meio. E, levantando-se ele, ficou em pé. Então, Jesus lhes disse: Uma coisa vos hei de perguntar: É lícito nos sábados fazer bem ou fazer mal? Salvar a vida ou matar? E, olhando para todos ao redor, disse ao homem: Estende a mão. E ele assim o fez, e a mão lhe foi restituída sã como a outra. E ficaram cheios de furor, e uns com os outros conferenciavam sobre o que fariam a Jesus (Lc 6:6-11).

O relato dessa cura, operada por Jesus, é intrigante não por ter sido realizado no dia de sábado que, pela tradição judaica, estava destinado às atividades exclusivamente religiosas, mas pela recuperação física de uma mão paralítica ("mão mirrada"), atrofiada por longo desuso, que ficou completamente sadia ("e a mão lhe foi restituída sã como a outra").

Os religiosos, em geral, classificariam essa cura como um ato milagroso, uma vez que, para eles, "[...] um milagre implica a ideia de um fato extranatural; no sentido teológico, é uma derrogação das leis da natureza, por meio do qual Deus manifesta o seu poder."[2]

Kardec esclarece, porém, que o milagre deve ser entendido apenas no sentido etimológico, isto é, de algo admirável, extraordinário, surpreendente,[4] jamais como uma derrogação das leis naturais. Analisa que um "[...] um dos caracteres do milagre propriamente dito é o ser inexplicável [...]. Outro caráter do milagre é o de ser insólito, isolado, excepcional."[3]

O milagre existe porque desconhecemos as leis que regem a manifestação do fenômeno. "[...] Logo que um fenômeno se reproduz, quer espontânea, quer voluntariamente, é que está submetido a uma lei e, desde então, seja ou não seja conhecida a lei, já não pode haver milagres."[3]

Jesus, por efeito da sua poderosa vontade e pelo intenso amor ao próximo, aplicava os seus fluidos altamente purificados no perispírito do doente. Este, por sua vez, secundado pela confiança no Senhor se tornava receptivo à ação curativa.

No que se refere aos poderes curativos, temo-los em Jesus nas mais altas afirmações de grandeza. Cercam-no doentes de variada expressão. Paralíticos estendem-lhe membros mirrados, obtendo socorro. Cegos recuperam a visão. Ulcerados mostram-se limpos. Alienados mentais, notadamente obsidiados diversos, recobram o equilíbrio. É importante considerar, porém, que o grande benfeitor a todos convida para a valorização das próprias energias. [...] Não salienta a confiança por simples ingrediente de natureza mística, mas sim por recurso de ajustamento aos princípios mentais, na direção da cura.[14]

2. Interpretação do texto evangélico

» *E aconteceu também, em outro sábado, que entrou na sinagoga e estava ensinando; e havia ali um homem que tinha a mão direita mirrada. E os escribas e fariseus atentavam nele, se o curaria no sábado, para acharem de que o acusar* (Lc 6:6-7).

As curas no Evangelho sempre despertaram grande interesse. Não apenas pela natureza desses acontecimentos, mas pelo impacto que provocavam na população e nos agrupamentos religiosos, em especial. Os estudiosos do Evangelho, ainda hoje, analisam os relatos das curas realizadas por Jesus, procurando ter uma resposta racional para algumas questões, quais sejam: Como operava Jesus? Como os fatos se desenvolviam? Qual a metodologia utilizada e como eram trabalhadas e aplicadas as técnicas terapêuticas?

A Ciência resolveu a questão dos milagres que mais particularmente derivam do elemento material, quer explicando-os, quer lhes demonstrando a impossibilidade, em face das leis que regem a matéria. Mas, os fenômenos em que prepondera o elemento espiritual, esses, não podendo ser explicados unicamente por meio das leis da natureza, escapam às investigações da Ciência. Tal a razão por que eles, mais do que os outros, apresentam os caracteres *aparentes* do maravilhoso. É, pois, nas leis que regem a vida espiritual que se pode encontrar a explicação dos milagres dessa categoria.[4]

A Doutrina Espírita nos fornece explicações claras e objetivas sobre o assunto, desde que se faça um razoável estudo a respeito dos fluidos e do perispírito, do pensamento e da vontade.

Como se há visto, o fluido universal é o elemento primitivo do corpo carnal e do perispírito, os quais são simples transformações dele. Pela identidade da sua natureza, esse fluido, condensado no perispírito, pode fornecer princípios reparadores ao corpo; o Espírito, encarnado ou desencarnado, é o agente propulsor que infiltra num corpo deteriorado uma parte da substância do seu envoltório fluídico. A cura se opera mediante a substituição de uma molécula *malsã* por uma molécula sã. O poder curativo estará, pois, na razão direta da pureza da substância inoculada; mas, depende também da energia da vontade que, quanto maior for, tanto mais abundante emissão fluídica provocará e tanto maior força de penetração dará ao fluido. Depende ainda das intenções daquele que deseje realizar a cura, *seja homem* [encarnado] *ou Espírito*.[5]

No caso de Jesus, as curas eram realizadas por Ele mesmo, sem intermediários, diferentemente do que acontece aos médiuns curadores. "[...] Agia por si mesmo, em virtude do seu poder pessoal, como o podem fazer, [excepcionalmente] os encarnados, na medida de suas forças."[6] As qualidades fluídicas do Mestre "[...] lhe conferia imensa força magnética, secundada pelo incessante desejo de fazer o bem."[6]

O texto evangélico, registrado por Lucas, informa que a cura aconteceu no sábado ("E aconteceu também, em outro sábado"). Mostra que Jesus considerava absurda a tradição judaica de que o bem deveria ser realizado em dias específicos, daí ter Ele contrariado a norma e provocado reflexões e discussões. Jesus agiu assim como forma de provar que existia uma interpretação literal e equivocada a respeito desta determinação moisaica: "seis dias trabalharás, e farás toda a tua obra, mas o sétimo dia é o sábado do Senhor, teu Deus; não farás nenhuma obra, nem tu, nem teu servo, nem tua serva, nem o teu animal, nem o teu estrangeiro que está dentro das tuas portas. Porque em seis dias fez o Senhor os céus e a terra, o mar e tudo que neles há e ao sétimo dia descansou; portanto, abençoou o Senhor o dia de sábado e o santificou" (Ex 20:9-11).

Jesus como que fazia questão de operar suas curas em dia de sábado, para ter ensejo de protestar contra o rigorismo dos fariseus no tocante à guarda desse dia. Queria mostra-lhes que a verdadeira piedade não consiste na observância das práticas exteriores e das formalidades; que a piedade está nos sentimentos do coração. Justificava-se, declarando: "Meu Pai não cessa de obrar até o presente e eu obro incessantemente" (Jo 5:17). Quer dizer, Deus não interrompe as suas obras, nem sua ação sobre as coisas da natureza, em dia de sábado.[7]

A frase: "Entrou na sinagoga e estava ensinando. E havia ali um homem que tinha a mão direita mirrada", nos esclarece que, ao entrar na sinagoga, naquele dia, como costumeiramente fazia, mostrou-nos Jesus que a pregação deveria ser ilustrada com um exemplo que demonstrasse, de forma efetiva, que o bem deve ser realizado, continuamente, em qualquer dia e hora. A sinagoga representava, pois, o local ideal, onde se realizavam as reuniões comunais e onde se estudavam as escrituras e executavam as práticas religiosas, fornecia o ambiente propício à implementação de valores espirituais imorredouros.

O homem com a mão mirrada é o exemplo escolhido por Jesus para evidenciar a natureza atemporal da prática do bem. A deficiência física deveria provocar, nesse homem, sofrimentos, sobretudo por se tratar da mão direita, usualmente a mais utilizada no trabalho, já que a maioria dos seres humanos é destra. O texto evangélico não faz qualquer tipo de referência à profissão desse homem. Entretanto, o destaque dado à sua "mão direita" deve ter algum significado especial. Supomos que essa mão deveria ser de extrema necessidade para ele, para o exercício de suas atividades laborais, da mesma forma que a voz ou a audição o são para outras pessoas.

O versículo sete, do registro de Lucas, informa que "os escribas e fariseus atentavam nele, se o curaria no sábado, para acharem de que o acusar". Sabemos que os escribas e os fariseus eram conhecedores da lei moisaica. Entretanto, por se encontrarem excessivamente presos às práticas ritualísticas do culto, não se revelavam muito sensíveis ao sofrimento do próximo. Por esse motivo, preferiram desconsiderar a dor do irmão para vigiar e acusar Jesus, caso o Senhor violasse a tradição imposta pela legislação moisaica.

Não sabiam eles, que "o filho do homem até do sábado é senhor" (Mc 2:28), segundo palavras textuais do próprio Cristo, ditas em outra oportunidade, mas reveladoras de que Ele, sendo a expressão máxima do amor manifestada no nosso Orbe, opera além das contingências humanas e acima do jugo austero e fechado dos dispositivos legais.

Os escribas eram considerados, no mundo antigo, como seres eminentes pelo fato de saberem ler, escrever, lavrar documentos legais, alguns atuando no palácio real como ministros de finanças ou secretários de Estado.

Durante a subjugação babilônica, eles se tornaram responsáveis pela preservação e interpretação das Escrituras. Mais tarde, os escribas foram também chamados de "sábios" e descritos como os que possuíam conhecimento especial da Lei.[8]

São descritos, no Novo Testamento, como doutores da lei e juízes, que discutiam matérias legais com Jesus.[8] "Os escribas foram muitas vezes associados a fariseus, mas não eram idênticos. Os escribas [...] eram provavelmente conselheiros jurídicos empregados pelos fariseus."[9]

Ligados ao Sinédrio, por força do trabalho que exercem, não criavam leis, mas tinham a obrigação de interpretá-las, defendê-las e executá-las. Entretanto, por serem muito apegados à interpretação literal, transformaram-se em pessoas intolerantes, legalistas reacionários, em permanente confronto com os ensinos e as ações do Cristo.

Os fariseus são retratados no Novo Testamento como os principais opositores de Jesus e do movimento cristão primitivo,[10] embora seja de suas fileiras que Paulo veio. Os fariseus perpetuavam a tradição relativa aos conceitos interpretativos da Torá escrita e oral.[10] Sendo assim, exibiam uma postura tradicionalista, legalista e ortodoxa, não se desviando um mínimo que fosse da lei de Moisés. Talvez "[...] seja mais justo dizer que tinham um zelo pelo debate jurídico e por manter viva a tradição de meditação e estudo da Lei."[9]

É importante nos mantermos atentos a esses dois tipos de personalidades, aqui simbolizadas (escribas e fariseus), que, similarmente, podem estar presentes nos nossos núcleos de trabalho espírita, alimentando contendas, provocando desuniões ou estimulando intrigas pelas imprudentes manifestações do personalismo, da vaidade e da intolerância.

» *Mas ele, conhecendo bem os seus pensamentos, disse ao homem que tinha a mão mirrada: Levanta-te e fica em pé no meio. E, levantando-se ele, ficou em pé. Então, Jesus lhes disse: Uma coisa vos hei de perguntar: É lícito nos sábados fazer bem ou fazer mal? Salvar a vida ou matar?* (Lc 6:8-9).

As aguçadas percepções psíquicas de Jesus captaram os pensamentos e sentimentos reprovadores dos escribas e fariseus. Sendo assim, para se tornar mais patente a cura e valorizar a prática do bem, atraiu o homem de mão mirrada para o centro da sinagoga ("levanta-te e fica no meio") onde, à vista de todos pôde curá-lo e demonstrar o seu amor. Vemos, assim, que Jesus ao deslocar o foco da atenção dos presentes para o doente, relegou a planos secundários as manifestações de culto externo.

Os doutores da Lei ficaram estupefatos, por certo, com a atitude de Jesus. Primeiro porque, a rigor, não demonstraram preocupação pelo sofrimento do homem, segundo porque a caridade não era uma prioridade. Eram religiosos crentes, cumpridores dos seus deveres no templo, tementes a Deus, cuja fé no Criador supremo estava distanciada da humildade e da solidariedade. Neste sentido, é sempre oportuno lembrar que:

> Cumpre não confundir a fé com a presunção. A verdadeira fé se conjuga com a humildade; aquele que a possui deposita mais confiança em Deus do que em si próprio, por saber que, simples instrumento da vontade divina, nada pode sem Deus.[1]

A frase: "Levanta-te, e fica em pé no meio. Levantando-se ele, ficou em pé", revela a autoridade de Jesus, de quem sabe o que faz, que conhece perfeitamente a situação e as suas implicações. É também uma instrução que coloca o necessitado numa posição de reerguimento, físico e espiritual, favorável à concretização da cura. Sob o influxo da personalidade firme e amorosa de Jesus, o doente prontamente atende a sua instrução: "Levantando-se ele, ficou em pé".

Antes de qualquer iniciativa por parte dos escribas e dos fariseus, Jesus lança-lhes uma questão, concedendo-lhes a oportunidade de refletir: "Uma coisa vos hei de perguntar: é lícito nos sábados fazer bem, ou fazer mal? Salvar a vida, ou matar?".

As perguntas expressam uma estratégia de Jesus junto àquele grupo, constituído por pessoas legalistas e ortodoxas, mas, em sua maioria, endurecidas e insensíveis. A indagação tinha também o intuito de abrir uma brecha naquelas mentes cristalizadas pelo excesso de zelo religioso. De certa forma, Jesus estava dando um estímulo aos interlocutores para pensar, utilizando o precioso acervo de verdades espirituais que possuíam e, a partir daí, tirarem conclusões mais sublimadas.

Acreditamos que os representantes da Lei de Moisés tinham alguma condição de entender a situação que Jesus lhes apresentava, em razão do conhecimento espiritual que possuíam, caso contrário, o Mestre simplesmente realizaria a cura sem maiores delongas. Entretanto, eram pessoas que, usualmente, não exercitavam a solidariedade como norma de conduta, apesar de prescrevê-la.

> Examinamos aqui tão somente a estranha atitude daqueles que não negam a eficácia da abnegação, entregando-se, porém, ao desvairado egoísmo de quem costuma distribuir cinco moedas, no auxílio aos outros, com a intenção de obter cinco mil. Efetivamente, o mínimo bem vale por luz divina, mas se levado a efeito sem propósitos secundários [...]. Precatemo-nos desse modo, contra o sistema do meio-bem, por onde o mal se insinua, envenenando a fonte das boas obras. [...] O bem pede doação total para que se realize no mundo o bem de todos.[13]

» *E, olhando para todos ao redor, disse ao homem: Estende a mão. E ele assim o fez, e a mão lhe foi restituída sã como a outra* (Lc 6:10).

Deduzimos que a mão seca era uma atrofia provocada por ação obsessiva, não por manifestação da lei de causa e efeito. Cessada a ação obsessiva, afastada por Jesus, a mão ficou sã.

Os obsessores conhecem inúmeras técnicas obsessivas. Entre elas encontramos a dominação magnética que, pela retirada do fluido vital, nos processos conhecidos como vampirismo, pode lesar um órgão, sistema ou aparelho do corpo humano, reversível ou irreversivelmente. O Espírito Francisco Menezes Dias da Cruz nos fornece alguns elucidativos esclarecimentos, explicando o mecanismo de ação desse tipo de obsessão.

> Justapõem-se à aura das criaturas que lhes oferecem passividade e, sugando-lhes as energias, senhoreiam-lhes as zonas motoras e sensórias, inclusive os centros cerebrais, em que o Espírito conserva as suas conquistas de linguagem e sensibilidade, memória e percepção, dominando-as à maneira do artista que controla as teclas de um piano, criando, assim, no instrumento corpóreo dos obsessos [obsidiados] as doenças-fantasmas de todos os tipos que, em se alongando ao tempo, operam a degenerescência dos tecidos orgânicos, estabelecendo o império de moléstias reais, que persistem até a morte.[12]

Existem situações em que a clareza da linguagem e a interação das ideias são condições indispensáveis, especialmente, quando envolvem responsabilidades pessoais. Assim, as expressões imperativas: "levanta-te", "fica em pé no meio" e "estende a tua mão" expressam atitudes que o interessado precisou atender, de imediato, para que lhe fosse concedida a cura da mão, necessária ao trabalho de subsistência. O Cristo espera que também nós adotemos a mesma postura, pois o levantar, ficar no meio e estender as mãos refletem o dinamismo da prática da caridade.

> Observemos, todavia, o socorro do Mestre ao paralítico. Jesus determina que ele estenda a mão mirrada e, estendida essa, não lhe confere as bolsas de ouro nem fichas de privilégio. Cura-a. Devolve-lhe a oportunidade de serviço. A mão recuperada naquele instante permanece tão vazia quanto antes. É que o Cristo restituía-lhe o ensejo bendito de trabalhar, conquistando sagradas realizações por si mesmo; recambiava-o às lides redentoras do bem, nas quais lhe cabia edificar-se e engrandecer-se.[11]

» *E ficaram cheios de furor, e uns com os outros conferenciavam sobre o que fariam a Jesus* (Lc 6:11).

A oportunidade oferecida por Jesus foi perdida, pois os doutores da Lei não souberam ou não quiseram aproveitar lição. O jogo das conveniências falou mais alto, como demonstra este versículo, o último do texto, ora analisado: "E ficaram cheios de furor, e uns com os outros conferenciavam sobre o que fariam a Jesus".

> Todos os reformadores deparam com objeções por parte dos que comprazem na ignorância e dos que tiram proveito do estado de ignorância em que se encontra a humanidade. Esses lutam sempre contra os espíritos nobres que se encarnam na Terra, para melhorarem as condições em que vivem os irmãos menores. Árduo é o trabalho dos que aqui vierem para indicar aos povos novos rumos de progresso, trazendo-lhe novos ensinamentos e revelando-lhes novas leis espirituais. Nesse versículo vemos que os beneficiados pela ignorância em que jazia o povo, percebendo que os ensinamentos de Jesus feriam os seus interesses, começam a conspirar contra Ele.[10]

Da mesma forma acontece nas fileiras espíritas, onde encontramos os intransigentes que combatem as boas ideias ou resoluções de almas dedicadas por contrariarem os seus interesses. Nesse particular vem em nosso socorro a assertiva de Jesus: "Olhai, vigiai e orai" (Mc 13:33).

Referências

1. KARDEC. Allan. *O evangelho segundo o espiritismo*. Tradução de Guillon Ribeiro. 124. ed. Rio de janeiro: FEB, 2005. Cap. 19, p. 300.

2. _____. *A gênese*. Tradução de Guillon Ribeiro. 48. ed. Rio de janeiro: FEB, 2005. Cap. 13, item 1, p. 259.

3. _____._____. p. 260.

4. _____._____. Cap. 14, item 1, p. 273.

5. _____._____. Item 31, p. 294-295.

6. _____._____. Cap. 15, item 2, p. 311.

7. _____._____. Item 23, p.322.

8. DICIONÁRIO da Bíblia. Coordenação de Bruce M. Metzer e Michael D. Coogan (orgs.). Tradução de Maria Luiza X. de Borges. Rio de Janeiro: Jorge Zahar, 2002, vol. 1: As pessoas e os lugares, p. 75.

9. _____._____. p. 89.

10. RIGONATTI, Eliseu. *O evangelho dos humildes*. 15. ed. São Paulo: Pensamento-Cultrix, 2003. Cap.12, item: Jesus é o senhor do sábado, p. 112.

11. XAVIER. Francisco Cândido. *Fonte viva*. Pelo Espírito Emmanuel. 26. ed. Rio de Janeiro: FEB, 2006. Cap. 174 (Mãos estendidas), p. 420.

12. _____. *Instruções psicofônicas*. Por diversos Espíritos. 8. ed. Rio de Janeiro: FEB, 2005. Cap. 51 (Domínio magnético-mensagem de Francisco Menezes Dias da Cruz), p. 228.

13. _____. *O livro da esperança*. Pelo Espírito Emmanuel.1. ed. Uberaba: CEC, 1964. Cap. 29 (Meio-bem), p. 72.

14. XAVIER. Francisco Cândido; VIEIRA, Waldo. *Mecanismos da mediunidade*. Pelo Espírito André Luiz. 24. ed. Rio de Janeiro: FEB, 2004. Cap.26 (Jesus e mediunidade), item: Mediunidade curativa, p. 204-205.

Orientações ao monitor

Dividir a turma em dois grupos para a realização do exercício indicado em seguida.

Exercício:

» Um grupo estuda a mensagem "Cura espiritual", de André Luiz, existente no livro *O espírito da verdade*, edição FEB; o outro grupo estuda o texto "Doenças e doentes", de Irmão X, constante do livro *Estante da vida*, editora FEB.

» Pedir que apresentem as conclusões do estudo, em plenária.

» Em seguida, solicitar aos participantes que leiam silenciosa e individualmente os subsídios deste Roteiro.

» Promover um debate, tendo como base as principais ideias desenvolvidas no texto.

EADE LIVRO II | MÓDULO V

APRENDENDO COM OS FATOS COTIDIANOS

EADE – LIVRO II | MÓDULO V

APRENDENDO COM OS FATOS COTIDIANOS

Roteiro 1

JOÃO BATISTA

Objetivos

» Analisar a missão de João Batista, à luz da Doutrina Espírita.

Ideias principais

» *O [...] verdadeiro missionário de Deus tem de justificar, pela sua superioridade, pelas suas virtudes, pela grandeza, pelo resultado e pela influência moralizadora de suas obras, a missão de que se diz portador.* Allan Kardec: O evangelho segundo o espiritismo, cap. XXI, item 9.

» *João Batista foi a voz clamante do deserto. Operário da primeira hora, é ele o símbolo da verdade que arranca as mais fortes raízes do mundo, para que o reino de Deus prevaleça nos corações.* Humberto de Campos: Boa nova. Cap. 2.

Subsídios

1. Texto evangélico

E, naqueles dias, apareceu João Batista pregando no deserto da Judeia e dizendo: Arrependei-vos, porque é chegado o reino dos Céus. Porque este é o anunciado pelo profeta Isaías, que disse: Voz do que clama no deserto: Preparai o caminho do Senhor, endireitai as suas veredas (Mt 3:1-3).

E eu, em verdade, vos batizo com água, para o arrependimento; mas aquele que vem após mim é mais poderoso do que eu; não sou digno de levar as suas sandálias; ele vos batizará com o Espírito Santo e com fogo. (Mt 3:11).

2. Interpretação do texto evangélico

João Batista é conhecido como o precursor, aquele que viria antes de Jesus a fim de lhe preparar o caminho. Foi ele quem batizou o Mestre e o designou como Messias.

> Vestido de peles e alimentando-se de mel selvagem, esclarecendo com energia e deixando-se degolar em testemunho à Verdade, ele precedeu a lição da misericórdia e da bondade. O Mestre dos mestres quis colocar a figura franca e áspera do seu profeta no limiar de seus gloriosos ensinos e, por isso, encontramos em João Batista um dos mais belos de todos os símbolos imortais do Cristianismo. [...] João era a verdade, e a verdade, na sua tarefa de aperfeiçoamento, dilacera e magoa, deixando-se levar aos sacrifícios extremos.[5]

João Batista foi o grande missionário de Jesus, porque o "[...] verdadeiro missionário de Deus tem de justificar, pela sua superioridade, pelas suas virtudes, pela grandeza, pelo resultado e pela influência moralizadora de suas obras, a missão de que se diz portador."[4]

Historicamente, ele é conhecido como primo de Jesus, filho de Zacarias e Isabel, nascido em circunstâncias extraordinárias, em decorrência da gravidez de sua mãe em idade avançada.

> João Batista foi a voz clamante do deserto. Operário da primeira hora, é ele o símbolo da verdade que arranca as mais fortes raízes do mundo, para que o reino de Deus prevaleça nos corações. Exprimindo a austera disciplina que antecede a espontaneidade do amor, a luta para que se desfaçam as sombras do caminho, João é o primeiro sinal do cristão ativo, em guerra com as próprias imperfeições do seu mundo interior, a fim de estabelecer em si mesmo o santuário de sua realização com o Cristo. Foi por essa razão que dele disse Jesus: "Dos nascidos de mulher, João Batista é o maior de todos".[5]

Ele representa aqueles que estão empenhados na luta pela reeducação espiritual, sob o império da lei de causa e efeito. São conhecidos como legalistas da Lei de Deus que, se adotam posturas extremadas, transformam-se em fanáticos e exageradamente ortodoxos.

O primeiro texto evangélico (Mt 3:1-3) nos informa que durante a pregação, João Batista estimulava a multidão a arrepender-se, "porque é chegado o reino dos Céus." O arrependimento é, pois, a base da melhoria espiritual.

> Para que cada qual trabalhe na sua purificação, reprima as más tendências e domine as paixões, preciso se faz que *abdique das vantagens imediatas em prol do futuro*, visto como, para identificar-se com a vida espiritual, encaminhando para ela todas as aspirações e preferindo-a à vida terrena, não basta crer, mas compreender. Devemos considerar essa vida debaixo de um ponto de vista que satisfaça ao mesmo tempo à razão, à lógica, ao bom senso e ao conceito que temos da grandeza, da bondade e da justiça de Deus.[1]

Sabemos que sem o arrependimento não ocorre a regeneração do Espírito. É necessário reconhecer as faltas cometidas e se preparar para repará-las. Neste sentido esclarece Emmanuel:

> O remorso é a força que prepara o arrependimento, como este é a energia que precede o esforço regenerador. Choque espiritual nas suas características profundas, o remorso é o interstício para a luz, através do qual recebe o homem a cooperação indireta de seus amigos do Invisível, a fim de retificar seus desvios e renovar seus valores morais, na jornada para Deus.[6]

Até João Batista, a tentativa de se obter paz interior estava relacionada às obrigações religiosas ou às manifestações de culto externo: sacrifícios, holocaustos, ofertendas, santificação do sábado etc.

Com Jesus, verificamos que Deus não está assentado no altar dos templos religiosos. Mas que se encontra em todo o universo e no âmago do ser humano.

O "Reino", de que o versículo 2 de *Mateus* faz alusão, tem significado bem diverso daquele que era apregoado pelo Judaísmo, como bem nos esclarece o evangelista Lucas: "O reino de Deus não vem com aparência exterior. Nem dirão: Ei-lo aqui! Ou: Ei-lo ali! Porque eis que o reino de Deus está entre vós" (Lc 17:20-21).

João preparava o caminho para que Jesus pudesse nos fornecer a chave do reino dos Céus, e nos ensinasse as diretrizes para o alcance da harmonia pessoal, estabelecendo o reino de Deus no coração.

João Batista pregava o advento do reino dos Céus com ardor, usando de todo o poder de convencimento que possuía.

A mente, como não ignoramos, é o incessante gerador de força, através dos fios positivos e negativos do sentimento e do pensamento, produzindo o verbo que é sempre uma descarga eletromagnética, regulada pela voz. Por isso mesmo, em todos os nossos campos de atividade, a voz tonaliza a exteriorização, reclamando apuro de vida interior uma vez que a palavra, depois do impulso mental, vive na base da criação; é por ela que os homens se aproximam e se ajustam para o serviço que lhes compete e, pela voz, o trabalho pode ser favorecido ou retardado, no espaço e no tempo.[11]

Preparar o caminho do Senhor, endireitando as suas veredas, conforme assinala o registro do evangelista (Mt 3:3), tem significado especial.

O homem bem-intencionado refletirá intensamente em melhores caminhos, alimentando de ideais superiores e inclinando-se à bondade e à justiça. [...] É necessário meditar no bem; todavia é imprescindível executá-lo. A Providência divina cerca a estrada das criaturas com o material de edificação eterna, possibilitando-lhes a construção das "veredas direitas" [...]. Semelhante realização por parte do discípulo é indispensável, porquanto, em torno dos seus caminhos, seguem os que manquejam. Os prisioneiros da ignorância e da má-fé arrastam-se, como podem, nas margens do serviço de ordem superior [...]. Somente aqueles que constroem estradas retas escapam-lhes aos assaltos sutis, defendendo-se e oferecendo-lhes também novas bases a fim de que se não desviem inteiramente dos divinos desígnios.[10]

No segundo texto de *Mateus* (3:11), lemos que João Batista batiza com água as pessoas que desejam ser convertidas, atendendo ao rito judaico. Sabemos, hoje, que tal simbolismo é dispensável, uma vez que a verdadeira conversão ocorre no íntimo do ser. Esclarece Emmanuel que os "[...] espiritistas sinceros, na sagrada missão de paternidade, devem compreender que o batismo, aludido no Evangelho, é o da invocação das bênçãos divinas [...]".[9]

No Espiritismo não há batismo ou outro ritual de qualquer espécie. Jesus veio em seguida à pregação de João Batista, oferecendo-nos o seu Evangelho de luz e amor.

> A [...] Providência divina movimentou todos os recursos indispensáveis ao progresso material do homem físico na Terra, o Evangelho de Jesus é a dádiva suprema do Céu para a redenção do homem espiritual, em marcha para o amor e sabedoria universais. [...] O Evangelho é o roteiro para a ascensão de todos os Espíritos em luta, o aprendizado na Terra para os planos superiores do ilimitado. De sua aplicação decorre a luz do Espírito. No turbilhão das tarefas de cada dia, lembrai a afirmativa do Senhor: "Eu sou o Caminho, a Verdade e a Vida". Se vos cercam as tentações de autoridade e poder, de fortuna e inteligência, recordai ainda as suas palavras: "Ninguém pode ir ao Pai senão por mim." E se vos sentis tocados pelo sopro frio da adversidade e da dor, se estais sobrecarregados de trabalhos no mundo, buscai ouvi-lo sempre no imo da alma: "Quem deseje encontrar o reino de Deus tome a sua cruz e siga os meus passos".[8]

À medida em que o ser avança sob a inspiração do Alto, vai alcançando novos aprendizados, propiciados pela fieira das reencarnações. Aprende a santificar as suas experiências cotidianas sob o "batismo" transformador da mensagem do Cristo.

Neste sentido, nos esclarece a Doutrina Espírita: "Reconhece-se o verdadeiro espírita pela sua transformação moral e pelos esforços que emprega para domar suas inclinações más".[3]

O espírita, inspirado pelas orientações do evangelho, explicadas pelos postulados do Espiritismo compreende, então, que é pela caridade que o ser se transforma, ascendendo a planos evolutivos superiores.

> A caridade é a virtude fundamental sobre que há de repousar todo o edifício das virtudes terrenas. Sem ela não existem as outras. Sem a caridade não há esperar melhor sorte, não há interesse moral que nos guie [...]. A caridade é, em todos os mundos, a eterna âncora de salvação; é a mais pura emanação do próprio Criador; é a sua própria virtude, dada por Ele à criatura.[2]

O precursor nos oferece exemplo de transformação moral, obtido sob os ditames da vontade disciplinada, corretamente administrada.

O amor-próprio, o brio, o caráter e a honra deveriam ser traços do aperfeiçoamento espiritual e nunca demonstrações de egoísmo, de vaidade e orgulho, quais se manifestam, comumente, na Terra. Quando o homem se cristianizar, compreendendo essas posições morais no seu verdadeiro prisma, não mais se verificará qualquer colisão entre os acontecimentos da existência comum e os seus conhecimentos do Evangelho, porquanto o seu esforço será sempre o da cooperação sincera a favor do reerguimento e da elevação espiritual dos semelhantes.[7]

Referências

1. KARDEC. Allan. *O céu e o inferno*. Tradução de Manuel Justiniano Quintão. 58. ed. Rio de Janeiro: FEB, 2005. Segunda parte, cap. 1, item 14, p. 172.

2. _____. *O evangelho segundo o espiritismo*. Tradução de Guillon Ribeiro. 124. ed. Rio de Janeiro: FEB, 2005. Cap. 13, item 12, p. 223.

3. _____._____. Cap. 17, item 4, p. 276.

4. _____._____. Cap. 21, item 9, p. 323.

5. XAVIER, Francisco Cândido. *Boa nova*. Pelo Espírito Humberto de Campos. 35. ed. Rio de Janeiro: FEB, 2006. Cap. 2 (Jesus e o precursor), p. 24.

6. _____. *O consolador*. Pelo Espírito Emmanuel. 26. ed. Rio de Janeiro: FEB, 2006. Questão 182, p. 110.

7. _____._____. Questão 216, p.130.

8. _____._____. Quetão 225, p.135.

9. _____._____. Questão 298, p. 175.

10. _____. *Pão nosso*. Pelo Espírito Emmanuel. 27. ed. Rio de Janeiro: FEB, 2006. Cap. 86 (Intentar e agir), p. 187-188.

11. _____. *Entre a Terra e o céu*. Pelo Espírito André Luiz. 23. ed. Rio de Janeiro: FEB, 2005. Cap. 22 (Irmã Clara), p. 177-178.

Orientações ao monitor

Enriquecer o estudo deste Roteiro, utilizando a página Jesus e o precursor, de Humberto de Campos, existente em seu livro *Boa nova*. Destacar, também estas afirmativas existentes em *O evangelho segundo o espiritismo*, capítulo XVII, item 4: "Reconhece-se o verdadeiro espírita pela sua transformação moral e pelos esforços que emprega para domar suas inclinações más".

EADE – LIVRO II | MÓDULO V

APRENDENDO COM OS FATOS COTIDIANOS

Roteiro 2

ZAQUEU, O PUBLICANO

Objetivos

» Esclarecer a respeito da importância da conversão de Zaqueu.

Ideias principais

» *Muitos viam em Zaqueu o avarento incorrigível; Ele* [Jesus], *no entanto, nele identificou o homem rico de nobre coração, capaz de transfigurar a riqueza em trabalho e beneficência.* Emmanuel: *Caridade.* Cap. 10.

» Zaqueu foi um arrecadador de impostos que [...] *enriquecera ilicitamente e vivia defraudando o próximo com exações e lucros escandalosos, mas, a despeito disso, a doutrina do Mestre encontrara ressonância em seu coração e por isso ardia em desejo de conhecê-lo.* Rodolfo Calligaris: *Páginas de espiritismo cristão.* Cap. 6.

Subsídios

1. Texto evangélico

E, tendo Jesus entrado em Jericó, ia passando. E eis que havia ali um homem, chamado Zaqueu; e era este um chefe dos publicanos e era rico. E procurava ver quem era Jesus e não podia, por causa da multidão, pois era de pequena estatura. E, correndo adiante, subiu a uma figueira brava para o ver, porque havia de passar por ali. E, quando Jesus chegou àquele lugar, olhando para cima, viu-o e disse-lhe: Zaqueu, desce depressa, porque, hoje, me convém pousar em tua casa. E, apressando-se, desceu e recebeu-o com júbilo.

E, vendo todos isso, murmuravam, dizendo que entrara para ser hóspede de um homem pecador. E, levantando-se Zaqueu, disse ao Senhor: Senhor, eis que eu dou aos pobres metade dos meus bens; e, se em alguma coisa tenho defraudado alguém, o restituo quadruplicado.

E disse-lhe Jesus: Hoje, veio a salvação a esta casa, pois também este é filho de Abraão. Porque o Filho do Homem veio buscar e salvar o que se havia perdido (Lc 19:1-10).

O episódio de Zaqueu, relatado pelo evangelista Lucas, nos conduz a significativas reflexões.

> Por ele compreendemos que há, como sempre houve e haverá, certas almas que se entregam ao mal apenas porque não foram despertadas para o bem; almas que preservam, contudo, alguns escaninhos indenes às misérias e torpezas mundanas, constituindo-se terreno fértil onde a semente dos ideais nobres e generosos pode, a qualquer momento, germinar, florescer e frutificar abundantemente. Zaqueu era uma dessas almas. Arrecadador de impostos, enriquecera ilicitamente e vivia defraudando o próximo com exações e lucros escandalosos, mas, a despeito disso, a doutrina do Mestre encontrara ressonância em seu coração e por isso ardia em desejos de conhecê-lo.[2]

2. Interpretação do texto evangélico

» *E, tendo Jesus entrado em Jericó, ia passando. E eis que havia ali um homem, chamado Zaqueu; e era este um chefe dos publicanos e era rico. E procurava ver quem era Jesus e não podia, por causa da multidão, pois era de pequena estatura. E, correndo adiante, subiu a uma figueira brava para o ver; porque havia de passar por ali* (Lc 19:1-4).

O encontro de Zaqueu com Jesus ocorreu em Jericó (*Yareah*, do hebraico), cidade localizada a 12 quilômetros do Mar Morto, cujo nome significa, provavelmente, "lua" ou "cidade da lua".[4] Essa localidade da Judeia era, à época de Jesus, a segunda cidade mais importante da Palestina, de comércio intenso, onde ocorria grande circulação de dinheiro.

Aparentemente, o encontro entre Jesus e Zaqueu foi casual. Sabemos, porém, que não foi assim, como se observa no último versículo do texto evangélico: "Porque o Filho do Homem veio buscar e salvar o que se havia perdido". Por outro lado, sabemos que Jesus aproveitava todas as circunstâncias para ensinar e encaminhar as pessoas ao bem. Assim também aconteceu com Zaqueu que, a partir daquele instante, teve a existência transformada.

A ida a Jericó foi um momento especial para Jesus porque, logo depois, começaria seu suplício culminado com a crucificação.

Humberto de Campos relata como foi o encontro de Zaqueu com Jesus:

> Grandes [...] multidões se apinhavam nas estradas. Um publicano abastado, de nome Zaqueu, conhecia o renome do Messias e desejava vê-lo. Chefe prestigioso na sua cidade, homem rico e enérgico, Zaqueu era, porém, de pequena estatura, tanto assim que, buscando satisfazer ao seu vivo desejo, procurou acomodar-se sobre um sicômoro, levado pela ansiosa expectativa com que esperava a passagem de Jesus. Coração inundado de curiosidade e de sensações alegres, o chefe publicano, ao aproximar-se o Messias, admirou-lhe o porte nobre e simples, sentindo-se magnetizado pela sua indefinível simpatia.[5]

Zaqueu era pessoa notoriamente desprezada pelos habitantes da cidade. Primeiro por ser publicano, segundo por ser chefe dos publicanos e, em terceiro lugar, por ser uma pessoa que enriqueceu possivelmente de forma ilícita. Sendo assim, a conversão de Zaqueu ao Cristianismo se reverte de maior importância, indicando que todo pecador pode regenerar-se. "Muitos viam em Zaqueu o avarento incorrigível; Ele [Jesus], no entanto, nele identificou o homem rico de nobre coração, capaz de transfigurar a riqueza em trabalho e beneficência."[9]

Refletindo, porém, sobre tais acontecimentos percebemos que também nós somos continuamente visitados por Jesus, acudidos pela misericórdia divina, por Ele intermediada em nosso benefício. Vemos igualmente que a prova da riqueza não é fácil de ser suportada. Pode estimular a exacerbação das más tendências e o predomínio das paixões inferiores.

Se a riqueza é causa de muitos males, se exacerba tanto as más paixões, se provoca mesmo tantos crimes, não é a ela que devemos inculpar, mas ao homem, que dela abusa, como de todos os dons de Deus. Pelo abuso, ele torna pernicioso o que lhe poderia ser de maior utilidade. É a consequência do estado de inferioridade do mundo terrestre. Se a riqueza somente males houvesse de produzir, Deus não a teria posto na Terra. Compete ao homem fazê-la produzir o bem. Se não é um elemento direto de progresso moral, é, sem contestação, poderoso elemento de progresso intelectual.[1]

Zaqueu não mais se comprazia com a vida que levava, daí a sua evidente necessidade de conhecer Jesus, correndo à frente da multidão e subindo numa árvore para que pudesse localizar o Mestre. É importante destacar, a propósito, algumas características da personalidade de Zaqueu. Mesmo sendo desprezado pelos seus conterrâneos, de viver insatisfeito, talvez preso pelo desânimo ou desespero, não perde tempo em lamentações. A sua percepção espiritual e a sua acuidade mental, desenvolvidas pelo exercício contínuo de calcular e raciocinar que a profissão oferecia, lhes fazem refletir que Jesus é o caminho da sua regeneração espiritual. Diante desse fato, ele enfrenta os obstáculos e "corre" ao encontro do Mestre de Nazaré, subindo numa árvore para, daí, poder enxergar o Senhor e ser visto por Ele.

Pode parecer a alguns que, subindo a uma árvore para conseguir ver as feições de Jesus, Zaqueu tenha cedido apenas à curiosidade. É evidente, porém, que o móvel de sua ação era bem mais elevado: talvez uma ânsia incontida de receber alguma bênção, ou de ouvir-lhe uma palavra que demudasse o rumo de sua existência. Por simples curiosidade, não iria ele expor-se ao ridículo e enfrentar os ápodos e gracejos da multidão, mormente tendo-se em vista a alta posição que ocupava entre os publicanos.[2]

E, quando Jesus chegou àquele lugar, olhando para cima, viu-o e disse-lhe: Zaqueu, desce depressa, porque, hoje, me convém pousar em tua casa. E, apressando-se, desceu e recebeu-o com júbilo. E, vendo todos isso, murmuravam, dizendo que entrara para ser hóspede de um homem pecador. E, levantando-se Zaqueu, disse ao Senhor: Senhor, eis que eu dou aos pobres metade dos meus bens; e, se em alguma coisa tenho defraudado alguém, o restituo quadruplicado. E disse-lhe Jesus: Hoje, veio a salvação a esta casa, pois também este é filho de Abraão. Porque o Filho do Homem veio buscar e salvar o que se havia perdido (Lc 19:5-10).

Jesus, cujo olhar penetra o âmago das criaturas, percebeu o que ia pela alma de Zaqueu, notou o quanto era sincero aquele arroubo, e daí o ter-lhe solicitado hospedagem, para o escândalo do povo, que, como em outras ocasiões, entrou logo a murmurar, censurando-o por albergar-se em casa de pecadores. Notemos, no entanto, que cena maravilhosa ali ocorre. Ao acolher tal hóspede, Zaqueu cai-lhe aos pés, e exclama:

"Senhor, distribuo aos pobres a metade dos meus haveres; e se lesei a alguém, seja no que for, restituo-lhe quadruplicado". Não diz: distribuirei, hei de restituir, mas sim: *distribuo, restituo*, o que caracteriza bem a realidade de sua transformação moral. E isso ele o faz publicamente, penitenciando-se num gesto de humildade perfeita, como poucas vezes se descreve nos Evangelhos.[3]

Zaqueu representa a soma de dificuldades que os arrependidos trazem no coração. Sintonizados, entretanto, com o Evangelho de Jesus, reconhecem que é possível vencer os desvios de caráter e corrigir os erros cometidos.

O serviço de Jesus é infinito. Na sua órbita, há lugar para todas as criaturas e para todas as ideias sadias em sua expressão substancial. Se, na ordem divina, cada árvore produz segundo a sua espécie, no trabalho cristão, cada discípulo contribuirá conforme sua posição evolutiva.[7]

A transformação espiritual de Zaqueu apenas começara naquele encontro com Jesus. Recebendo a oportunidade de se reajustar perante a Lei de Deus, deveria, daí para a frente, desenvolver todos os esforços necessários para o progresso do seu Espírito. O amanhã lhe reservaria as provações, destinadas a combater as imperfeições que ainda lhe marcavam a personalidade. Mas, sob o amparo do Alto saberia, por certo, superá-las e se transformar, definitivamente, em pessoa de bem.

Em meio da grande noite, é necessário acendamos nossa luz. Sem isso é impossível encontrar o caminho da libertação. Sem a irradiação brilhante de nosso próprio ser, não poderemos ser vistos com facilidade pelos mensageiros divinos, que ajudam em nome do Altíssimo, e nem auxiliaremos efetivamente a quem quer que seja. É indispensável organizar o santuário interior e iluminá-lo, a fim de que as trevas não nos dominem. [...] Nossa necessidade básica é de luz própria, de esclarecimento íntimo, de autoeducação, de conversão substancial do "eu" ao reino de Deus.[8]

As provações da vida são desafios que permitem à criatura humana considerar a precariedade dos valores materiais que, em geral, absorvem a humanidade encarnada. Redimensionando a existência à luz do entendimento evangélico, agora revivido pelo Espiritismo, aprendemos fazer distinção entre o certo e o errado, entre o que é de duração passageira e o que é eterno.

Emmanuel esclarece:

> Cada criatura recebeu determinado talento da Providência divina para servir no mundo e para receber do mundo o salário da elevação. Velho ou moço, com saúde do corpo ou sem ela, recorda que é necessário movimentar o dom que recebeste do Senhor, para avançares na direção da grande luz. Ninguém é tão pobre que nada possa dar de si mesmo. [...] Quem cumpre o dever que lhe é próprio, age naturalmente em benefício do equilíbrio geral. [...] Todo o dia é ocasião de semear e colher.[10]

A conversão de Zaqueu nos traz preciosas lições. Mostram, sobretudo, que em razão das nossas más escolhas, podemos acumular tesouros que nada representam em termos de crescimento espiritual, mas que produzirão dores e privações em futuras reencarnações.

> No mundo vivem os que entesouram na Terra e os que entesouram no Céu. Os primeiros escondem suas possibilidades no cofre da ambição e do egoísmo e, por vezes, atiram moedas douradas ao faminto que passa, procurando livrar-se de sua presença; os segundos ligam suas existências a vidas numerosas, fazendo de seus servos e dos auxiliares de esforços a continuação de sua própria família. Estes últimos sabem empregar o sagrado depósito de Deus e são mordomos fiéis, à face do mundo.[6]

Referências

1. KARDEC. Allan. *O evangelho segundo o Espiritismo*. Tradução de Guillon Ribeiro. 124. ed. Rio de Janeiro: FEB, 2005. Cap. 16, item 7, p. 258.

2. CALLIGARIS, Rodolfo. *Páginas de espiritismo cristão*. 5. ed. Rio de Janeiro: FEB, 2001. Cap. 6 (A conversão de Zaqueu), p. 24.

3. _____._____. p. 24-25.

4. DICIONÁRIO DA BÍBLIA. Volume 1: As pessoas e os lugares. Organizado por Bruce M. Metzger e Michael D. Coogan. Tradução de Maria Luiza X. de A. Borges. Rio de Janeiro: Jorge Zahar Editores, 2002, p. 130.

5. XAVIER. Francisco Cândido. *Boa nova*. Pelo Espírito Humberto de Campos. 35. ed. Rio de Janeiro: FEB, 2006. Cap. 23 (O servo bom), p. 154-155.

6. _____._____. p. 157.

7. _____. *Caminho verdade e vida*. Pelo Espírito Emmanuel. 26. ed. Rio de Janeiro: FEB, 2006. Cap. 3 (Examina-te), p. 21.

8. _____._____. Cap. 180 (Façamos nossa luz), p. 375-377.

9. _____. *Caridade*. Espíritos diversos. 3. ed. São Paulo: Instituto de Difusão Espírita, 1981. Cap. 10 (Ante o próximo), p. 42.

10. _____. *Fonte viva*. Pelo Espírito Emmanuel. 34. ed. Rio de Janeiro: FEB, 2006. Cap. 130 (Na esfera íntima), p. 323-324.

Orientações ao monitor

Fazer uma análise do encontro de Jesus com Zaqueu, buscando enriquecer o estudo com textos de outras obras, tais como: *O espírito do cristianismo*, de Cairbar Schutel e *Boa nova*, do Espírito Humberto de Campos, psicografia de Francisco Cândido Xavier.

APRENDENDO COM OS FATOS COTIDIANOS

Roteiro 3

O CHAMAMENTO DE LEVI (MATEUS), PEDRO, ANDRÉ, JOÃO E TIAGO MAIOR

Objetivos

» Fazer uma reflexão, à luz do Espiritismo, a respeito do chamamento que Jesus fez aos apóstolos Mateus, Pedro, André, João e Tiago Maior.

Ideias principais

» *Quando Jesus chama a si Pedro, André, Tiago, João e Mateus, é que lhes conhecia a disposição íntima e sabia que eles o acompanhariam e que eram capazes de desempenhar a missão que tencionava confiar-lhes. E mister se fazia que eles próprios tivessem intuição da missão que iriam desempenhar para, sem hesitação, atenderem ao chamamento de Jesus.* Allan Kardec: *A gênese.* Cap. XV, item 9.

» O chamamento de Jesus aos seus apóstolos representa o sublime encontro entre o Mestre e os seus discípulos. *Nesse sentido, contudo, o Cristo forneceu preciosa resposta aos seus tutelados do mundo. Longe de pleitear quaisquer prerrogativas, não enviou substitutos ao Calvário [...] e, sim, abraçou, Ele mesmo, a cruz pesada, imolando-se em favor das criaturas [...].* Emmanuel: *Pão nosso.* Cap. 139.

Subsídios

1. Texto evangélico

E, depois disto, saiu, e viu um publicano, chamado Levi, assentado na recebedoria e disse-lhe: Segue-me. E ele, deixando tudo, levantou-se e o seguiu (Lc 5:27-28).

E Jesus, andando junto ao mar da Galileia, viu dois irmãos, Simão, chamado Pedro, e André, os quais lançavam as redes ao mar, porque eram pescadores. E disse-lhes: Vinde após mim, e eu vos farei pescadores de homens. Então, eles, deixando logo as redes, seguiram-no. E, adiantando-se dali, viu outros dois irmãos: Tiago, filho de Zebedeu, e João, seu irmão, num barco com Zebedeu, seu pai, consertando as redes; e chamou-os. Eles, deixando imediatamente o barco e seu pai, seguiram-no (Mt 4:18-22).

2. Interpretação do texto evangélico

Relata-nos o Espírito Humberto de Campos como aconteceu o chamamento de Mateus, dos irmãos Pedro e André e dos filhos de Zebedeu (João e Tiago) para fazerem parte do colégio dos doze apóstolos de Jesus.

Daí a algum tempo, depois de haver passado por Nazaré, descansando igualmente em Caná, Jesus se encontrava nas circunvizinhanças da cidadezinha de Cafarnaum, como se procurasse, com viva atenção, algum amigo que estivesse à sua espera.

Em breves instantes, ganhou as margens do Tiberíades e se dirigiu, resolutamente, a um grupo alegre de pescadores, como se, de antemão, os conhecesse a todos.
[...]
Jesus aproximou-se do grupo e, assim que dois deles desembarcaram em terra, falou-lhes com amizade:
— Simão e André, filhos de Jonas, venho da parte de Deus e vos convido a trabalhar pela instituição de seu reino na Terra!
André lembrou-se de já o ter visto, nas cercanias de Betsaida [...] enquanto Simão, embora agradavelmente surpreendido, o

contemplava, enleado. No entanto, quase a um só tempo, dando expansão aos seus temperamentos acolhedores e sinceros, exclamaram respeitosamente:

— Sede bem-vindo!...

Jesus então lhes falou docemente do Evangelho, com o olhar incendido de júbilos divinos.

[...] — Querei ser meus discípulos? [perguntou-lhes Jesus]

André e Simão se interrogaram a si mesmos, permutando sentimentos de admiração embevecida. Refletia Pedro: que homem seria aquele? onde já lhe escutara o timbre carinhoso da voz íntima e familiar? Ambos os pescadores se esforçavam por dilatar o domínio de suas lembranças, de modo a encontrá-lo nas recordações mais queridas. Não sabiam, porém, como explicar aquela fonte de confiança e de amor que lhes brotavam no âmago do Espírito e, sem hesitarem, sem uma sombra de dúvida, responderam simultaneamente:

— Senhor, seguiremos os teus passos.[8]

Seguindo com Simão Pedro e André para o centro de Cafarnaum, encontrou Levi.

[...] Entrou calmamente na coletoria e, avistando um funcionário culto, conhecido publicano da cidade, perguntou-lhe:

— Que fazes tu, Levi?

O interpelado fixou-o com surpresa; mas, seduzido pelo suave magnetismo de seu olhar, respondeu sem demora:

— Recolho os impostos do povo, devidos a Herodes.

— Queres vir comigo para recolher os bens do céu? — perguntou-lhe Jesus, com firmeza e doçura.

Levi, que seria mais tarde o apóstolo Mateus, sem que pudesse definir as santas emoções que lhe dominavam a alma, atendeu comovido:

— Senhor, estou pronto!...

— Então, vamos — disse Jesus, abraçando-o.

[...]

Na tarde desse mesmo dia, o Mestre fez a primeira pregação da Boa-Nova na praça ampla, cercada de verdura e situada naturalmente junto às águas. [9]

O chamamento de Jesus aos irmãos João e Tiago, ocorreu na manhã seguinte à pregação de Jesus.

[...] o Mestre se aproximou de dois jovens que pescavam nas margens [do Tiberíades] e os convocou para o seu apostolado.

— Filhos de Zebedeu — disse, bondoso —, desejais participar das alegrias da Boa-Nova?!

Tiago e João, que já conheciam as pregações do Batista e que o tinham ouvido na véspera, tomados de emoção se lançaram para ele, transbordantes de alegria:

— Mestre! Mestre! — exclamavam felizes.

Como se fossem irmãos bem-amados que se encontrassem depois de longa ausência, tocados pela força do amor que se irradiava do Cristo, fonte inspiradora das mais profundas dedicações, falaram largamente da ventura de sua união perene, no futuro, das esperanças com que deveriam avançar para o porvir, proclamando as belezas do esforço pelo Evangelho do Reino. Os dois rapazes galileus eram de temperamento apaixonado. Profundamente generosos, tinham carinhosas e simples, ardentes e sinceras as almas. João tomou das mãos do Senhor e beijou-as afetuosamente, enquanto Jesus lhe acariciava os anéis macios dos cabelos. Tiago, como se quisesse hipotecar a sua solidariedade inteira, aproximou-se do Messias e lhe colocou a destra sobre os ombros, em amoroso transporte.[10]

3. Interpretação do texto

O chamamento de Jesus a esses apóstolos apresenta características inusitadas. Primeiro é a aceitação irrestrita e imediata à convocação. Segundo é a transformação operada nos seus espíritos.

É interessante notar que, por todos os recantos onde Jesus deixou o sinal de sua passagem, houve sempre grande movimentação no que se refere ao ato de levantar e seguir. André e Tiago deixam as redes para acompanhar o Salvador. Mateus levanta-se para segui-lo. Os paralíticos que retomam a saúde se erguem e andam. Lázaro atende-lhe ao chamamento e levanta-se do sepulcro. Em dolorosas peregrinações e profundos esforços da vontade, Paulo de Tarso procura seguir o Mestre divino, [...] depois de se haver levantado, às portas de Damasco. Numerosos discípulos do Evangelho, [...] acordaram de sua noite de ilusões terrestres, ergueram-se para o serviço da redenção e demandaram os testemunhos santificados no trabalho e no sacrifício.[14]

A disposição de seguir Jesus, de imediato, é encontrada em todos aqueles que iriam, mais tarde, constituir o grupo dos doze apóstolos. E é natural que assim fosse.

Quando Jesus chama a si Pedro, André, Tiago, João e Mateus, é que lhes conhecia as disposições íntimas e sabia que eles o acompanhariam e que eram capazes de desempenhar a missão que tencionava confiar-lhes. E mister se fazia que eles próprios tivessem intuição da missão que iriam desempenhar para, sem hesitação, atenderem ao chamamento de Jesus. [...] Em muitos passos do Evangelho se lê: "Mas Jesus, conhecendo-lhes os pensamentos, lhes diz...". Ora, como poderia Ele conhecer os pensamentos dos seus interlocutores, senão pelas irradiações fluídicas desses pensamentos e, ao mesmo tempo, pela vista espiritual que lhe permitia ler-lhes no foro íntimo? Muitas vezes, supondo que um pensamento se acha sepultado nos refolhos da alma, o homem não suspeita que traz em si um espelho onde se reflete aquele pensamento, um revelador na sua própria irradiação fluídica, impregnada dele.[3]

O encontro com o Mestre, e o subsequente chamamento de Jesus, os fazem recordar a missão que tinham assumido antes daquela experiência reencarnatória, quando se encontravam no plano espiritual. Daí o atendimento imediato, colocando em planos secundários a família e as obrigações profissionais. Frente a frente com o Cristo, os apóstolos recordam, ainda que de forma incompleta, que deveriam realizar algo grandioso que concorreria para a harmonia do universo, porque estariam executando a vontade de Deus, na categoria de seus ministros.[4]

> As missões dos Espíritos têm sempre por objeto o bem. Quer como Espíritos, quer como homens [encarnados], são incumbidos de auxiliar o progresso da humanidade, dos povos ou dos indivíduos, dentro de um círculo de ideias mais ou menos amplas, mais ou menos especiais e de velar pela execução de determinadas coisas.[5]

Os apóstolos não sabiam, no momento da convocação, qual seria a extensão do trabalho que teriam de realizar junto a Jesus, ignoravam também que a missão do Mestre de Nazaré iria transformar o mundo, estabelecendo um marco divisório de eras: antes e depois do Cristo. Mesmo assim, sem nenhuma vacilação, seguiram-no.

> O Cristo foi o iniciador da mais pura, da mais sublime moral, da moral evangélico-cristã, que há de renovar o mundo, aproximar os homens e torná-los irmãos; que há de fazer brotar de todos os corações a caridade e o amor do próximo e estabelecer entre os humanos uma solidariedade comum; de uma moral, enfim, que há de transformar

a Terra, tornando-a morada de Espíritos superiores aos que hoje a habitam. É a lei do progresso, a que a natureza está submetida, que se cumpre, e o *Espiritismo* é a alavanca de que Deus se utiliza para fazer que a humanidade avance.¹

Conhecedor profundo da alma humana, Jesus aproveitava cada momento no trato com as pessoas para preencher-lhes a existência com sua sabedoria, sem se deter nos fatos ou em questões de menor importância, mas procurando auxiliar um maior número de indivíduos, por meio da disseminação do bem.

Em verdade, há dois mil anos, o povo acreditava que Jesus seria um comandante revolucionário, como tantos outros, a desvelar-se por reivindicações políticas, à custa da morte, do suor e das lágrimas de muita gente. Ainda hoje, vemos grupos compactos de homens indisciplinados que, administrando ou obedecendo, se reportam ao Cristo, interpretando-o qual se fora patrono de rebeliões individuais, sedento de guerra civil. Entretanto, do Evangelho não transparece qualquer programa nesse sentido. Que Jesus é o divino Governador do Planeta não podemos duvidar. O que fará Ele do mundo redimido ainda não sabemos, porque ao soldado humílimo são defesos os planos do general. A Boa-Nova, todavia, é muito clara, quanto à primeira plataforma do Mestre dos mestres. Ele não apresentava títulos de reformador dos hábitos políticos, viciados pelas más inclinações de governadores e governados de todos os tempos. Anunciou-nos a celeste revelação que Ele viria salvar-nos de nossos próprios pecados, libertar-nos da cadeia de nossos próprios erros, afastando-nos do egoísmo e do orgulho que ainda legislam para o nosso mundo consciencial.¹⁵

Devemos nos empenhar em sair do casulo do orgulho e do egocentrismo aos quais nos recolhemos, procurando nos integrar num sistema existencial caracterizado pela convivência, interação e auxílio ao próximo. Não basta o esforço da aquisição ou do desenvolvimento de virtudes. É preciso sair de nós mesmos e caminhar em direção aos que necessitam de amparo.

A virtude é sempre grande e venerável, mas não de cristalizar-se à maneira de jóia rara sem proveito. Se o amor cobre a multidão dos pecados, o serviço santificante que nele se inspira pode dar aos pecadores convertidos ao bem a companhia dos anjos, antes que os justos ociosos possam desfrutar o celeste convívio.¹²

Os novos tempos nos convocam a colaborar na obra divina, de melhoria espiritual da humanidade, em que se procura eliminar o egoísmo que, como chaga moral, neutraliza os mais valorosos impulsos de progresso. Neste sentido, a Doutrina Espírita nos fornece os instrumentos do entendimento, do equilíbrio e da sensatez, necessário ao agir com acerto.

> O [...] egoísmo é, pois, o alvo para o qual todos os verdadeiros crentes devem apontar suas armas, dirigir suas forças, sua coragem. [...] Que cada um, portanto, empregue todos os esforços a combatê-lo em si, certo de que esse monstro devorador de todas as inteligências, esse filho do orgulho é o causador de todas as misérias do mundo terreno. É a negação da caridade e, por conseguinte, o maior obstáculo à felicidade dos homens. [...] Expulsai da Terra o egoísmo para que ela possa subir na escala dos mundos, porquanto já é tempo de a humanidade envergar sua veste viril, para o que cumpre que primeiramente o expiais dos vossos corações.[2]

Quando Jesus se deparou com os futuros membros do seu colégio apostolar, Ele não viu apenas um simples publicano ou humildes pescadores. Sua visão é bem mais transcendental: representa o encontro do pastor com as suas ovelhas, do mestre com os seus discípulos, do orientador com os seus seguidores fiéis. Entretanto, é oportuno lembrar, que mesmo contando com o auxílio de tão inestimáveis colaboradores, o Mestre não se furtou de exemplificar a sua missão, mesmo que às custas de inimagináveis sacrifícios.

> Nesse sentido, contudo, o Cristo forneceu preciosa resposta aos seus tutelados do mundo. Longe de pleitear quaisquer prerrogativas, não enviou substitutos ao Calvário ou animais para sacrifícios nos templos e, sim, abraçou, Ele mesmo, a cruz pesada, imolando-se em favor das criaturas e dando a entender que todos os discípulos serão compelidos ao testemunho próprio, no altar da própria vida.[13]

A expressão "segue-me", dita por Jesus a Mateus, ou, a outra, "vos farei pescadores de homens", direcionada a Pedro, André, João e a Tiago Maior, são, antes de tudo, uma amorável convocação ao trabalho do bem, cumprindo, assim, o que fora combinado com eles, anteriormente, nos planos do Espírito. Significa dizer também que, quem aceitasse o seu jugo, estaria salvo. A profundidade dessa proposta redentora de Jesus não foi, entretanto, totalmente apreendida por muitos dos seus discípulos, considerando as dissidências que ocorreram.

> Jesus apresentou-se perante a humanidade como Mestre e Salvador. Eu sou o vosso Mestre, dizia Ele aos que o rodeavam para escutar sua palavra sempre inspirada e convincente. Nós somos, pois, seus discípulos: Ele é nosso Mestre. Mestre é aquele que educa. Educar é apelar para os poderes do espírito. Mediante esses poderes é que o discípulo analisa, perquire, discerne, assimila e aprende. O mestre desperta as faculdades que jazem dormentes e ignoradas no âmago do "eu" ainda inculto. [...] O mestre não fornece instrução: mostra como é ela obtida. Ao discípulo cumpre empregar o processo mediante o qual adquirirá instrução. [...] Para que a comunhão entre o mestre e o discípulo seja um fato, é absolutamente indispensável o concurso, a cooperação de ambos.
> [...] Jesus veio trazer-nos a redenção. É por isso nosso salvador. Mas só redime aqueles que amam a liberdade e se esforçam por alcançá-la. Os que se comprazem na servidão das paixões e dos vícios não têm em Jesus um salvador. Continuarão vis escravos até que compreendam a situação ignominiosa em que se encontram, e almejem conquistar a liberdade.[...] A redenção, como a educação, é obra em que o interessado tem de agir, tem de lutar desempenhando a sua parte própria; sem o que, não haverá para ele mestre nem salvador.[7]

A conhecida vocação de Mateus (ou Levi), registrada no Evangelho, foi, efetivamente, servir a Jesus, abraçando a causa de salvação da humanidade.

> Levi, pelo que se observa, era homem de espírito voltado para as coisas de Deus; sua vocação não era ser empregado do Fisco, cobrador de taxas públicas, de impostos. Nenhuma religião do seu tempo o havia atraído, porque todas elas eram exclusivistas, mercantilizadas, não falavam à alma, nem ao coração, nem à inteligência, pregavam falsidades em vez de anunciarem a Verdade. Mas logo que ele teve conhecimento da Doutrina que o Moço Nazareno ensinava, [...] propendeu imediatamente para o lado de Jesus, porque tinha verdadeira vocação religiosa, era um espírito inclinado às coisas de Deus, sentia-se apto a desempenhar uma tarefa nesse sentido.[6]

Em seguida ao chamamento de Jesus, relata o Evangelho que Mateus, tomado de íntima alegria, "[...] em regozijo, convidou seus colegas publicanos, e mais outras pessoas do povo, e ofereceu, com a presença dessas testemunhas, um grande banquete a Jesus".[6]

Não há dúvidas de que Levi, assim como os demais apóstolos que receberam o chamamento do Mestre, nos legaram magnífico exemplo de decisão, relativa ao trabalho que deveriam realizar, e de plena e irrestrita lealdade a Jesus. Foram discípulos que mantiveram perfeita comunhão de ideias e de sentimentos com o Mestre, servindo-o com amor extremado. Importa, porém, saber distinguir os bons dos maus discípulos, para que não venhamos a ser enganados.

> Os círculos cristãos de todos os matizes permanecem repletos de estudantes que se classificam no discipulado de Jesus, com inexcedível entusiasmo verbal, como se a ligação legítima com o Mestre estivesse circunscrita a problema de palavras. Na realidade, porém, o Evangelho não deixa dúvidas a esse respeito. A vida de cada criatura consciente é um conjunto de deveres para consigo mesma, para com a família de corações que se agrupam em torno dos seus sentimentos e para com a humanidade inteira. E não é tão fácil desempenhar todas essas obrigações com aprovação plena das diretrizes evangélicas. Imprescindível se faz eliminar as arestas do próprio temperamento, garantindo o equilíbrio que nos é particular, contribuir com eficiência em favor de quantos nos cercam o caminho, dando a cada um o que lhe pertence, e servir à comunidade, de cujo quadro fazemos parte.[...] Se buscamos a sublimação com o Cristo, ouçamos os ensinamentos divinos. Para sermos discípulos dele é necessário nos disponhamos com firmeza a conduzir a cruz de nossos testemunhos de assimilação do bem, acompanhando-lhe os passos. [...] Somente depois de semelhantes aquisições é que atingiremos a verdadeira comunhão com o divino Mestre.[11]

Referências

1. KARDEC. Allan. *O evangelho segundo o espiritismo*. Tradução de Guillon Ribeiro. 124. ed. Rio de Janeiro: FEB, 2005. Cap. 1, item 9, p. 60.

2. _____._____. Cap. 11, item 11, p.191.

3. _____. *A gênese*. Tradução de Guillon Ribeiro. 48. ed. Rio de Janeiro: FEB, 2005. Cap. 15, item 9, p. 314-315.

4. _____. *O livro dos espíritos*. Tradução de Guillon Ribeiro. 86. ed. Rio de Janeiro: FEB, 2005. Questão 558, p. 281.

5. _____._____. Questão 569, p. 284.

6. SCHUTEL. Cairbar. *O espírito do cristianismo*. 8. ed. Matão, SP: Casa editora O Clarim, 2001. Cap. 8 (A vocação de Levi – A popularidade de Jesus), p. 74.

7. VINÍCIUS (Pedro de Camargo). *Nas pegadas do mestre*. 10. ed. Rio de Janeiro: FEB, 2005. Cap. Mestre e salvador, p. 166-167.

8. XAVIER, Francisco Cândido. *Boa nova*. Pelo Espírito Humberto de Campos. 35. ed. Rio de Janeiro: FEB, 2006. Cap. 3 (As primeiras pregações), p. 27-28.

9. _____._____. p.29.

10. _____._____. Cap. 4 (A família Zebedeu), p. 31-32.

11. _____. *Fonte viva*. Pelo Espírito Emmanuel. 34 ed. Rio de Janeiro: FEB, 2006. Cap. 58 (Discípulos), p. 145-146.

12. _____. *Ideias e ilustrações*. Por diversos Espíritos. 5. ed. Rio de Janeiro: FEB, 1993. Cap. 3 (Do serviço), (mensagem de Neio Lúcio), p. 22.

13. _____. *Pão nosso*. Pelo Espírito Emmanuel. 27. ed. ed. Rio de Janeiro: FEB, 2006. Cap. 139 (Oferendas), p. 294.

14. _____. *Segue-me*. Pelo Espírito Emmanuel. 2. ed. Matão: O Clarim. Capítulo: (Segue-me! E ele o seguiu), p. 1.

15. _____. *Vinha de luz*. Pelo Espírito Emmanuel. 24. ed. ed. Rio de Janeiro: FEB, 2006. Cap. 174 (Plataforma do Mestre), p. 385-386.

Orientações ao monitor

Orientar os participantes a fazer uma análise reflexiva a respeito do chamamento de Jesus a alguns dos seus apóstolos, destacando a importância da lealdade irrestrita ao Mestre e o esforço de renovação demonstrado por eles.

EADE – LIVRO II | MÓDULO V

APRENDENDO COM OS FATOS COTIDIANOS

Roteiro 4

O CENTURIÃO DE CAFARNAUM

Objetivos

» Interpretar a passagem evangélica do centurião de Cafarnaum, à luz do entendimento espírita.

Ideias principais

» Identificamos na passagem evangélica, intitulada *o centurião de Cafarnaum*, valiosas lições que tratam, entre outras, de uma cura à distância, realizada por Jesus e também da importância da prática do bem, da solidariedade, da intercessão, da gratidão e da fé.

» O centurião representa o exemplo de homem de bem que, por força das qualidades morais e da fé que possuia, conseguiu transformar adversários em amigos, os quais se solidarizaram com ele num momento em que buscou auxílio de Jesus em benefício de um servo doente.

» *O [...] centurião compreendia perfeitamente aquilo que até hoje muitos ignoram, isto é, a maneira de Jesus agir através das milícias do céu. A analogia que Ele estabeleceu [...] entre seu comando e o comando de Jesus dirigindo os batalhões celestes, é das felizes para aclarar o modo de ação empregado pelo Redentor do mundo na obra de salvação.* Vinícius (Pedro de Camargo): *Em torno do Mestre*. Cap. As milícias do céu.

> A cura operada à distância por Jesus nada teve de milagroso, considerando a natureza excepcional do seu Espírito. *Sendo Ele o maior Missionário que baixou à Terra, não podia, para o bom exercício de sua missão, deixar de vir revestido de poderes e forças que o distinguissem dos demais homens.* Cairbar Schutel: *O espírito do cristianismo.* Cap. 53.

Subsídios

1. Texto evangélico

E o servo de um certo centurião, a quem este muito estimava, estava doente e moribundo. E, quando ouviu falar de Jesus, enviou-lhe uns anciãos dos judeus, rogando-lhe que viesse curar o seu servo. E, chegando eles junto de Jesus, rogaram-lhe muito, dizendo: É digno de que lhe concedas isso. Porque ama a nossa nação e ele mesmo nos edificou a sinagoga. E foi Jesus com eles; mas, quando já estava perto da casa, enviou-lhe o centurião uns amigos, dizendo-lhe: Senhor, não te incomodes, porque não sou digno de que entres debaixo do meu telhado; e, por isso, nem ainda me julguei digno de ir ter contigo; dize, porém, uma palavra, e o meu criado sarará. Porque também eu sou homem sujeito à autoridade, e tenho soldados sob o meu poder, e digo a este: vai; e ele vai; e a outro: vem; e ele vem; e ao meu servo: faze isto; e ele o faz. E, ouvindo isso, Jesus maravilhou-se dele e, voltando-se, disse à multidão que o seguia: Digo-vos que nem ainda em Israel tenho achado tanta fé. E, voltando para casa os que foram enviados, acharam são o servo enfermo (Lc 7:2-10).

Cafarnaum, aldeia situada na margem noroeste do mar da Galileia, significa "cidade de Naum" (do grego *Kapharnaoum*). É também identificada como "Tell Hum", nome de uma colina, praticamente inexistente nos dias atuais devido às inúmeras escavações a que foi submetida ao longo dos tempos.

Consta que Jesus teria se estabelecido em Cafarnaum e feito ali seu lar no início de seu ministério. Dali realizou suas primeiras pregações e fez muitas curas [...]. Ali curou o escravo do centurião que havia construído a sinagoga. [...] No século I a.C., quando suas casas foram construídas, Cafarnaum era evidentemente uma aldeia de pescadores e tinha uma população de não mais de mil pessoas.[1]

Essas informações históricas, associadas aos registros de Lucas, nos fazem situar, no tempo e no espaço, revelando que o centurião era uma pessoa de bem, mesmo sendo romano, povo conquistador da Galileia, considerado inimigo. Estimado na aldeia, respeitava a tradição religiosa dos conquistados, a ponto de erguer-lhes uma sinagoga, cujo construtor era um criado, judeu, a quem devotava amizade, retratado no texto como o doente que Jesus curou.

O texto de Lucas nos revela, além da cura à distância realizada por Jesus, importantes ensinamentos relacionados a outros personagens: exemplificação no bem, a força da solidariedade, os benefícios da gratidão, o valor da intercessão e o poder da fé.

2. Interpretação do texto evangélico

E o servo de um certo centurião, a quem este muito estimava, estava doente e moribundo. E, quando ouviu falar de Jesus, enviou-lhe uns anciãos dos judeus, rogando-lhe que viesse curar o seu servo. E, chegando eles junto de Jesus, rogaram-lhe muito, dizendo: É digno de que lhe concedas isso. Porque ama a nossa nação e ele mesmo nos edificou a sinagoga (Lc 7:2-5).

A narrativa apresenta uma sequência de acontecimentos que podem ser considerados, no mínimo, inusitados. Primeiro porque o pedido de auxílio a Jesus veio de um centurião, indivíduo pertencente ao quadro do exército invasor. Segundo porque o beneficiado não era alguém social ou politicamente importante, mas um escravo. Terceiro pelo endosso, concedido pelos anciãos ao pedido do romano, que também destacaram as suas qualidades morais. Por último, evidencia-se a surpreendente fé do romano.

Na verdade, a principal mensagem do texto é mostrar a força do bem que marca as ações de todos os personagens envolvidos nessa história. Nesse sentido, é oportuno o conselho de Bezerra de Menezes:

> Continuemos buscando Jesus em todos os irmãos da Terra, mas especialmente naqueles que sofrem problemas e dificuldades maiores que os nossos obstáculos, socorrendo e servindo e sempre mais felizes nos encontraremos sob as bênçãos dele, nosso Mestre e Senhor.[5]

O oficial romano considerado, *a priori*, inimigo, se revelou como pessoa de boa índole, respeitando as tradições culturais e religiosas dos habitantes da aldeia, subjugados ao domínio de César, conquistando-lhes a simpatia e a amizade. Esse romano deve ter sido, efetivamente, alguém especial que, não se valendo da posição política que ocupava e, sem fugir dos deveres inerentes ao cargo, soube cativar a comunidade de Cafarnaum pela construção de uma sinagoga.

O exemplo do centurião nos deve calar fundo, considerando a missão do Espiritismo na revivência da mensagem cristã.

> Há [...] um talento de luz acessível a todos. Brilha entre ricos e pobres, cultos e incultos. Aparece em toda parte. Salienta-se em todos os ângulos da luta. Destaca-se em todos os climas e sugere engrandecimento em todos os lugares. É o talento da oportunidade, sempre valioso e sempre o mesmo, na corrente viva e incessante das horas. É o desejo de doar um pensamento mais nobre ao círculo da maledicência, de fortalecer com o sorriso o ânimo abatido do companheiro desesperado, de alinhavar uma frase amiga que enterneça os maus a se sentirem menos duros e auxilie os bons a se revelarem sempre melhores, de prestar um serviço insignificante ao vizinho, plantando o pomar da gratidão e da amizade, de cultivar algum trato anônimo de solo, onde o arvoredo de amanhã fale sem palavras de nossas elevadas intenções.[6]

Os representantes dos judeus, por outro lado, revelaram possuir o nobre sentimento da gratidão, quando, ao se dirigirem a Jesus, passam por cima das diferenças religiosas, possivelmente existentes entre eles e o Cristo, e endossam o pedido do centurião, afirmando: "É digno de que lhe concedas isso. Porque ama a nossa nação e ele mesmo nos edificou a sinagoga".

O benefício recebido do preposto de César encontrou eco no coração daqueles judeus.

> Concluímos do exposto que o maior benefício que recebemos, através duma graça que nos é concedida, não está propriamente no objeto alcançado, mas no reconhecimento que o fato pode despertar. A gratidão é o elo indissolúvel que une o beneficiário ao benfeitor.[3]

A forma de agir do representante de César e a dos judeus indica também que as pessoas de boa vontade conseguem, efetivamente, superar as divergências pessoais e culturais para, juntas, viverem em paz.

Não existem tarefas maiores ou menores. Todas são importantes em significação.

Um homem será respeitado pelas leis que implanta, outro será admirado pelos feitos que realiza.

[...]

A comunidade é um conjunto de serviço, gerando a riqueza da experiência. E não podemos esquecer que a harmonia dessa máquina viva depende de nós.

Quando pudermos distribuir o estímulo do nosso entendimento e de nossa colaboração com todos, respeitando a importância do nosso trabalho e a excelência do serviço dos outros, renovar-se-á a face da Terra, no rumo da felicidade perfeita.

Para isso, porém, é necessário nos devotemos à assistência recíproca, com ardente amor fraterno...

[...]

Seremos compreendidos na medida de nossa compreensão.

Vejamos nosso próximo, no esforço que despende, e o próximo identificar-nos-á nas tarefas a que nos dedicamos.

[...]

O capital mais precioso da vida é o da boa vontade. Ponhamo-lo em movimento e a nossa existência estará enriquecida de bênçãos e alegrias, hoje e sempre, onde estivermos.[8]

Outra ideia perpassa pelos registros do evangelista, além da força do bem. Trata-se da intercessão em benefício de alguém: o centurião intercede pelo criado, os anciãos intercedem pelo centurião e Jesus intercede, junto a Deus, por todos.

E foi Jesus com eles; mas, quando já estava perto da casa, enviou-lhe o centurião uns amigos, dizendo-lhe: Senhor, não te incomodes, porque não sou digno de que entres debaixo do meu telhado; e, por isso, nem ainda me julguei digno de ir ter contigo; dize, porém, uma palavra, e o meu criado sarará. Porque também eu sou homem sujeito à autoridade, e tenho soldados sob o meu poder, e digo a este: vai; e ele vai; e a outro: vem; e ele vem; e ao meu servo: faze isto; e ele o faz. E, ouvindo isso, Jesus maravilhou-se dele e, voltando-se, disse à multidão que o seguia: Digo-vos que nem ainda em Israel tenho achado tanta fé. E, voltando para casa os que foram enviados, acharam são o servo enfermo (Lc 7:6-10).

A forma de tratamento utilizada pelo centurião quando se dirige a Jesus, chamando-o, respeitosamente, de Senhor, indica que reconheceu encontrar-se diante de uma autoridade a quem caberia reverenciar. Percebeu, igualmente, a fenomenal grandeza do Espírito do Cristo, a ponto de se sentir constrangido com o esforço do Senhor se deslocar até a sua residência. Por esse motivo disse: "Senhor, não te incomodes, porque não sou digno de que entres debaixo do meu telhado; e, por isso, nem ainda me julguei digno de ir ter contigo [...]".

São palavras saturadas de humildade que revelam a beleza da alma daquele centurião. Outras características do seu caráter são também reveladas na conclusão do seu diálogo com Jesus.

> O centurião que procurou a Jesus para curar-lhe o fâmulo que se encontrava gravemente enfermo, mostrou compreender perfeitamente a organização do exército sideral. Retrucando a Jesus que prometera atendê-lo indo a sua casa, disse: Senhor, não é preciso que te incomodes tanto. Nem eu mesmo sou digno de te receber em minha casa. Dize somente uma palavra, e meu servo se curará. Eu também sou homem sujeito à autoridade, e tenho inferiores às minhas ordens, e digo a este: vem cá, e ele vem; faze isto, e ele faz.
> Pelos dizeres acima, vemos que o centurião compreendia perfeitamente aquilo que até hoje muitos ignoram, isto é, a maneira de Jesus agir através das milícias do céu. A analogia que ele estabeleceu [...] entre seu comando e o comando de Jesus dirigindo os batalhões celestes, é das mais felizes para aclarar o modo de ação empregado pelo Redentor do mundo na obra da salvação. [...] Há, portanto, exércitos divinos como há os humanos. A diferença é que aqueles combatem por amor, e estes, por egoísmo. O amor fecunda as almas prodigalizando a vida e vida em abundância. O egoísmo vai disseminando entre os homens o luto, a dor e a morte. No combate sustentado pelas milícias celestes não há vencidos: todos são vencedores.[4]

Aliás, não é difícil perceber que o servo doente serviu de instrumento da misericórdia divina para que o centurião manifestasse seu livre-arbítrio. Verificamos, assim, que são nos acontecimentos cotidianos que temos a oportunidade de fazermos as nossas escolhas, revelando as próprias disposições íntimas que caracterizam nosso nível evolutivo.

Causa admiração a Jesus a firmeza das ideias do centurião, a ponto de afirmar à multidão que o seguia: "Digo-vos que nem ainda em Israel tenho achado tanta fé". O soldado romano não cansa de nos surpreender: além dos valores morais e da inteligência arguta, demonstra confiança e fé no Mestre.

> A árvore da fé viva não cresce no coração, miraculosamente. Qual acontece na vida comum, o Criador dá tudo, mas não prescinde do esforço da criatura [...]. A conquista da crença edificante não é serviço de menor esforço. A maioria das pessoas admite que a fé constitua milagrosa auréola doada a alguns espíritos privilegiados pelo favor divino. Isso, contudo, é um equívoco de lamentáveis consequências. A sublime virtude é construção do mundo interior, em cujo desdobramento cada aprendiz funciona como orientador, engenheiro e operário de si mesmo. Não se faz possível a realização, quando excessivas ansiedades terrestres, de parceria com enganos e ambições inferiores, torturam o campo íntimo, à maneira de vermes e malfeitores, atacando a obra. A lição do Evangelho é semente viva. [...] É imprescindível tratar a planta divina com desvelada ternura e instinto enérgico de defesa.[9]

Voltando para casa, o centurião encontrou o servo curado. Natural que fosse assim, considerando o prodigioso magnetismo de Jesus e as elevadíssimas qualidades do seu Espírito. O Mestre não precisou se deslocar até a casa do centurião para realizar a cura, esta foi realizada à distância.

> O poder de curar, em Jesus, era um dom *sobre-humano*. Quando dizemos *sobre-humano*, excluímos da nossa tese a palavra *sobrenatural*, visto nada existir que não seja natural. Era *sobre-humano* visto ser esse dom, em Jesus, perfeito, ultrapassando, portanto, os limites do *poder humano*, mesmo dos melhores curadores. Sendo Jesus um Espírito perfeito, claro está que perfeitos deveriam ser todos os seus dotes. Sendo Ele o maior Missionário que baixou à Terra, não podia, para o bom exercício de sua missão, deixar de vir revestido de poderes e forças que o distinguissem dos demais homens. Assim é que, o seu grande conhecimento das leis que regem universo e dos fluidos neles existentes, a sua força para dominação e transformação desses fluidos, a sua vontade soberana de fazer realçar a Lei de Deus, o seu amor imenso pelos sofredores, pelos deserdados da sorte, o auxílio constante que recebia diretamente de Deus, a enorme Milícia celeste e a multidão de Espíritos que se achavam sob as suas ordens, tudo concorria para que Ele dissesse ao cego: "Vê"; ao paralítico: "Anda"; ao leproso: "Sê limpo"; à sua Palavra, tudo se cumpria![2]

Por último, é importante considerar que as curas e outros acontecimentos prodigiosos operados por Jesus representavam um meio para a divulgação do seu Evangelho.

É que o Mestre divino não veio à Terra apenas para religar ossos quebrados ou reavivar corpos doentes, mas acima de tudo, descerrar horizontes libertadores à sublime visão da alma, banindo o cativeiro da superstição e do fanatismo. Em meio ao coro de hosanas que fazia levantar a turba de enfermos e paralíticos, efetuava a pregação do reino de Deus que, no fundo, era sempre aula de profunda sabedoria, despertando a mente popular para a imortalidade e para a justiça. Fosse no topo do monte, ao pé da multidão desorientada ou no recinto das sinagogas onde lia os escritos sagrados para ouvintes atentos, fosse na casa de Pedro, alinhando anotações da Boa-Nova, ou na barca dos pescadores que convertia em cátedra luminosa na universidade da natureza, foi sempre o Mestre, leal ao ministério do ensino, erguendo consciências e levantando corações, não somente no socorro às necessidades de superfície, mas na solução integral dos problemas da Vida eterna.[7]

Referências

1. DICIONÁRIO DA BÍBLIA. Vol. As pessoas e os lugares. Organizado por Bruce M. Metzger e Michael D. Coogan. Tradução de Maria Luiza X. de A. Borges. Rio de Janeiro: Jorge Zahar, 2002, p. 38.

2. SCHUTEL. Cairbar. *O espírito do cristianismo*. 8. ed. Matão, SP: O Clarim, 2001. Cap. 53 (As curas de Jesus), p. 276-277.

3. VINÍCIUS (Pedro de Camargo). *Em torno do mestre*. 8. ed. Rio de Janeiro: FEB, 2002. Cap. O médico das almas, p.106.

4. _____._____. Cap. As milícias do céu, p. 134-135.

5. XAVIER, Francisco Cândido. *Caridade*. Por diversos Espíritos. 12. ed. Araras: IDE, 2000. Cap. 11 (Quanto mais – mensagem de Bezerra de Menezes), p. 46.

6. _____._____. Cap. 14 (O talento esquecido – mensagem de Emmanuel), p. 54.

7. _____. *Doutrina-escola*. Por diversos Espíritos. 1. ed. Araras: IDE, 1996. Cap. 11 (Jesus e estudo-1: mensagem de Emmanuel), p. 63-64.

8. _____. *Fonte viva*. Pelo Espírito Emmanuel. 35 ed. Rio de Janeiro: FEB, 2006. Cap. 122 (Entendamo-nos), p. 307-308.

9. _____. *Vinha de luz*. Pelo Espírito Emmanuel. 25. ed. Rio de Janeiro: FEB, 2006. Cap. 40 (Fé), p. 99-100.

Orientações ao monitor

Os participantes devem interpretar, à luz da Doutrina Espírita, a passagem evangélica que trata do centurião de Cafarnaum, tendo como base as ideias desenvolvidas nos *Subsídios* deste Roteiro. Devem, em seguida, correlacionar o assunto a acontecimentos cotidianos.

APRENDENDO COM OS FATOS COTIDIANOS

Roteiro 5

A CAMINHO DE EMAÚS

Objetivos

» Analisar os ensinamentos contidos na passagem "Os dois discípulos a caminho de Emaús", à luz da Doutrina Espírita.

Ideias principais

» *Todos os evangelistas narram as aparições de Jesus, após sua morte, com circunstanciados pormenores que não permitem se duvide da realidade do fato. Elas, aliás, se explicam perfeitamente pelas leis fluídicas e pelas propriedades do perispírito e nada de anômalo apresentam em face dos fenômenos do mesmo gênero, cuja história, antiga e contemporânea, oferece numerosos exemplos, sem lhes faltar sequer a tangibilidade.* Allan Kardec: *A gênese*. Cap. XV, item 61.

» Os acontecimentos ocorridos na estrada de Emaús não se resumem a mais uma aparição do Cristo após a sua crucificação. Suscitam valiosos aprendizados a respeito de uma série de fenômenos psíquicos: a imortalidade do Espírito após a morte do corpo, a comunicação mediúnica, a materialização de Espíritos etc. Há, porém, profundas lições relativas à fé, ao entendimento da vida espiritual e, sobretudo, ao amor irrestrito de Jesus para com todos nós, habitantes do Planeta.

> Ainda existem aprendizes na "estrada simbólica de Emaús", todos os dias. Atingem o Evangelho e espantam-se em face dos sacrifícios necessários à eterna iluminação espiritual. Não entendem o ambiente divino da cruz e procuram "paisagens mentais" distantes... Entretanto, chega sempre um desconhecido que caminha ao lado dos que vacilam e fogem. [...] Sua voz é diferente das outras, seus esclarecimentos mais firmes, seus apelos mais doces. Emmanuel: *Caminho, verdade e vida*. Cap. 95.

Subsídios

1. Texto evangélico

E eis que, no mesmo dia, iam dois deles para uma aldeia que distava de Jerusalém sessenta estádios, cujo nome era Emaús. E iam falando entre si de tudo aquilo que havia sucedido. E aconteceu que, indo eles falando entre si e fazendo perguntas um ao outro, o mesmo Jesus se aproximou e ia com eles. Mas os olhos deles estavam como que fechados, para que o não conhecessem.

E Ele lhes disse: que palavras são essas que, caminhando, trocais entre vós e por que estais tristes? E, respondendo um, cujo nome era Cléopas, disse-lhe: És tu só peregrino em Jerusalém, e não sabes as coisas que nela têm sucedido nestes dias? E Ele lhes perguntou: Quais? E eles lhe disseram: As que dizem respeito a Jesus, o Nazareno, que foi um profeta poderoso em obras e palavras diante de Deus e de todo o povo; E como os principais dos sacerdotes e os nossos príncipes o entregaram à condenação de morte e o crucificaram.

E nós esperávamos que fosse Ele o que remisse Israel; mas, agora, com tudo isso, é já hoje o terceiro dia desde que essas coisas aconteceram. É verdade que também algumas mulheres dentre nós nos maravilharam, as quais de madrugada foram ao sepulcro; e, não achando o seu corpo, voltaram, dizendo que tinham visto uma visão de anjos, que dizem que Ele vive. E alguns dos que estavam conosco foram ao sepulcro e acharam ser assim como as mulheres haviam dito, porém, não o viram.

E Ele lhes disse: Ó néscios e tardos de coração para crer tudo o que os profetas disseram! Porventura, não convinha que o Cristo padecesse essas coisas e entrasse na sua glória? E, começando por Moisés e por todos os profetas, explicava-lhes o que dele se achava em todas as Escrituras.

E chegaram à aldeia para onde iam, e Ele fez como quem ia para mais longe. E eles o constrangeram, dizendo: Fica conosco, porque já é tarde, e já declinou o dia. E entrou para ficar com eles. E aconteceu que, estando com eles à mesa, tomando o pão, o abençoou e partiu-o e lho deu. Abriram-se-lhes, então, os olhos, e o conheceram, e Ele desapareceu-lhes. E disseram um para o outro: Porventura, não ardia em nós o nosso coração quando, pelo caminho, nos falava e quando nos abria as Escrituras? E, na mesma hora, levantando-se, voltaram para Jerusalém e acharam congregados os onze, e os que estavam com eles, os quais diziam: Ressuscitou, verdadeiramente, o Senhor, e já apareceu a Simão. E eles lhes contaram o que lhes acontecera no caminho, e como deles foi conhecido no partir do pão (Lc 24:13-35).

Os acontecimentos ocorridos na estrada de Emaús dizem respeito à aparição de Jesus a dois discípulos, após a sua crucificação, atestando, dessa forma, a sobrevivência do Espírito.

Jesus apareceu aos seus discípulos, apóstolos e ou seguidores, em quatro diferentes ocasiões depois da crucificação, aparições que são denominadas *ressurreição*.

Voltando no tempo, um pouco antes da ressurreição, sabemos que Jesus foi sepultado no dia do martírio na cruz, possivelmente no final da noite de sexta-feira (Lc 23:54), dia conhecido como da "Preparação" para a Páscoa judaica (Mc 15:42), por José, rico judeu da cidade de Arimateia (Mt 27:57-61, Mc 15:42-47, Lc 23: 50-55 e Jo 19:38-42), auxiliado por Nicodemos (Jo 19:39-40) e observados por Maria de Magdala e outra Maria, possivelmente mãe de Tiago, filho de Alfeu (Mt 27:61).

No dia seguinte ao da "Preparação", no sábado, um grupo de sacerdotes e fariseus procuraram Pilatos e solicitaram uma guarda para vigiar o sepulcro, justificando que Jesus afirmara que iria ressuscitar no domingo de Páscoa, três dias após a crucificação (Mt 27:62-64). Pilatos ordenou que a pedra do sepulcro fosse selada e que uma guarda ali permanecesse, ininterruptamente (Mt 27:65-66).

Todo esse controle se revelou inútil porque, no raiar do dia de domingo, Jesus apareceu a Maria Madalena, a Salomé (esposa de Zebedeu), e a Maria (mãe de Tiago Menor) (Mc 16:1). Veja também nota de rodapé "c", da *Bíblia de Jerusalém* referente à identidade das mulheres, citadas em Mc, 15:40 e outros evangelistas. Lucas fala também da presença de uma certa Joana (Lc 24:9-10).

Mais tarde, no mesmo dia, Jesus apareceu a dois discípulos na estrada para Emaús (Lc 24:13-35). Manifestou-se também aos apóstolos quando esses se encontravam à mesa (Mc 16:14), censurando-lhes a incredulidade a respeito da sua ressurreição. Tornou-se visível a Pedro, Tomé, Natanael, aos filhos de Zebedeu e a mais dois discípulos não identificados no Evangelho (Jo 21:1-17), junto ao lago de Tiberíades. A última aparição de Jesus, e a sua ascensão ao Céu, aconteceu em Betânia (Lc 24:50-53).

2. Interpretação do texto evangélico

E eis que, no mesmo dia, iam dois deles para uma aldeia que distava de Jerusalém sessenta estádios, cujo nome era Emaús. E iam falando entre si de tudo aquilo que havia sucedido. E aconteceu que, indo eles falando entre si e fazendo perguntas um ao outro, o mesmo Jesus se aproximou e ia com eles. Mas os olhos deles estavam como que fechados, para que o não conhecessem. E Ele lhes disse: Que palavras são essas que, caminhando, trocais entre vós e por que estais tristes? E, respondendo um, cujo nome era Cléopas, disse-lhe: És tu só peregrino em Jerusalém e não sabes as coisas que nela têm sucesido nestes dias? E Ele lhes perguntou: Quais? E eles lhe disseram: As que dizem respeito a Jesus, o Nazareno, que foi um profeta poderoso em obras e palavras diante de Deus e de todo o povo; e como os principais dos sacerdotes e os nossos príncipes o entregaram à condenação de morte e o crucificaram (Lc 24:13-20).

Segundo o registro de Lucas, dois discípulos, Cléopas (*Kleopatros*, do grego: "pai famoso") e outro desconhecido, caminhavam de Jerusalém para Emaús (nome que literalmente significa "águas quentes"), uma cidade situada 12 Km para o norte, dia da Páscoa.

Estavam abatidos e desiludidos e discutiam os acontecimentos terríveis de alguns dias antes. Quando um estranho juntou-se a eles manifestando ignorância da história que tanto os comovera, eles explicaram sobre o Jesus crucificado e como "nós esperávamos que fosse Ele quem iria redimir Israel" (Lc 24:21). Convidado para participar da ceia com Cléopas e o seu companheiro, o estranho revelou ser Jesus ao benzer o pão e parti-lo; imediatamente depois, desapareceu. Os dois voltaram com pressa para Jerusalém para levar a notícia aos outros discípulos e, enquanto isso, Jesus aparecia a todos eles.[7]

Apesar do sofrimento que traziam na alma, os discípulos seguiam adiante trocando, entre si, ideias a respeito do martírio do seu Messias. Traziam os olhos fechados, como assinala o texto evangélico, possivelmente para qualquer tipo de percepção, decorrente da desarmonia íntima produzida pelo trauma emocional da crucificação. Entretanto, não estavam abandonados pelo Senhor.

> Jesus seguira-os, qual amigo oculto, fixando-lhes a verdade no coração com as fórmulas verbais, carinhosas e doces. Grande parte do caminho foi atravessada em companhia daquele homem, amoroso e sábio, que ambos interpretaram por generoso e simpático desconhecido e, somente ao partir do pão, reconhecem o Mestre muito amado. Os dois aprendizes não conseguiram a identificação nem pelas palavras, nem pelo gesto afetuoso; contudo, tão logo surgiu o pão materializado, dissiparam todas as dúvidas e creram. Não será o mesmo que vem ocorrendo no mundo há milênios?[12]

Os ensinamentos espíritas demonstram que a aparição de Jesus aos discípulos, mesmo sob a aparência de um simples viajante, nada teve de surpreendente quando se conhece os mecanismos que produzem o fenômeno. Na verdade, as "[...] manifestações mais comuns se dão durante o sono, por meio dos sonhos: são as visões."

Os Espíritos bem-intencionados aparecem para consolar "[...] as pessoas que deles guardam saudades, provar-lhes que existem e estão perto delas; dar conselhos e, algumas vezes, pedir para si mesmos assistência."[1] Evidentemente, Jesus, diretor espiritual do orbe, tornou-se visível para prestar amparo, revelando a imortalidade do seu Espírito.

A despeito das aparições espirituais serem consideradas fatos naturais, não acontecem permanentemente. O motivo básico é que estando "[...] o homem cercado de Espíritos, o vê-los a todos os instante o perturbaria, embaraçar-lhe-ia os atos e tirar-lhe-ia a iniciativa na maioria dos casos, ao passo que, julgando-se só, ele age mais livremente."[2]

O princípio das aparições de Espíritos "[...] é o mesmo de todas as manifestações, reside nas propriedades do perispírito, que pode sofrer diversas modificações, ao sabor do Espírito."[3]

Devemos, entretanto, considerar os seguintes esclarecimentos prestados por Allan Kardec:

> As aparições propriamente ditas dão-se quando o vidente se acha em estado de vigília e no gozo da plena e inteira liberdade das suas faculdades. Apresentam-se, em geral, sob a forma vaporosa e diáfana, às vezes vaga e imprecisa. [...] Doutras vezes, as formas se mostram nitidamente acentuadas, distinguindo-se os menores traços da fisionomia, a ponto de se tornar possível fazer-se da aparição uma descrição completa. [...] Podendo tomar todas as aparências, o Espírito se apresenta sob a que melhor o faça reconhecível, se tal é o seu desejo. [...] Os Espíritos superiores têm uma figura bela, nobre e serena; os mais inferiores denotam alguma coisa de feroz e bestial, não sendo raro revelarem ainda vestígios dos crimes que praticaram, ou dos suplícios que padeceram.[5]

Continuemos, um pouco mais, com as elucidações do Codificador do Espiritismo a respeito das materializações de Espíritos.

> O Espírito, que quer ou pode fazer-se visível, reveste às vezes uma forma ainda mais precisa, com todas as aparências de um corpo sólido, ao ponto de causar completa ilusão e dar a crer, aos que observam a aparição, que têm diante de si um ser corpóreo. Em alguns casos, finalmente, e sob o império de certas circunstâncias, a tangibilidade se pode tornar real, isto é, possível se torna ao observador tocar, palpar, sentir, na aparição, a mesma resistência, o mesmo calor que num corpo vivo, o que não impede que a tangibilidade se desvaneça com a rapidez do relâmpago. Nesses casos, já não é somente com o olhar que se nota a presença do Espírito, mas também pelo sentido tátil.[6]

São essas as explicações espíritas relativas à aparição de Jesus aos seus discípulos, sua tangibilidade e o seu desaparecimento, ocorrido durante a refeição, no momento em que foi reconhecido por seus companheiros de viagem.

Não deixa de ser um fato curioso Jesus ter-se manifestado como simples viajante aos discípulos na estrada de Emaús, quando se revelou como o Cristo a Maria de Magdala, nas primeiras horas daquele dia, e aos apóstolos, durante a refeição do meio-dia.

Algum motivo superior justificou essa atitude do Mestre. Podemos apenas levantar algumas conjecturas, sem que com isso encontremos a resposta concreta ou satisfatória: será que a sua aparição abrupta não iria assustar os discípulos, ainda bastante impressionados com os acontecimentos do calvário e da crucificação? Talvez a necessidade de ampará-los libertando-os da tristeza e da saudade fosse mais urgente? Quem sabe ocorreu ao Senhor a necessidade de, anonimamente, sondar-lhes as disposições íntimas relacionadas ao trabalho de cristianização do mundo, que lhes caberia no futuro?

E nós esperávamos que fosse Ele o que remisse Israel; mas, agora, com tudo isso, é já hoje o terceiro dia desde que essas coisas aconteceram. É verdade que também algumas mulheres dentre nós nos maravilharam, as quais de madrugada foram ao sepulcro; e, não achando o seu corpo, voltaram, dizendo que também tinham visto uma visão de anjos, que dizem que Ele vive. E alguns dos que estavam conosco foram ao sepulcro e acharam ser assim como as mulheres haviam dito, porém, não o viram. E Ele lhes disse: Ó néscios e tardos de coração para crer tudo o que os profetas disseram! Porventura, não convinha que o Cristo padecesse essas coisas e entrasse na sua glória? E, começando por Moisés e por todos os profetas, explicava-lhes o que dele se achava em todas as Escrituras (Lc 24:21-27).

Independentemente das motivações de Jesus de manter-se em anonimato, o texto de Lucas registra algo efetivamente relevante: os sentimentos de afeto e ternura, atenção e cuidados do Mestre para com os dois viajantes, como bem nos esclarece Emmanuel.

> Os discípulos, a caminho de Emaús, comentavam, amargurados, os acontecimentos terríveis do Calvário. Permaneciam sob a tormenta da angústia. A dúvida penetrava-lhes a alma, levando-os ao abatimento, à negação. Um homem desconhecido, porém, alcançou-os na estrada. Oferecia o aspecto de mísero peregrino. Sem identificar-se, esclareceu as verdades da Escritura, exaltou a cruz e o sofrimento. Ambos os companheiros, que se haviam emaranhado no cipoal de contradições ingratas, experimentaram agradável bem-estar, ouvindo a argumentação confortadora. Somente ao termo da viagem, em se sentindo fortalecidos no tépido ambiente da hospedaria, perceberam que o desconhecido era o Mestre.
> Ainda existem aprendizes na "estrada simbólica de Emaús", todos os dias. Atingem o Evangelho e espantam-se em face dos sacrifícios necessários à eterna iluminação espiritual. Não entendem o ambiente divino da cruz e procuram "paisagens mentais" distantes. Entretanto,

chega sempre um desconhecido que caminha ao lado dos que vacilam e fogem. Tem a forma de um viandante incompreendido, de um companheiro inesperado, de um velho generoso, de uma criança tímida. Sua voz é diferente das outras, seus esclarecimentos mais firmes, seus apelos mais doces.

Quem partilha, por um momento, do banquete da cruz, jamais poderá olvidá-la. Muitas vezes, partirá mundo afora, demorando-se nos trilhos escuros; no entanto, minuto virá em que Jesus, de maneira imprevista, busca esses viajores transviados e não os desampara enquanto não os contempla, seguros e livres, na hospedaria da confiança.[9]

O diálogo ocorrido durante a viagem para Emaús apresenta pontos que merecem ser destacados. O primeiro diz respeito ao entendimento de Cléopas e do seu companheiro de viagem sobre Jesus: "[...] foi um profeta, poderoso em obras e palavras diante de Deus e de todo o povo" (versículo 19); o segundo retrata a triste constatação do que fizeram ao Senhor: "E como os principais dos sacerdotes e os nossos príncipes o entregaram à condenação de morte e o crucificaram." (versículo 20); o terceiro indica a decepção, ou amargura, pela crucificação: "E nós esperávamos que fosse Ele o que remisse Israel [...]" (versículo 21); o quarto demonstra o sentimento de incerteza, comum nos que ainda não possuem fé sólida, acreditando ou desacreditando: "É verdade que também algumas mulheres dentre nós nos maravilharam, as quais de madrugada foram ao sepulcro; e, não achando o seu corpo, voltaram, dizendo que também tinham visto uma visão de anjos, que dizem que Ele vive. E alguns dos que estavam conosco foram ao sepulcro e acharam ser assim como as mulheres haviam dito, porém, não o viram" (versículos 22, 23 e 24).

Após ouvi-los, captando-lhes as dúvidas e a frágil confiança, Jesus lhes restaura o bom ânimo, conduzindo-os à nova posição vibracional quando lhes afirma com energia: "[...] Ó néscios e tardos de coração para crer tudo o que os profetas disseram! Porventura, não convinha que o Cristo padecesse essas coisas e entrasse na sua glória? E, começando por Moisés e por todos os profetas, explicava-lhes o que dele se achava em todas as Escrituras" (versículos 25 a 27).

O Cristianismo é uma doutrina que precisa ser aprendida e sentida. [...] Aquele que não sente em si mesmo a influência da moral cristã, desconhece o que ela é, embora tenha perfeito conhecimento teórico de todos os seus preceitos e postulados. [...] Na fé em Jesus Cristo não há confusão. Sua doutrina é integral; e só podemos conhecê-la seguindo as pegadas do Senhor, que é a sua personificação. Jesus é um mestre cuja escola é Ele mesmo. [...] O Cristianismo não se reduz a teorias: é luz, é verdade, é vida.[8]

Por outro lado, o Mestre também percebeu que os discípulos tinham pouco esclarecimento a respeito da vida após a morte do corpo, daí terem sido assaltados pelo desânimo e pelas dúvidas. Esta postura, aliás, é comum em todos nós, Espíritos imperfeitos: emitimos opiniões superficiais, às vezes irresponsáveis, sobre acontecimentos e pessoas, por falta de esclarecimento ou por espírito de intolerância para com as ações dos que conosco convivem.

Foi necessário, pois, que Jesus falasse de forma incisiva aos seus interlocutores, convocando-os a se libertarem daquela postura mental cristalizada. Por esse motivo, Jesus lhes indaga com veemência: "Porventura não convinha que o Cristo padecesse estas coisas e entrasse na sua glória?".

Ante o silêncio dos discípulos, passa então a explicar-lhes o significado do seu sofrimento, realizando um retrospecto histórico que começa com Moisés e todos os profetas.

E chegaram à aldeia para onde iam, e Ele fez como quem ia para mais longe. E eles o constrangeram, dizendo: Fica conosco, porque já é tarde, e já declinou o dia. E entrou para ficar com eles. E aconteceu que, estando com eles à mesa, tomando o pão, o abençoou e partiu-o e lho deu. Abriram-se-lhes então os olhos, e o conheceram, e Ele desapareceu-lhes. E disseram um para o outro: Porventura não ardia em nós o nosso coração quando, pelo caminho, nos falava, e quando nos abria as Escrituras? E, na mesma hora, levantando-se, tornaram para Jerusalém, e acharam congregados os onze, e os que estavam com eles, os quais diziam: Ressuscitou verdadeiramente o Senhor, e já apareceu a Simão. E eles lhes contaram o que lhes acontecera no caminho, e como deles foi conhecido no partir do pão (Lc 24:28-35).

Quando aprendemos exercitar a observação, percebemos que há um sentido maior nas coisas mais simples que fazem parte do cotidiano. Entendemos, assim, que uma sabedoria divina rege todas manifestações relacionadas à existência do ser humano. Neste sentido, após ouvir o Senhor, criar com ele um elo de vibrações simpáticas e harmônicas, os dois discípulos chegam à aldeia, ao final do dia.

Estando em paz, insistem ao viajante desconhecido para permanecerem juntos, compartilhando a refeição.

Outra lição valiosa diz respeito à necessidade gregária inerente ao ser humano, sobretudo quando o gregarismo resulta da livre escolha. A atmosfera espiritual reinante ao final da jornada era completamente diferente de quando esta foi iniciada. Envolvidos, assim, numa vibração de paz, o Senhor senta com eles à mesa, aceitando e compreendendo a extensão do convite que lhe era feito. Chegara, pois, o momento de sair do anonimato e revelar-se aos discípulos. Dessa forma, utiliza um gesto bastante conhecido, assim expresso por Lucas: "Tomando o pão, o abençoou e partiu-o, e lho deu". Não se tratava, evidentemente de uma gesticulação mecânica, sem propósito, mas de uma marca capaz de identificar o Cristo: a bênção do pão. Retirando o bloqueio mental que os impedia de ver com lucidez, reconheceram que Jesus estivera com eles o tempo todo. Essa situação se repete conosco, Espíritos em processo evolutivo: nem sempre reconhecemos a presença do Senhor ao nosso lado, nem sempre entendemos a sua mensagem.

> A linguagem do Cristo sempre se afigurou a muitos aprendizes indecifrável e estranha. [...] Isso ocorre a muitos seguidores do Evangelho, porque se utilizam da força mental em outros setores. Creem vagamente no socorro celeste, nas horas de amargura, mostrando, porém, absoluto desinteresse ante o estudo e ante a aplicação das leis divinas. [...] Registram os chamamentos do Cristo, todavia, algemam furiosamente a atenção aos apelos da vida primária. Percebem, mas não ouvem. Informam-se, mas não entendem. Nesse campo de contradições, temos sempre respeitáveis personalidades humanas e, por vezes, admiráveis amigos. Conservam no coração enormes potenciais de bondade, contudo, a mente deles vive empenhada no jogo das formas perecíveis. São preciosas estações de serviço aproveitáveis com o equipamento, porém, ocupado em atividades mais ou menos inúteis. Não nos esqueçamos, pois, de que é sempre fácil assinalar a linguagem do Senhor, mas é preciso apresentar-lhe o coração vazio de resíduos da Terra, para receber-lhe, em espírito e verdade, a palavra divina.[10]

Somente após a bênção do pão, foi que "abriram-se-lhes então os olhos. E o conheceram, e ele desapareceu-lhes."

É surpreendente o fato de Jesus desaparecer no momento em que é identificado pelos companheiros de viagem. Entendemos, porém, que

Jesus agiu assim porque o seu trabalho de auxílio junto aos peregrinos da estrada de Emaús tinha sido concluído. "Desapareceu-lhes" porque o momento não era mais de instrução, de orientação, de estímulo e de apaziguamento.

Felizes e abençoados pelo encontro com o Mestre, retornam, de imediato, a Jerusalém para testemunharem aos demais cristãos a ressurreição de Jesus.

> Por onde formos, Jesus, Mestre silencioso, nos chama ao testemunho da lição que aprendemos. Nas menores experiências, no trabalho ou no lazer, no lar ou na via pública, eis que nos convida ao exercício incessante do bem. Nesse sentido, o discípulo do Evangelho encontra no mundo o santuário de sua fé e na humanidade a sua própria família. Assinalando, pois, a norma cristã, como inspiração para todas as lides cotidianas, ouçamos a palavra do Senhor em todos os ângulos do caminho, procurando segui-lo com invariável fidelidade, hoje e sempre.[11]

Referências

1. KARDEC. Allan. *O livro dos médiuns*. Tradução de Guillon Ribeiro. 76 ed. Rio de Janeiro: FEB, 2005. Segunda parte, cap. 6, item 100/6.ª, letra "a", p. 131.

2. _____._____. Item100/7.ª, p. 131-132.

3. _____._____. Item100/21.ª, p. 136.

4. _____._____. Item101, p. 139.

5. _____._____. Item 102, p. 139-140.

6. _____._____. Item 104, p. 141-142.

7. READER' DIGEST. *Quem é quem na bíblia*: enciclopédia biográfica ilustrada. Tradução de Jaime Clasen. [et al]. Rio de Janeiro: 2005, p. 65 (verbete Cléofas).

8. VINÍCIUS (Pedro de Camargo). *Em torno do mestre*. 8. ed. Rio de Janeiro: FEB, 2002. Cap. Crer e crer, p. 207-208.

9. XAVIER, Francisco Cândido. *Caminho, verdade e vida*. Pelo Espírito Emmanuel. 26. ed. Rio de Janeiro: FEB, 2006. Cap. 95 (O amigo oculto), p. 205-206.

10. _____. *Fonte viva*. Pelo Espírito Emmanuel. 34. ed. Rio de Janeiro: FEB, 2006. Cap. 48 (Diante do Senhor), p. 117-118.

11. _____._____. Cap. 153 (Ouçamos), p. 376.

12. _____. *Pão nosso*. Pelo Espírito Emmanuel. 27. ed. Rio de Janeiro: FEB, 2006. Cap. 129 (Ao partir do pão), p. 273.

Orientações ao monitor

O estudo deve ser conduzido de tal forma que possibilite, aos participantes, realizarem análises espíritas reflexivas sobre: ressurreição, aparições de Jesus, após a sua crucificação, acontecimentos ocorridos na estrada de Emaús etc.

EADE LIVRO II | MÓDULO VI

APRENDENDO COM FATOS EXTRAORDINÁRIOS

EADE – LIVRO II | MÓDULO VI

APRENDENDO COM FATOS EXTRAORDINÁRIOS

Roteiro 1

A PESCA MARAVILHOSA

Objetivos

» Explicar o significado da pesca maravilhosa à luz do conhecimento espírita.

Ideias principais

» Nada existe de surpreendente na pesca maravilhosa quando se conhece as causas que a originaram. *A prodigiosa força espiritual de Jesus, sua grande autoridade, os seus inúmeros auxiliares que no invisível punham em ação a sua palavra, todos esses elementos, sós ou reunidos explicam muito bem a reunião dos peixes em determinado lugar, para que as redes se enchessem, e o efeito desse fenômeno calasse no ânimo de seus discípulos.* Cairbar Schutel: *O espírito do cristianismo.* Cap. 6.

» *O [...] Espírito humano é um "pescador" dos valores evolutivos, na escola regeneradora da Terra. A posição de cada qual é o "barco". Em cada novo dia, o homem se levanta com a sua "rede" de interesses.* Emmanuel: *Caminho, verdade e vida.* Cap. 21.

Subsídios

1. Texto evangélico

E, entrando num dos barcos, que era o de Simão, pediu-lhe que o afastasse um pouco da terra; e, assentando-se, ensinava do barco à multidão. E, quando acabou de falar, disse a Simão: faze-te ao mar alto, e lançai as vossas redes para pescar. E, respondendo Simão, disse-lhe: Mestre, havendo trabalhado toda a noite, nada apanhamos; mas, porque mandas, lançarei a rede. E, fazendo assim, colheram uma grande quantidade de peixes, e rompia-se-lhes a rede. E fizeram sinal aos companheiros que estavam no outro barco, para que os fossem ajudar. E foram e encheram ambos os barcos, de maneira tal que quase iam a pique. E, vendo isso Simão Pedro, prostrou-se aos pés de Jesus, dizendo: Senhor, ausenta-te de mim, por que sou um homem pecador. Pois que o espanto se apoderara dele e de todos os que com ele estavam, por causa da pesca que haviam feito (Lc 5:3-9).

Os fatos narrados nesse texto evangélico aconteceram pouco tempo depois da morte de João Batista.

E Jesus começa a trabalhar. Antes de tudo, cerca-se de cooperadores. Devemos admirar nesta passagem a humildade de Jesus: Ele, o Espírito excelso, convida modestos colaboradores para a sua obra grandiosa. Assim nos adverte que, em quaisquer setores de atividades, todo trabalho exige cooperação. Os apóstolos eram elevados Espíritos encarnados com a missão de ajudarem Jesus. Por conseguinte, estavam em condições de compreenderem o trabalho que Jesus lhes confiaria. Esses missionários, escolhidos por Jesus quando ainda estavam no mundo espiritual, seriam os primeiros depositários do Evangelho. E quando Jesus partisse, deles se irradiaria o movimento de evangelização da humanidade.[2]

2. Interpretação do texto evangélico

E entrando num dos barcos, que era o de Simão, pediu-lhe que o afastasse um pouco da terra; e, assentando-se, ensinava do barco à multidão. E, quando acabou de falar, disse a Simão: faze-te ao mar alto, e lançai as vossas redes para pescar. E, respondendo Simão, disse-lhe: Mestre, havendo trabalhado toda a noite, nada apanhamos; mas, porque mandas, lançarei a rede. E, fazendo assim, colheram uma grande quantidade de peixes, e rompia-se-lhes a rede. E fizeram sinal aos companheiros que estavam no outro barco, para que os fossem ajudar. E foram e encheram ambos os barcos, de maneira tal que quase iam a pique (Lc 5:3-7).

O povo cercava Jesus, atraído pelo magnetismo do seu verbo e cativado pelas amorosas vibrações da sua personalidade iluminada.

> Diz Lucas que, assediado pelas multidões que pretendiam detê-lo para que não as deixasse mostrou-lhes a necessidade que tinha de pregar o Evangelho do reino de Deus também em outras cidades; mas, oprimido por essa multidão, quando se achava na praia do Lago de Genesaré, provavelmente o Tiberíades, que era atravessado pelo Rio Jordão, entrou na barca de Simão e pediu a este humilde pescador que a afastasse um pouco da terra. Então, mais livre do povo, dali ensinava a multidão. [...] Pedro, bem como seus sócios Tiago e João, [...] não eram capazes de imaginar que, sob as ordens daquele moço, fosse possível, após insana lida, durante uma noite inteira de atirar redes, sem colherem peixe algum, essas redes encheram-se por encanto, a ponto de ser preciso chamar outros companheiros que estavam em outra barca para auxiliá-los a puxá-las para terra, pois se rompiam ao peso de tantos peixes. [...] A prodigiosa força espiritual de Jesus, sua grande autoridade, os seus inúmeros auxiliares que no invisível punham em ação a sua Palavra, todos esses elementos, sós ou reunidos, explicam muito bem a reunião dos peixes em determinado lugar, para que as redes se enchessem, e o efeito desse fenômeno calasse no ânimo de seus discípulos.[3]

A pesca maravilhosa nada tem de surpreendente nem de miraculoso, "[...] desde que se conheça o poder da dupla vista e a causa, muito natural, dessa faculdade. Jesus a possuía em grau elevado e pode dizer-se que ela constituía o seu estado normal, conforme o atesta grande número de atos da sua vida [...]."[1]

Examinando, de perto, esse texto evangélico percebe-se que, num primeiro momento, o apóstolo Pedro se revelou descrente quanto à possibilidade de encontrar peixes, uma vez que ele e os seus companheiros, passaram a noite trabalhando e nada obtiveram. Mas em razão da confiança depositada no Mestre, atende-lhe a orientação e lança as redes no local indicado, obtendo surpreendente êxito.

A atitude de Pedro revela características marcantes de sua personalidade: trata-se de um trabalhador incansável, que não teme assinalar as dificuldades enfrentadas (informa ao Mestre que passara toda a noite trabalhando no mar e nada pescara), mas que se revela extremamente obediente, pronto para cumprir instruções, vindas de uma autoridade superior. Na verdade, percebe-se que no íntimo do seu coração, o venerável servidor aguardava o auxílio de Deus.

As orientações precisas de Jesus ao apóstolo foram: "faze-te ao mar alto, e lançai as vossas redes para pescar". São instruções que nos conduzem a outras reflexões, conforme assinala o benfeitor Emmanuel:

> Este versículo nos leva a meditar nos companheiros de luta que se sentem abandonados na experiência humana. [...] Em surgindo, pois, a tua época de dificuldade, convence-te de que chegaram para tua alma os dias de serviço em "mar alto", o tempo de procurar os valores justos, sem o incentivo de certas ilusões da experiência material. Se te encontras sozinho, se te sentes ao abandono, lembra-te de que, além do túmulo, há companheiros que te assistem e esperam carinhosamente. O Pai nunca deixa os filhos desamparados, assim, se te vês presentemente sem laços domésticos, sem amigos certos na paisagem transitória do Planeta, é que Jesus te enviou a pleno mar da experiência, a fim de provares tuas conquistas em supremas lições.[7]

Há um outro ponto que merece destaque: é comum encontrarmos referências à pesca, ao mar e a barcos em alguns textos evangélicos. Representam simbolismos, assim interpretados pelo Espírito Emmanuel:

> Figuradamente, o Espírito humano é um "pescador" dos valores evolutivos, na escola regeneradora da Terra. A posição de cada qual é o "barco". Em cada novo dia, o homem se levanta com a sua "rede" de interesses.[6]

Da nossa parte, vemos que o tempo passa e continuamos em nossos "barcos", operando "no mar da vida" com maior ou menor sucesso, segundo a posição a que nos ajustamos no contexto evolutivo. No entanto, é bom não esquecer que a qualquer momento Jesus pode requisitar o nosso barco, tal como faz ao de Simão, e nos conduzir ao mar alto para, ali, realizarmos a pescaria de valores eternos.

Nos "barcos" que nos situamos estão depositados os recursos que dispomos para a realização da nossa transformação espiritual. O cristão sincero, o espírita dedicado, se esforça para, todos os dias, lançar as "redes" de interesses renovados no bem no imenso mar da existência. Dessa forma, é necessário enriquecê-los, entre outros, com os valores da inteligência, da família, das amizades, das relações sociais, dos recursos profissionais.

E, vendo isso Simão Pedro, prostrou-se aos pés de Jesus, dizendo: Senhor, ausenta-te de mim, por que sou um homem pecador. Pois que o espanto se apoderara dele e de todos os que com ele estavam, por causa da pesca que haviam feito (Lc 5:8-9).

Se Pedro não tivesse atendido à orientação do Mestre, possivelmente não teria acontecido a pesca que passou à posteridade como maravilhosa. Da mesma forma, sabendo aproveitar as inúmeras oportunidades que nos são cotidianamente concedidas pelo Alto, evitamos o curso de acontecimentos nefastos que poderiam nos assaltar a existência. Neste sentido, conforme o trabalho que devemos realizar, ora buscamos as águas rasas e calmas da praia ora as mais profundas e agitadas do mar alto.

Destaca o texto, o gesto de gratidão de Pedro. Reconhecido pelas bênçãos recebidas, prostra-se aos pés de Jesus, humilde, reconhecendo-se como criatura pecadora. São outras facetas da personalidade do apóstolo que se revelam naturalmente: gratidão e humildade. Não foi por acaso que ele se transformou na pedra angular da Doutrina Cristã. Assim, é oportuno destacar, o conselho que Jesus transmitiu a Zebedeu, pai de Tiago e João:

> "Em verdade" replicou o Mestre, "a mensagem da Boa-Nova é excelente para todos; contudo, nem todos os homens são ainda bons e justos para com ela". É por isso que o Evangelho traz consigo o fermento da renovação e é ainda por isso que deixarei o júbilo e a energia como as melhores armas aos meus discípulos. Exterminando o mal e cultivando o bem, a Terra será para nós um glorioso campo de batalha. Se um companheiro cair na luta, foi o mal que tombou, nunca o irmão que, para nós outros, estará sempre de pé.[5]

É importante desenvolvermos a capacidade de discernimento, tal como aconteceu ao apóstolo Pedro, não se deixando sucumbir pelos insucessos que ocorrem na nossa existência. Imaginamos como foi grande o desapontamento quando, após uma noite de intenso labor, nada pescou que pudesse garantir a subsistência própria e a dos familiares e amigos. Supomos também o quanto a sua alma se encheu de júbilo, após seguir as instruções de Jesus, e obter tão rica pescaria.

Quantas vezes, procuramos a paz, experimentando a tortura do sedento que anseia pela gloria. Em momentos assim, o passo mais expressivo será sempre a nossa incondicional rendição a Deus, cuja sabedoria nos guiará no rumo da tranquilidade operosa e tonificante. Imperioso pensar nisso, porque frequentemente surgem no cotidiano crises inesperadas que se nos envolvem na vida mental, à feição de problemas classificados por insolúveis no quadro das providências divinas. [...] Todos nós, os Espíritos em evolução no Planeta, somos ainda humanos e, nessa condição, nem sempre conseguimos em nós mesmos a energia suficiente para a superação de nossas deficiências... [...] Nenhum de nós está órfão de amparo e socorro, luz e bênção, porque ainda mesmo fracassem todas as nossas forças, na direção do bem para o desempenho de nossas obrigações, muito acima de nós e muito acima de nossos recursos limitados e frágeis, temos Deus.[4]

Referências

1. KARDEC, Allan. *A gênese*. Tradução de Guillon Ribeiro. 48. ed. Rio de Janeiro: FEB, 2005. Cap. 15, item 9, p. 314.

2. RIGONATTI, Eliseu. *O evangelho dos humildes*. 16. ed. São Paulo: Pensamento, 2004. Cap. 4 (A tentação de Jesus), p. 25.

3. SCHUTEL, CAIRBAR. *O espírito do cristianismo*. 8. ed. Matão: O Clarim, 2001. Cap. 6 (A pesca maravilhosa), p. 63-64.

4. XAVIER, Francisco Cândido. *Alma e coração*. Pelo Espírito Emmanuel. São Paulo: Pensamento, 2006. Cap. 20 (Acima de nós), p. 49-50.

5. _____. *Boa nova*. Pelo Espírito Humberto de Campos. 35. ed. Rio de Janeiro: FEB, 2006. Cap. 4 (A família Zebedeu), p. 35-36.

6. _____. *Caminho, verdade e vida*. Pelo Espírito Emmanuel. 26. ed. Rio de Janeiro: FEB, 2006. Cap. 21 (Caminhos retos), p. 58.

7. _____. *Pão nosso*. Pelo Espírito Emmanuel. 27. ed. Rio de Janeiro: FEB, 2006. Cap. 21 (Mar alto), p. 57-58.

Orientações ao monitor

Analisar o texto evangélico por meio de uma discussão circular, destacando, ao final, o significado espírita da "pesca maravilhosa".

EADE – LIVRO II | MÓDULO VI

APRENDENDO COM FATOS EXTRAORDINÁRIOS

Roteiro 2

AS BODAS DE CANÁ

Objetivos

» Explicar a importância das bodas de Caná para o Cristianismo, segundo a ótica espírita.

Ideias principais

» *É digno de nota o [...] comparecimento do Mestre com sua família e seus discípulos numa festa de bodas. Com esse ato de presença, quis Ele exemplificar aos seus discípulos o caráter social da sua Doutrina, que deveria ser ensinada em toda a parte e não, somente, em templos especializados para tal fim.* Cairbar Schutel. *O espírito do cristianismo.* Cap. 48.

» *Jesus afirma que [...] as bodas de Caná foram um símbolo da nossa união na Terra. O vinho, ali, foi bem o da alegria com que desejo selar a existência do reino de Deus nos corações.* Humberto de Campos: *Boa nova.* Cap. 12.

Subsídios

1. Texto evangélico

> *E, ao terceiro dia, fizeram-se umas bodas em Caná da Galileia; e estava ali a mãe de Jesus. E foram também convidados Jesus e os seus discípulos para as bodas. E, faltando o vinho, a mãe de Jesus lhe disse: Não têm vinho. Disse-lhe Jesus: Mulher, que tenho eu contigo? Ainda não é chegada a minha hora. Sua mãe disse aos empregados: Fazei tudo quanto Ele vos disser.*
>
> *E estavam ali postas seis talhas de pedra, para as purificações dos judeus, e em cada uma cabiam duas ou três metretas. Disse-lhes Jesus: Enchei de água essas talhas. E encheram-nas até em cima. E disse-lhes: Tirai agora e levai ao mestre-sala. E levaram. E, logo que o mestre-sala provou a água feita vinho (não sabendo de onde viera, se bem que o sabiam os empregados que tinham tirado a água), chamou o mestre-sala ao esposo. E disse-lhe: Todo homem põe primeiro o vinho bom e, quando já têm bebido bem, então, o inferior; mas tu guardaste até agora o bom vinho. Jesus principiou assim os seus sinais em Caná da Galileia e manifestou a sua glória, e os seus discípulos creram nele.* (Jo 2:1-11.)

As bodas de Caná, ocorridas numa cidade da Galileia, apresentam características especiais. Uma delas é a transformação da água em vinho, realizada por Jesus, outra foi o início da pregação evangélica do Mestre nessa festa.

Kardec destaca também que, a despeito de Jesus ter modificado a estrutura química da água, ser tal fato considerado milagroso, não foi citado pelos demais evangelistas, mas apenas por João.

> Este milagre [...] é apresentado como o primeiro que Jesus operou e, nessas condições devera ter sido um dos mais notados. Entretanto, bem fraca impressão parece haver produzido, pois que nenhum outro evangelista dele trata. Fato tão extraordinário era para deixar espantados, no mais alto grau, os convivas e, sobretudo, o dono da casa, os quais, todavia, parece que não o perceberam. Considerado em si mesmo, pouca importância tem o fato, em comparação com os que, verdadeiramente, atestam as qualidades espirituais de Jesus.[1]

2. Interpretação do texto evangélico

> *E, ao terceiro dia, fizeram-se umas bodas em Caná da Galileia; e estava ali a mãe de Jesus. E foram também convidados Jesus e os seus discípulos para as bodas. E, faltando o vinho, a mãe de Jesus lhe disse: Não têm vinho. Disse-lhe Jesus: Mulher, que tenho eu contigo? Ainda não é chegada a minha hora. Sua mãe disse aos empregados: Fazei tudo quanto Ele vos disser* (Jo 2:1-5).

Admitido [...] que as coisas hajam ocorrido, conforme foram narradas, é de notar-se seja esse, de tal gênero, o único fenômeno que se tenha produzido. Jesus era de natureza extremamente elevada, para se ater a efeitos puramente materiais, próprios apenas a aguçar a curiosidade da multidão que, então, o teria nivelado a um mágico. Ele sabia que as coisas úteis lhe conquistariam mais simpatias e lhe granjeariam mais adeptos, do que as que facilmente passariam por fruto de grande habilidade e destreza. Se bem que, a rigor, o fato se possa explicar, até certo ponto, por uma ação fluídica que houvesse, como o magnetismo oferece muitos exemplos, mudado as propriedades da água, dando-lhe o sabor do vinho, pouco provável é se tenha verificado semelhante hipótese, dado que, em tal caso, a água, tendo do vinho unicamente o sabor, houvera conservado a sua coloração, o que não deixaria de ser notado. [...] Provavelmente, durante o repasto, terá ele aludido ao vinho e à água, tirando de ambos um ensinamento. Justificam esta opinião as palavras que a respeito lhe dirige o mordomo: "Toda gente serve em primeiro lugar o vinho bom e, depois que todos o têm bebido muito, serve o menos fino; tu, porém, guardas até agora o bom vinho".[1]

Os fenômenos psíquicos são, em geral considerados milagrosos ou sobrenaturais, por não se conhecerem as causas que os produzem. Incluem-se nesse grupo os prodígios realizados por Jesus. Efetivamente, são fenômenos inusitados que despertam a atenção das pessoas. Entretanto, um estudo minucioso consegue explicá-los, subtraindo, assim, o aspecto de derrogação das leis naturais. O progresso científico vem contribuindo para elucidar muitos fatos que foram considerados milagres.

Ninguém nega que fenômenos servem para acordar a mente, contudo, é imperioso reconhecer que as criaturas humanas, na experiência diária, comunicam-se umas com as outras, através de montanhas deles sem a mínima comoção. Eis os motivos pelos quais os Espíritos superiores, conscientes da responsabilidade que abraçam colocarão sempre os fenômenos em última plana no esquema das manifestações com que nos visitam. Assim procedem porque a curiosidade inerte ou deslumbrada não substitui o serviço e o serviço é a única via que nos faculta crescimento e elevação, compelindo-nos a estudar para progredir e a evoluir para sublimar.⁵

A Doutrina Espírita, aliada aos avanços da Ciência, apresenta explicações lógicas a respeito dos prodígios operados por Jesus. Importa considerar que os "[...] fenômenos podem ajudar na elaboração da fé, porque ensejam a observação da vida espiritual, constatando a sua realidade, permitindo adquirir conhecimentos sobre ela."³

Retratando alguns aspectos ocorridos nas bodas de Caná, vemos que o início da pregação do Senhor foi marcada por um momento de expressiva alegria. Acreditamos que Jesus escolheu de forma proposital o momento. É como se o Mestre quisesse nos dizer que o aprendizado evangélico deva ocorrer num clima de união, de júbilos fraternos.

> É digno de nota o [...] comparecimento do Mestre com sua família e seus discípulos numa festa de bodas. Com esse ato de presença, quis Ele exemplificar aos seus discípulos o caráter social da sua Doutrina, que deveria ser ensinada em toda a parte e não, somente, em templos especializados para tal fim.⁴

A presença de familiares e de amigos próximos nas bodas, como assinalam as frases "estava ali a mãe de Jesus" e "foi também convidado Jesus e os seus discípulos para as bodas", indicam que os acontecimentos e a mensagem que o Cristo trazia marcariam a reunião com um sentido muito especial, capaz de tanger os meandros sutis do sentimento puro.

Vemos, de um lado, Jesus, o Mestre por excelência, modelo e guia da humanidade e, de outro, seus familiares e discípulos, vinculados ao seu coração, mas prontos para recolher informações que redundariam em experiências e testemunhos futuros.

Devemos considerar a maneira humilde de Jesus, a despeito da excelsitude do seu Espírito.

> Sim, o Cristo não passou entre os homens como quem impõe. Nem como quem determina. Nem como quem governa. Nem como quem manda. Caminhou na Terra à feição de servidor. Legou-nos o Evangelho da vida, escrevendo-lhe a epopeia no coração das criaturas.⁸

A frase de Maria: "E, faltando o vinho, a mãe de Jesus lhe disse: não têm vinho", revela os cuidados que as almas gentis têm para com as pessoas. Maria simboliza também a abençoada representante do sentimento reto, a mãe e inspiradora da mensagem do Cristo, no mundo. Representa o berço geratriz das mais belas iniciativas, do sentimento enobrecido, destituído de interesses pessoais, que age em sintonia com o pensamento superior.

> Maria de Nazaré, uma mulher simples e da mais humílima condição social, foi uma das figuras mais salientes no processo de revelação do Cristianismo. (É inegável que a sua missão teve um cunho relevante, alcançando a magnitude que, ainda agora), [...] a sua figura excelsa se impõe à veneração de toda a humanidade, motivo pelo qual muitas religiões da Terra passaram denominá-la "Rainha do Céu", "Mãe Santíssima", "Virgem Maria", "Nossa Senhora", além de toda uma gama de qualificativos. Servindo de dócil instrumento da vontade de Deus, ela contribuiu, como Espírito, para o grandioso quadro de revelação do Cristianismo à humanidade sofredora, fato que representou uma das mais sublimes dádivas vinda dos Céus.[2]

O vinho era uma bebida que fazia parte da cultura judaica e da maioria dos povos da Antiguidade, assim como nos tempos contemporâneos. O que causa espanto na narrativa evangélica, porém, não foi o anúncio de Maria de que o vinho acabara, mas a forma como Jesus lhe respondeu, segundo os registros de João: "Mulher, que tenho eu contigo? Ainda não é chegada a minha hora".

Analisada esta citação, exclusivamente na letra, entendem muitos (inclusive alguns espíritas) que Jesus teria destratado a sua mãe. Cairbar Schutel emite a seguinte opinião:

> Entretanto, não cremos que a troca de palavras entre Jesus e sua extremosa mãe fosse tal como se acha registrada na versão evangélica. Sabemos perfeitamente quanto as traduções deformam e desnaturam as narrativas. E, quando pensamos que os Evangelhos passaram por várias traduções, a juízo dos tradutores, inscientes às mais das vezes do pensamento íntimo dos seus autores, mais nos convencemos de que as Escrituras não podem mesmo ser estudadas de relance, nem tomadas ao pé da letra. Quantas vezes deixamos de encontrar, num idioma, uma palavra que exprima exatamente o que outra exprime em outro idioma! Jesus não usou de aspereza com sua mãe; pelo

contrário, a troca de ideias entre ambos não podia realizar-se sem a máxima cordialidade e respeito.⁴

A segunda resposta de Jesus a Maria, "ainda não é chegada a minha hora", pode ser uma alusão que Jesus fez à hora de transformação espiritual que iria ocorrer-lhe. Hora que seria marcada por testemunhos sacrificiais, em razão do processo de total doação à humanidade que tutelava e tutela.

Atestamos que no breve diálogo ocorrido entre Jesus e a sua mãe estabeleceu-se perfeita sintonia entre ambos: a mãe intercede junto ao filho que tem poder superior, o filho argumenta e esclarece, mas, ao influxo de sentimentos elevados e sublimes, na esteira do amor legítimo, acontece perfeito entendimento. Maria então, dirige-se aos empregados e diz: "Fazei tudo quanto Ele vos disser".

O Evangelho é roteiro iluminado do qual Jesus é o centro divino. Nessa Carta da Redenção, rodeando-lhe a figura celeste, existem palavras, lembranças, dádivas e indicações muito amadas dos que lhe foram legítimos colaboradores no mundo. [...] temos igualmente, no Documento Sagrado, reminiscências de Maria. Examinemos suas preciosas palavras em Caná, cheias de sabedoria e amor materno. [...] Em verdade, o versículo do apóstolo João não se refere a paisagens dolorosas. O episódio ocorre numa festa de bodas, mas podemos aproveitar-lhe a sublime expressão simbólica. Também nós estamos na festa de noivado do Evangelho com a Terra. Apesar dos quase vinte séculos decorridos, o júbilo ainda é de noivado, porquanto não se verificou até agora a perfeita união... Nesse grande concerto da ideia renovadora, somos serventes humildes. Em muitas ocasiões, esgota-se o vinho da esperança. Sentimo-nos extenuados, desiludidos... Implorarmos ternura maternal e eis que Maria nos responde: *Fazei tudo quanto Ele vos disser*. O conselho é sábio e profundo e foi colocado no princípio dos trabalhos de salvação. Escutando semelhante advertência de Mãe, meditemos se realmente estaremos fazendo tudo quanto o Mestre nos disse.⁷

E estavam ali postas seis talhas de pedra, para as purificações dos judeus, e em cada uma cabiam duas ou três metretas. Disse-lhes Jesus: Enchei de água essas talhas. E encheram-nas até em cima. E disse-lhes: Tirai agora e levai ao mestre-sala. E levaram. E, logo que o mestre-sala provou a água feita vinho (não sabendo de onde viera, se bem que o sabiam os empregados que tinham tirado a água), chamou o mestre-sala ao esposo. E disse-lhe: Todo homem põe primeiro o vinho bom e, quando já têm bebido bem, então, o inferior; mas tu guardaste até agora o bom vinho. Jesus principiou assim os seus sinais em Caná da Galileia e manifestou a sua glória, e os seus discípulos creram nele (Jo 2:6-11).

Temos atualmente muitas informações a respeito da *transmutação* de elementos. Para a Física e a Química, transmutação é a conversão de um elemento químico em outro. Entretanto, desde os tempos imemoriais há relatos sobre o assunto. A alquimia acreditava ser possível a transmutação através de reações químicas, principalmente, a partir do momento que se percebeu que a densidade do ouro e do chumbo eram muito semelhantes. Os alquimistas tentaram transmutar os metais inferiores em ouro.

A partir da descoberta do átomo — considerado a menor porção que existe e que pode ser reduzida a um único elemento químico, mantendo-se as suas propriedades físico-químicas elementares —, longo período de tempo foi necessário para que o homem tivesse domínio do processo. A transmutação tem como princípio a *fissão nuclear* dos átomos que se transformam em novos elementos de números atômicos inferiores, até que os seus núcleos se tornem estáveis (geralmente adquirindo a estabilidade do chumbo). Há produção de radioatividade durante a fissão atômica.

A transmutação pode também ser entendida no sentido espiritual, ou seja, a mudança de um estado inferior para um estado espiritualmente superior.

À luz do entendimento científico atual, podemos afirmar que a transformação da água em vinho foi um processo de transmutação. Percebemos que essa transformação ocorreu perante a circunstância de existir a água usada nas purificações dos rituais judaicos. Deveria ser uma água mais pura, livre de impurezas. O Mestre teria agido, atuando diretamente nas moléculas de água.

O Espírito Humberto de Campos nos transmite preciosos ensinamentos a respeito do significado da transmutação realizada por Jesus, a qual teve um propósito maior, de natureza espiritual, tão natural que, além de ter sido captado apenas por João Evangelista, possivelmente não tenha causado impacto aos circunstantes. Acompanhemos atentamente o diálogo que se segue, ocorrido entre o Mestre e o apóstolo Pedro.

O manto da noite caía de leve sobre a paisagem de Cafarnaum e Jesus, depois de uma das grandes assembleias populares do lago, se recolhia à casa de Pedro em companhia do apóstolo. [...] Simão, no entanto, ia pensativo como se guardasse uma dúvida no coração. Inquirido com bondade pelo Mestre, o apóstolo esclareceu: "Senhor, em face dos vossos ensinamentos, como deveremos interpretar a vossa primeira manifestação, transformando a água em vinho, nas bodas de Caná? Não se tratava de uma festa mundana? O vinho não iria cooperar para o desenvolvimento da embriaguez e da gula?" Jesus compreendeu o alcance da interpelação e sorriu.

"Simão" disse Ele, "conheces a alegria de servir a um amigo?" Pedro não respondeu, pelo que o Mestre continuou: "As bodas de Caná foram um símbolo da nossa união na Terra. O vinho, ali, foi bem o da alegria com que desejo selar a existência do reino de Deus nos corações. Estou com os meus amigos e amo-os a todos. Os afetos da alma, Simão, são laços misteriosos que nos conduzem a Deus. Saibamos santificar a nossa afeição, proporcionando aos nossos amigos o máximo da alegria; seja o nosso coração uma sala iluminada onde eles se sintam tranquilos e ditosos. Tenhamos sempre júbilos novos que os reconfortem, nunca contaminemos a fonte de sua simpatia com a sombra dos pesares! As mais belas horas da vida são as que empregamos em amá-los, enriquecendo-lhes as satisfações íntimas.[...]

E com o olhar absorto na paisagem crepuscular, onde vibravam sutis harmonias, Jesus ponderou, profeticamente:

"O vinho de Caná poderá, um dia, transformar-se no vinagre da amargura; contudo, sentirei, mesmo assim, júbilo em sorvê-lo, por minha dedicação aos que vim buscar para o amor do Todo-Poderoso". Simão Pedro, ante a argumentação consoladora e amiga do Mestre, dissipou as suas derradeiras dúvidas, enquanto a noite se apoderava do ambiente, ocultando o conjunto das coisas no seu leque imenso de sombras.[6]

Referências

1. KARDEC, Allan. *A gênese*. Tradução de Guillon Ribeiro. 48. ed. Rio de Janeiro: FEB, 2005. Cap. 15, item 47, p. 337-338.

2. GODOY, Paulo Alves. *O evangelho por dentro*. 2. ed. São Paulo: FEESP, 1992. Cap. 3 Personagens centrais do evangelho, p. 24.

3. OLIVEIRA, Therezinha. *Estudos espíritas do evangelho*. 3. ed. Capivari: EME, 1997. Unidade 4, cap. 22 (Os feitos de Jesus), item 6: fenômenos e entendimento, p. 208.

4. SCHUTEL, Cairbar. *O espírito do cristianismo*. 8. ed. Matão: O Clarim, 2001. Cap. 48 (As bodas de Caná), p. 255.

5. XAVIER, Francisco Cândido; VIEIRA, Waldo. *Opinião espírita*. Pelos Espíritos Emmanuel e André Luiz. 5. ed. Uberaba: CEC, 1982. Cap. 31 (Fenômenos e nós – mensagem de André Luiz), p. 109-110.

6. XAVIER, Francisco Cândido. *Boa nova*. Pelo Espírito Humberto de Campos. 35. ed. Rio de Janeiro: FEB, 2006. Cap. 12 (Amor e renúncia), p. 81-83.

7. _____. *Caminho, verdade e vida*. Pelo Espírito Emmanuel. 26. ed. Rio de Janeiro: FEB, 2006. Cap. 171 (Palavras de mãe), p. 357-358.

8. _____. *Segue-me*. Pelo Espírito Emmanuel. 2. ed. Matão: O Clarim. Capítulo: O grande servidor, p. 87.

Orientações ao monitor

Fazer um estudo reflexivo das bodas de Caná e o significado do acontecimento para o Cristianismo, à luz do entendimento espírita.

APRENDENDO COM FATOS EXTRAORDINÁRIOS

Roteiro 3

A TEMPESTADE ACALMADA

Objetivos

» Analisar o significado espírita da tempestade acalmada, registrada pelo evangelista Marcos (Mc 4:35-41).

Ideias principais

» A tempestade acalmada é uma passagem evangélica que tem dois enfoques fundamentais: ação de Jesus sobre os elementos da natureza e o valor da fé.

» *Os [...] fatos que o Evangelho cita como operados por Jesus se acham hoje completamente demonstrados pelo magnetismo e pelo Espiritismo, como fenômenos naturais.* Allan Kardec: *Obras póstumas.* Primeira parte, p. 125-126.

» A fé é um sentimento que pode ser desenvolvido, utilizando a força da vontade, do conhecimento e das virtudes. Sendo assim, a [...] *alma humana, neste vinte séculos de Cristianismo, é uma consciência esclarecida pela razão, em plena batalha pela conquista dos valores iluminativos.* Emmanuel: *Fonte viva.* Cap. 25.

» *No homem, a fé é o sentimento inato de seus destinos futuros; é a consciência que ele tem das faculdades imensas depositadas em gérmen no seu íntimo, a princípio em estado latente, e que lhe cumpre fazer que desabrochem e cresçam* [...]. Allan Kardec: *O evangelho segundo o espiritismo*. Cap. XIX, item 12.

Subsídios

1. Texto evangélico

E, naquele dia, sendo já tarde, disse-lhes: Passemos para a outra margem. E eles, deixando a multidão, o levaram consigo, assim como estava, no barco; e havia também com ele outros barquinhos. E levantou-se grande temporal de vento, e subiam as ondas por cima do barco, de maneira que já se enchia de água. E Ele estava na popa dormindo sobre uma almofada; e despertaram-no, dizendo-lhe: Mestre, não te importa que pereçamos?

E Ele, despertando, repreendeu o vento e disse ao mar: Cala-te, aquieta-te. E o vento se aquietou, e houve grande bonança. E disse-lhes: Por que sois tão tímidos? Ainda não tendes fé? E sentiram um grande temor e diziam uns aos outros: Mas quem é este que até o vento e o mar lhe obedecem? (Mc 4:35-41).

O texto evangélico apresenta duas ordens de ideias: a tempestade que foi controlada pelo Cristo e a importância da fé.

A tempestade acalmada é mais um dos prodígios existentes no Evangelho. Podemos interpretar o ocorrido de duas maneiras: ação direta de Jesus sobre o fenômeno atmosférico "repreendendo o vento" ou por intermédio dos Espíritos ligados à natureza que, ouvindo-o, atenderam à sua solicitação. De qualquer forma, porém, sabemos que não ocorreu um milagre, por mais insólito que o fato pareça.

Deixa [...] de ser milagre um fato, desde que possa explicar-se e que se ache ligado a uma causa conhecida. Desse modo foi que as descobertas da Ciência colocaram no domínio do natural muitos efeitos que eram qualificados de prodígios, enquanto se lhes desconheciam as causas. Mais tarde, o conhecimento do princípio espiritual, da ação dos fluidos sobre a economia geral, do mundo invisível dentro do qual vivemos, das faculdades da alma, da existência e das propriedades do perispírito, facultou a explicação dos fenômenos de ordem psíquica, provando que esses fenômenos não constituem, mais do que os outros, derrogações das leis da natureza, que, ao contrário, decorrem quase sempre de aplicações destas leis. [...]

A possibilidade da maioria dos fatos que o Evangelho cita como operados por Jesus se acha hoje completamente demonstrada pelo magnetismo e pelo Espiritismo, como fenômenos naturais. Pois que eles se produzem às nossas vistas, quer espontaneamente, quer quando provocados, nada há de anormal em que Jesus possuísse faculdades idênticas às dos nossos magnetizadores, curadores, sonâmbulos, videntes, médiuns etc. Do momento em que essas mesmas faculdades se encontram, em diferentes graus, numa multidão de indivíduos que nada têm de divino, até em heréticos e idólatras, elas não implicam, de maneira alguma, a existência de uma natureza sobre-humana.[7]

A intervenção de Espíritos nos fenômenos da natureza acontece de forma intencional ou executando ordens superiores, como consta em *O livro dos espíritos*.[5]

Falanges de Espíritos em evolução trabalham ativamente, zelando pela manutenção dos reinos da natureza: o mineral, o vegetal e o animal. Os fenômenos atmosféricos também são presididos por plêiades de Espíritos, sob orientação superior, encarregados de manterem o equilíbrio planetário. Nem sempre compreendemos o porquê dos fenômenos, que muitas vezes causam verdadeiras calamidades em determinadas regiões do mundo. Mas o Espiritismo nos ensina que não há efeito sem causa. Por conseguinte, os fenômenos tais como: tempestades, terremotos, maremotos, inundações, são orientados por entidades espirituais, em obediência a desígnios divinos, visando o apressamento da evolução não só do Planeta, como também nas populações atingidas. Jesus aqui não fez milagre ao apaziguar a tempestade. Usou apenas de seu conhecimento das forças que regem o universo e de sua superioridade moral para ordenar aos orientadores invisíveis da atmosfera, que fizessem cessar a tempestade.[8]

2. Interpretação do texto evangélico

E, naquele dia, sendo já tarde, disse-lhes: Passemos para a outra margem. E eles, deixando a multidão, o levaram consigo, assim como estava, no barco; e havia também com ele outros barquinhos. E levantou-se grande temporal de vento, e subiam as ondas por cima do barco, de maneira que já se enchia de água. E Ele estava na popa dormindo sobre uma almofada; e despertaram-no, dizendo-lhe: Mestre, não te importa que pereçamos? (Mc 4:35-38)

A pessoa que se engaja consciente no processo de melhoria atende ao chamamento de renovação espiritual dos Espíritos orientadores. Sabe também adequar-se com firmeza e perseverança às convocações do plano maior, pela correta utilização do livre-arbítrio.

"Passemos para a outra banda" é uma expressão que, além de literalmente significar sair de um lado para outro, indica mudança de comportamento, sob o amparo do Cristo. Envolve a percepção de que soou a hora da necessária transformação espiritual. Independentemente dos desafios que a pessoa possa enfrentar, sente-se amparada por Jesus que lhe direciona a existência. A mudança de comportamento exige cuidados, assim como o processo de travessia implica riscos, ainda quando se navega em águas tranquilas.

A vontade imprime, neste sentido, papel relevante, permitindo que a criatura opere os mecanismos de progresso de forma consciente. Dessa forma, é necessário deixar a "multidão" de erros e equívocos para trás e levar junto a si, no "barco" da vida, o próprio Jesus. Medida que lhe será útil sobretudo quando a travessia de um estado evolutivo para outro se revele mais difícil.

O período atual por que passa a humanidade terrestre é marcado por uma época de significativa transição moral. Sendo assim, é de fundamental importância trazermos o Cristo na mente e no coração, a fim de que não venhamos a sucumbir sob o peso dos temporais e das ventanias morais que nos assaltam a existência.

> A alma humana, neste vinte séculos de Cristianismo, é uma consciência esclarecida pela razão, em plena batalha pela conquista dos valores iluminativos.
> O campo de luta permanece situado em nossa vida íntima.
> Animalidade *versus* espiritualidade.
> Milênios de sombras cristalizadas contra a luz nascente.
> E o homem, pouco a pouco, entre as alternativas de vida e morte, renascimento no corpo e retorno à atividade espiritual, vai plasmando em si mesmo as qualidades sublimes, indispensáveis à ascensão, e que, no fundo, constituem as virtudes do Cristo, progressivas em cada um de nós.

Daí a razão de a graça divina ocupar a existência humana ou crescer dentro dela, à medida que os dons de Jesus, incipientes, reduzidos, regulares ou enormes nela se possam expressar.[10]

O registro de Marcos assevera que "havia também com ele outros barquinhos." Quer dizer que a travessia espiritual de uma pessoa afeta, necessariamente, os que se encontram em sua órbita. Revela, igualmente, que todos os Espíritos são convocados a participar da grande transição, mesmo aqueles que possuem reduzidos recursos morais ou intelectuais.

A humanidade inteira é convocada ao crescimento espiritual. O chamamento é destinado, indiscriminadamente a todos os habitantes do planeta, independentemente do plano de vida em que se situem, porque, esclarecem os Espíritos superiores, são "[...] chegados os tempos, dizem-nos de todas as partes, marcados por Deus, em que grandes acontecimentos se vão dar para a regeneração da humanidade."[1]

Registra também o evangelista que durante a travessia, Jesus e os apóstolos foram surpreendidos por um "grande temporal de vento, e subiam as ondas por cima do barco, de maneira que já se enchia de água." Todos os navegantes estão sujeitos a esse tipo de risco, exigindo dos condutores conhecimento especializado. Da mesma forma, diante das mudanças previstas para a melhoria da humanidade, somos atingidos por convulsões sociais e por reações inferiores de muitos, provocadores de revoltas, vinganças, mágoas etc. São formas de resistência erguidas pelos Espíritos não sintonizados com a paz, por lhes serem escassos os conhecimentos espirituais.

As reações violentas dos indivíduos, somadas às situações de calamidades ocorridas na natureza — simbolizadas na frase "e subiam as ondas por cima do barco, de maneira que já se enchia de água" — fazem parte do quadro de provações que assolam o nosso planeta. É importante compreender que a humanidade passa, atualmente, por significativo processo de transição moral, caracterizado por provas coletivas e individuais.

O versículo 38 do texto em estudo, entretanto, informa que, a despeito do temporal e da forte ventania, Jesus dormia na popa do barco, sobre uma almofada. Para os desavisados, pode parecer desinteresse, ou alheamento total de Jesus às dificuldades vivenciadas pelos discípulos. Sendo inconcebível tal atitude no Cristo, o fato expressa algo de maior alcance. Na verdade, sendo o Senhor o Mestre por excelência, não retirou dos apóstolos a oportunidade educativa de ensinar com acerto. O sono de Jesus é um exemplo de como devemos agir perante as situações calamitosas da vida: com calma, "dormindo" na certeza da fé em Deus, que nos agasalha, protegendo-nos das intempéries. Dormir, no significado expresso no texto, não deve ter a conotação de invigilância ou de descuido.

A falta ou escassez de fé tem colocado muitos "barcos" humanos à deriva. Entretanto, ainda que pareça paradoxal, são muitas vezes as situações periclitantes que despertam as pessoas para as realidades do Evangelho, clamando por Jesus ("E, despertaram-no, dizendo-lhe: Mestre, não te importa que pereçamos?").

E Ele, despertando, repreendeu o vento e disse ao mar: Cala-te, aquieta-te. E o vento se aquietou, e houve grande bonança. E disse-lhes: Por que sois tão tímidos? Ainda não tendes fé? E sentiram um grande temor e diziam uns aos outros: Mas quem é este que até o vento e o mar lhe obedecem? (Mc 4: 39-41).

A trama existente no texto evangélico nos faz supor que Jesus conduziu os apóstolos para uma situação desafiante, tendo em vista a necessidade de conhecer-lhes a capacidade de resolução de problemas, numa situação difícil, e aferir-lhes a dimensão da fé que possuíam.

No homem, a fé é o sentimento inato de seus destinos futuros; é a consciência que ele tem das faculdades imensas depositadas em gérmen no seu íntimo, a princípio em estado latente, e que lhe cumpre fazer que desabrochem e cresçam pela ação da sua vontade. [...] A fé é humana ou divina, conforme o homem aplica suas faculdades à satisfação das necessidades terrenas, ou das suas aspirações celestiais e futuras. O homem de gênio, que se lança à realização de algum grande empreendimento, triunfa, se tem fé, porque sente em si que pode e há de chegar ao fim colimado, certeza que lhe faculta imensa força. O homem de bem que, crente em seu futuro celeste, deseja encher de belas e nobres ações a sua existência, haure na sua fé, na certeza da felicidade que o espera, a força necessária, e ainda aí se operam milagres de caridade, de devotamento e de abnegação. Enfim, com a fé, não há maus pendores que se não chegue a vencer.[4]

Destaca-se, nesta mensagem, existente em *O evangelho segundo o espiritismo*, que a fé, tendo como instrumento a vontade, pode ser aperfeiçoada pela aquisição de conhecimentos e pelo desenvolvimento de valores morais. A pessoa fortalecida pela fé imprime postura positiva no comportamento, servindo de exemplo a todos que lhe compartilham a existência.

> A fé sincera e verdadeira é sempre calma; faculta a paciência que sabe esperar, porque, tendo seu ponto de apoio na inteligência e na compreensão das coisas, tem a certeza de chegar ao objetivo visado. A fé vacilante sente a sua própria fraqueza; quando a estimula o interesse, torna-se furibunda e julga suprir, com a violência, a força que lhe falece. A calma na luta é sempre um sinal de força e de confiança; a violência, ao contrário, denota fraqueza e dúvida de si mesmo.[2]

A fé não deve, porém, ser entendida fora do seu verdadeiro sentido, alerta-nos, em boa hora, Allan Kardec.

> Cumpre não confundir a fé com a presunção. A verdadeira fé se conjuga à humildade; aquele que a possui deposita mais confiança em Deus do que em si próprio, por saber que, simples instrumento da vontade divina, nada pode sem Deus. Por essa razão é que os bons Espíritos lhe vêm em auxílio. A presunção é menos fé do que orgulho, e o orgulho é sempre castigado, cedo ou tarde, pela decepção e pelos malogros que lhe são infligidos.[3]

Relata-nos o texto de Marcos que Jesus foi despertado pelos apóstolos e que o Mestre "repreendeu o vento e disse ao mar: cala-te, aquieta-te. E o vento se aquietou e houve grande bonança". O primeiro ponto que se destaca nessa citação evangélica é a poderosa personalidade de Jesus que, agindo diretamente sobre os elementos da natureza, ou por intermédio dos Espíritos que os presidem, fez cessar a tempestade e a forte ventania. Subjetivamente, há outro ensinamento. Trata-se de buscar Jesus, em todas as ocasiões, sobretudo nos momentos mais desafiantes da vida, por ser ele o guia e modelo da humanidade.[7]

É comum que o "barco" da nossa existência seja, em diferentes instantes, açoitado pelas provações, simbolizadas pelos ventos e tempestades que nos relata o evangelista. Em tais momentos é importante estejamos preparados, armando-nos da couraça da fé, cientes da proteção do Senhor, a fim de que possamos responder às indagações de Jesus: "Por que sois tão tímidos? Ainda não tendes fé?".

Perante as provações previstas no nosso quadro existencial, devemos nos manter firmes na fé, alimentando as forças morais e intelectuais que possuímos, erguendo barreiras morais que concedam segurança à existência.

Pela fé, o aprendiz do Evangelho é chamado, como Abraão, à sublime herança que lhe é destinada. A conscrição atinge a todos. O grande patriarca hebreu saiu sem saber para onde ia... E nós, por nossa vez, devemos erguer o coração e partir igualmente. Ignoramos as estações de contato na romagem enorme, mas estamos informados de que o nosso objetivo é Cristo Jesus. Quantas vezes seremos constrangidos a pisar sobre espinheiros da calúnia? Quantas vezes transitaremos pelo trilho escabroso da incompreensão? Quantos aguaceiros de lágrimas nos alcançarão o espírito? Quantas nuvens estarão interpostas, entre o nosso pensamento e o Céu, em largos trechos da senda?
Insolúvel a resposta.
Importa, contudo, marchar sempre, no caminho interior da própria redenção, sem esmorecimento. Hoje, é o suor intensivo; amanhã, é a responsabilidade; depois, é o sofrimento e, em seguida, é a solidão... Ainda assim, é indispensável seguir sem desânimo. Quando não seja possível avançar dois passos por dia, desloquemo-nos para diante, pelo menos, alguns milímetros. Abre-se a vanguarda em horizontes novos de entendimento e bondade, iluminação espiritual e progresso na virtude.[9]

Referências

1. KARDEC, Allan. *A gênese*. Tradução de Guillon Ribeiro. 48. ed. Rio de Janeiro: FEB, 2005. Cap.18, item 1, p. 401.

2. _____. *O evangelho segundo o espiritismo*. Tradução de Guillon Ribeiro. 124. ed. Rio de Janeiro: FEB, 2005. Cap. 19, item 3, p.300.

3. _____._____. Item 4, p. 300.

4. _____. Item 12 (mensagem de um espírito protetor), p. 306-307.

5. _____. *O livro dos espíritos*. Tradução de Guillon Ribeiro. 85. ed. Rio de janeiro: FEB, 2005. Questão 538, p. 273.

6. _____._____. Questão 625, p. 308.

7. _____. *Obras póstumas*. Tradução de Guillon Ribeiro. 38. ed. Rio de janeiro: FEB, 2005. Primeira parte, Item: Estudos sobre a natureza do Cristo. Cap. 2 (Os milagres provam a divindade do Cristo?), p. 125-126.

8. RIGONATTI, Eliseu. *O evangelho dos humildes*.16. ed. São Paulo: Pensamento, 2004. Cap. 8. Item: Jesus apazigua a tempestade, p. 69-70.

9. XAVIER, Francisco Cândido. *Fonte viva*. Pelo Espírito Emmanuel. 33. ed. Rio de Janeiro: FEB, 2005. Cap. 3 (Na grande romagem), p. 19-20

10. _____._____. Cap. 25 (Nos dons do Cristo), p. 67-68.

Orientações ao monitor

Analisar a ação de Jesus sobre os elementos da natureza e o valor da fé na condução da nossa vida.

Estudo Aprofundado da Doutrina Espírita
Ensinos e Parábolas de Jesus – Livro II

EDIÇÃO	IMPRESSÃO	ANO	TIRAGEM	FORMATO
1	1	2013	5.000	18x25
1	2	2014	3.000	18x25
1	3	2015	1.000	18x25
1	4	2015	1.500	18x25
1	5	2016	4.000	17x25
1	6	2017	3.500	17x25
1	7	2018	1.200	17x25
1	8	2019	1.000	17x25
1	9	2019	2.000	17x25
1	10	2021	2.000	17x25
1	11	2023	1.200	17x25
1	12	2024	1.000	17x25
1	13	2024	1.100	17x25

O LIVRO ESPÍRITA

Cada livro edificante é porta libertadora.

O livro espírita, entretanto, emancipa a alma nos fundamentos da vida.

O livro científico livra da incultura; o livro espírita livra da crueldade, para que os louros intelectuais não se desregrem na delinquência.

O livro filosófico livra do preconceito; o livro espírita livra da divagação delirante, a fim de que a elucidação não se converta em palavras inúteis.

O livro piedoso livra do desespero; o livro espírita livra da superstição, para que a fé não se abastarde em fanatismo.

O livro jurídico livra da injustiça; o livro espírita livra da parcialidade, a fim de que o direito não se faça instrumento da opressão.

O livro técnico livra da insipiência; o livro espírita livra da vaidade, para que a especialização não seja manejada em prejuízo dos outros.

O livro de agricultura livra do primitivismo; o livro espírita livra da ambição desvairada, a fim de que o trabalho da gleba não se envileça.

O livro de regras sociais livra da rudeza de trato; o livro espírita livra da irresponsabilidade que, muitas vezes, transfigura o lar em atormentado reduto de sofrimento.

O livro de consolo livra da aflição; o livro espírita livra do êxtase inerte, para que o reconforto não se acomode em preguiça.

O livro de informações livra do atraso; o livro espírita livra do tempo perdido, a fim de que a hora vazia não nos arraste à queda em dívidas escabrosas.

Amparemos o livro respeitável, que é luz de hoje; no entanto, auxiliemos e divulguemos, quanto nos seja possível, o livro espírita, que é luz de hoje, amanhã e sempre.

O livro nobre livra da ignorância, mas o livro espírita livra da ignorância e livra do mal.

Emmanuel[1]

---

[1] Página recebida pelo médium Francisco Cândido Xavier, em reunião pública da Comunhão Espírita Cristã, na noite de 25 de fevereiro de 1963, em Uberaba (MG), e transcrita em *Reformador*, abr. 1963, p. 9.

O EVANGELHO NO LAR

Quando o ensinamento do Mestre vibra entre quatro paredes de um templo doméstico, os pequeninos sacrifícios tecem a felicidade comum.[1]

Quando entendemos a importância do estudo do Evangelho de Jesus, como diretriz ao aprimoramento moral, compreendemos que o primeiro local para esse estudo e vivência de seus ensinos é o próprio lar.

É no reduto doméstico, assim como fazia Jesus, no lar que o acolhia, a casa de Pedro, que as primeiras lições do Evangelho devem ser lidas, sentidas e vivenciadas.

O espírita compreende que sua missão no mundo principia no reduto doméstico, em sua casa, por meio do estudo do Evangelho de Jesus no Lar.

Então, como fazer?

Converse com todos que residem com você sobre a importância desse estudo, para que, em família, possam compreender melhor os ensinamentos cristãos, a partir de um momento de união fraterna, que se desenvolverá de maneira harmônica e respeitosa. Explique que as reflexões conjuntas acerca do Evangelho permitirão manter o ambiente da casa espiritualmente saneado, por meio de sentimentos e pensamentos elevados, favorecendo a presença e a influência de Mensageiros do Bem; explique, também, que esse momento facilitará, em sua residência, a recepção do amparo espiritual, já que auxilia na manutenção de elevado padrão vibratório no ambiente e em cada um que ali vive.

Convide sua família, quem mora com você, para participar. Se mora sozinho, defina para você esse momento precioso de estudo e reflexões. Lembre-se de que, espiritualmente, sempre estamos acompanhados.

Escolha, na semana, um dia e horário em que todos possam estar presentes.

---

[1] XAVIER, Francisco Cândido. *Luz no lar*. Por Espíritos diversos. 12. ed. 7. imp. Brasília: FEB, 2018. Cap. 1.

O tempo médio para a realização do Evangelho no Lar costuma ser de trinta minutos.

As crianças são bem-vindas e, se houver visitantes em casa, eles também podem ser convidados a participar. Se não forem espíritas, apenas explique a eles a finalidade e importância daquele momento.

O seguinte roteiro pode ser utilizado como sugestão:

1. Preparação: leitura de mensagem breve, sem comentários;
2. Início: prece simples e espontânea;
3. Leitura: *O evangelho segundo o espiritismo* (um ou dois itens, por estudo, desde o prefácio);
4. Comentários: breves, com a participação dos presentes, evidenciando o ensino moral aplicado às situações do dia a dia;
5. Vibrações: pela fraternidade, paz e pelo equilíbrio entre os povos; pelos governantes; pela vivência do Evangelho de Jesus em todos os lares; pelo próprio lar...
6. Pedidos: por amigos, parentes, pessoas que estão necessitando de ajuda...
7. Encerramento: prece simples, sincera, agradecendo a Deus, a Jesus, aos amigos espirituais.

As seguintes obras podem ser utilizadas nesse momento tão especial:

- *O evangelho segundo o espiritismo*, como obra básica;
- *Caminho, verdade e vida; Pão nosso; Vinha de luz; Fonte viva; Agenda cristã.*

Esse momento no lar não se trata de reunião mediúnica e, portanto, qualquer ideia advinda pela via da intuição deve permanecer como comentário geral, a ser dito de maneira simples, no momento oportuno.

No estudo do Evangelho de Jesus no Lar, a fé e a perseverança são diretrizes ao aprimoramento moral de todos os envolvidos.

LITERATURA ESPÍRITA

EM QUALQUER PARTE DO MUNDO, é comum encontrar pessoas que se interessem por assuntos como imortalidade, comunicação com Espíritos, vida após a morte e reencarnação. A crescente popularidade desses temas pode ser avaliada com o sucesso de vários filmes, seriados, novelas e peças teatrais que incluem em seus roteiros conceitos ligados à Espiritualidade e à alma.

Cada vez mais, a imprensa evidencia a literatura espírita, cujas obras impressionam até mesmo grandes veículos de comunicação devido ao seu grande número de vendas. O principal motivo pela busca dos filmes e livros do gênero é simples: o Espiritismo consegue responder, de forma clara, perguntas que pairam sobre a Humanidade desde o princípio dos tempos. Quem somos nós? De onde viemos? Para onde vamos?

A literatura espírita apresenta argumentos fundamentados na razão, que acabam atraindo leitores de todas as idades. Os textos são trabalhados com afinco, apresentam boas histórias e informações coerentes, pois se baseiam em fatos reais.

Os ensinamentos espíritas trazem a mensagem consoladora de que existe vida após a morte, e essa é uma das melhores notícias que podemos receber quando temos entes queridos que já não habitam mais a Terra. As conquistas e os aprendizados adquiridos em vida sempre farão parte do nosso futuro e prosseguirão de forma ininterrupta por toda a jornada pessoal de cada um.

Divulgar o Espiritismo por meio da literatura é a principal missão da FEB, que, há mais de cem anos, seleciona conteúdos doutrinários de qualidade para espalhar a palavra e o ideal do Cristo por todo o mundo, rumo ao caminho da felicidade e plenitude.

CARIDADE: AMOR EM AÇÃO

SEDE BONS E CARIDOSOS: essa a chave que tendes em vossas mãos. Toda a eterna felicidade se contém nesse preceito: "Amai-vos uns aos outros". KARDEC, Allan. *O evangelho segundo o espiritismo*, cap. 13, it. 12.

A Federação Espírita Brasileira (FEB), em 20 de abril de 1890, iniciou sua *Assistência aos Necessitados* após sugestão de Polidoro Olavo de S. Thiago ao então presidente Francisco Dias da Cruz. Durante oitenta e sete anos, esse atendimento representava o trabalho de auxílio espiritual e material às pessoas que o buscavam na Instituição. Em 1977, esse serviço passou a chamar-se Departamento de Assistência Social (DAS), cujas atividades assistenciais nunca se interromperam.

Desde então, a FEB, por seu DAS, desenvolve ações socioassistenciais de proteção básica às famílias em situação de vulnerabilidade e risco socioeconômico. Fortalece os vínculos familiares por meio de auxílio material e orientação moral-doutrinária com vistas à promoção social e crescimento espiritual de crianças, jovens, adultos e idosos.

Seu trabalho alcança centenas de famílias. Doa enxovais para recém-nascidos, oferece refeições, cestas de alimentos, cursos para jovens, serviços de convivência e fortalecimento de vínculos para idosos e organiza doações de itens que são recebidos na Instituição e repassados a quem necessitar.

Essas atividades são organizadas pelas equipes do DAS e apoiadas com recursos financeiros da Instituição, dos frequentadores da Casa e por meio de doações recebidas, num grande exemplo de união e solidariedade.

Seja sócio-contribuinte da FEB, adquira suas obras e estará colaborando com o seu Departamento de Assistência Social.

O QUE É ESPIRITISMO?

O Espiritismo é um conjunto de princípios e leis revelados por Espíritos Superiores ao educador francês Allan Kardec, que compilou o material em cinco obras que ficariam conhecidas posteriormente como a Codificação: *O livro dos espíritos*, *O livro dos médiuns*, *O evangelho segundo o espiritismo*, *O céu e o inferno* e *A gênese*.

Como uma nova ciência, o Espiritismo veio apresentar à Humanidade, com provas indiscutíveis, a existência e a natureza do Mundo Espiritual, além de suas relações com o mundo físico. A partir dessas evidências, o Mundo Espiritual deixa de ser algo sobrenatural e passa a ser considerado como inesgotável força da Natureza, fonte viva de inúmeros fenômenos até hoje incompreendidos e, por esse motivo, são tidos como fantasiosos e extraordinários.

Jesus Cristo ressaltou a relação entre homem e Espírito por várias vezes durante sua jornada na Terra, e talvez alguns de seus ensinamentos pareçam incompreensíveis ou sejam erroneamente interpretados por não se perceber essa associação. O Espiritismo surge então como uma chave, que esclarece e explica as palavras do Mestre.

A Doutrina Espírita revela novos e profundos conceitos sobre Deus, o Universo, a Humanidade, os Espíritos e as leis que regem a vida. Ela merece ser estudada, analisada e praticada todos os dias de nossa existência, pois o seu valioso conteúdo servirá de grande impulso à nossa evolução.

A sua Doação pode ajudar a iluminar vidas!

Por meio do estudo e vivência do Evangelho do Cristo, a **Federação Espírita Brasileira** trabalha com portas abertas e mãos estendidas para acolher e amparar todos que a procuram, já tendo atendido milhares de famílias em situação de vulnerabilidade.

AJUDE A FEB A AUXILIAR A HUMANIDADE NA CONSTRUÇÃO DA PAZ E DO BEM.

Acesse:
doe.febnet.org.br
e seja um Sócio Contribuinte você também.

Federação Espírita Brasileira

FEB editora
Livro espírita para um novo mundo
www.febeditora.com.br
@febeditoraoficial
@febeditora

Conselho Editorial:
Carlos Roberto Campetti
Cirne Ferreira de Araújo
Evandro Noleto Bezerra
Geraldo Campetti Sobrinho – Coord. Editorial
Jorge Godinho Barreto Nery – Presidente
Maria de Lourdes Pereira de Oliveira
Miriam Lúcia Herrera Masotti Dusi

Produção Editorial:
Elizabete de Jesus Moreira

Revisão:
Elizabete de Jesus Moreira
Renata Alvetti

Capa:
Evelyn Yuri Furuta

Projeto Gráfico:
Luciano Carneiro de Holanda

Diagramação:
Rones José Silvano de Lima – instagram.com/bookebooks_designer

Foto da Capa:
http://www.istockphoto.com/ kamisoka

Normalização Técnica:
Biblioteca de Obras Raras e Documentos Patrimoniais do Livro

Esta edição foi impressa pela Coronário Editora Gráfica Ltda., Brasília, DF, com uma tiragem de 1,1 mil exemplares, todos em formato fechado de 170x250 mm e com mancha de 130x205 mm. Os papéis utilizados foram o Offset 63 g/m² para o miolo e o Cartão 250 g/m² para a capa. O texto principal foi composto em fonte Minion Pro 11,5/14,5 e os títulos em Zurich Cn BT 14/16,8. Impresso no Brasil. *Presita en Brazilo.*